JN007914

LIFE IS SIMPLE

HOW OCCAM'S RAZOR SET SCIENCE FREE
AND SHAPES THE UNIVERSE

JOHNJOE MCFADDEN

世界はシンプルなほど正しい

「オッカムの剃刀」はいかに今日の科学をつくったか

ジョンジョー・マクファデン

［訳］水谷淳

光文社

世界はシンプルなほど正しい

「オッカムの剃刀」はいかに今日の科学をつくったか

LIFE IS SIMPLE
by
Johnjoe McFadden

Japanese translation published by arrangement with
Johnjoe McFadden Ltd.,
c/o PEW Literary Agency Limited through
The English Agency（Japan）Ltd.

私を正気に保ってくれたペンとオリーへ

目次

はしがき

一九六四年五月。二人のアメリカ人物理学者が、トラックほどの大きさのある観測装置のそばに立った。巨大なラッパ型補聴器のような形をしたその装置は、ニュージャージー州のホルムデルという小さな郡区にそびえる低い丘の中腹にあった。二人とも三〇代半ば。一方のアーノ・ペンジアスは、一九三九年にニューヨークのブロンクス地区へ逃れてきたバイエルン出身のユダヤ人一家の出で、背が高く眼鏡を掛けていて生え際が後退していた。もう一方のロバート・ウッドロウ・ウィルソンはテキサス州ヒューストン出身、やはり長身で、黒いあごひげを蓄えて髪が薄かった。二人は二年前にとある学会で出会ったばかりだった。話し出したら止まらないペンジアスと、内気で引っ込み思案のウィルソンは意気投合した。そして世界的に有名なベル研究所で手を組み、マイクロ波で天空の地図を作成するという計画に取りかかった。二人は空を見つめ、そして途方に暮れた。

波長一ミリメートルから一メートルの電磁波であるマイクロ波はこの一〇〇年近く前に発見され、第二次世界大戦中に軍事科学者がレーダーへの利用や、敵のミサイルを撃ち落とす熱線銃の

図1　ニュージャージー州ホルムデルに立つベル研究所のホーンアンテナとアーノ・ペンジアスおよびロバート・ウィルソン

開発に挑んだことで注目を集めた。戦後になると、世界的に有名なマサチューセッツ工科大学（ＭＩＴ）の物理学者ロバート・Ｈ・ディッケがマイクロ波を検知できる高感度の受信機を開発したことで、各通信会社も関心を示すようになった。こうして送信機と受信機の技術が利用可能になったことで、新たな無線通信の手段が現実味を帯びてきた。

一九五九年にベル研究所は、人工衛星で反射させたマイクロ波を検知するためのホーンアンテナをホルムデルに建設した。しかし関心が薄れると別の無線通信技術に目先を変え、ホーンアンテナをうまく活用してくれそうな科学者にその巨大マイクロ波トランペットを貸し出すことにした。そこでペンジアスとウィルソンは天空の地図作りの計画を立てた。そして一九六四年五月二〇日、トランペットの後端につながる、高架に設置された物置小屋のようなコントロールルームに登り、アンテナを空へ向けた。ところがその巨大アンテナをどの方角に向けても、さらには星がほとんど見えない夜空の暗い領域に照準を合わせても、空電のような低い背景雑音しかとらえられない。[1] 二人は頭を抱えた。

二人はまず、近くのマイクロ波発生源によって何らかの干渉が起こっているのではないかと考えた。そこでニューヨーク市街地、核実験、近郊の軍事施設、大気による擾乱（じょうらん）について確認したが、それらの可能性は排除された。アンテナの中によじ登ってみると、ハトのつがいがそこをねぐらにしていたので、その糞が原因なのかもしれないと考えた。そこで、罠を仕掛けて捕まえた上で糞を掃除したが、ハトがどうしても戻ってきてしまうので、しかたなく撃ち落とした。ところがハトまで殺したというのに、アンテナを夜空のどの方角に向けようが一様な雑音は消えなかった。

ホルムデルから車で一時間ほどの場所にプリンストン大学がある。戦後、このプリンストン大学に移って教鞭を執りはじめたロバート・ディッケは、素粒子物理学やレーザー技術や宇宙論に取り組む研究グループを率いていた。研究室の売りは、アインシュタインの一般相対論から導き出される宇宙論的予測を検証するための高感度装置の開発。当時、宇宙論の分野では、数十年前にエドウィン・ハッブルが発見した、この宇宙は膨張しているという驚きの事実を説明しようと、二つの理論家の派閥がしのぎを削っていた。一方の陣営は、この宇宙は永遠に膨張しつづけていて、それを補うようにたえず新たな物質が生成しつづけているとする定常宇宙論を支持していた。それに対してディッケを含むライバルの理論家たちは、宇宙の膨張をありのままにとらえて時間をさかのぼることで、およそ一四〇億年前にこの宇宙はごく小さな点からすさまじい爆発によって突然誕生したに違いないと唱えていた。

問題は、どちらの理論からもほぼ同じ予測が導き出されて白黒付けがたいことだった。だがディッケは、もしも宇宙が爆発したのだとしたら低エネルギーのマイクロ波放射が雲のように一様に広がっているはずで、それが決定的な証拠になるに違いないと気づいた。そして、MITで以前に開発したレーダー検出器を改造すれば宇宙に広がるそのエネルギーの雲を検出できるかもしれないと考えた。しかしそのマイクロ波放射はきわめて微弱で、当時知られていたどんな電波信号やレーダー信号よりもはるかに弱いだろう。それを検出するには新世代の高感度マイクロ波検出器が必要だ。ディッケとプリンストン大学の研究グループは開発に乗り出した。

それから何年かのあいだに研究グループのメンバーたちは、着実な進捗状況を何度か発表した。その中のある会合にベル研究所の研究者が出席し、ペンジアスとウィルソンにプリンストン大学の研究チームの取り組みについて話した。ホーンアンテナからどうしても消えないマイクロ波の雑音は、ディッケが探しているそのシグナルなのではないか？　ペンジアスはロバート・ディッケに電話を掛けることにした。そのときディッケはプリンストン大学のオフィスで〝弁当(ブラウンバッグ)ミーティング〟の最中だった。研究仲間たちの記憶によると、ディッケは受話器を取って一心に耳を傾け、時折「ホーンアンテナ」や「過剰な雑音」といった言葉をオウム返ししてはうなずいたという。そして受話器を置くとグループのほうを向き、「みんな聞いてくれ、我々は出し抜かれてしまった」とつぶやいた。ペンジアスとウィルソンはビッグバンを発見した、そうはっきりと理解したのだ。

翌日、ディッケと研究チームは車でベル研究所を訪れ、ホーンアンテナを仰ぎ見てデータをじっくりと拝見した。そして、ペンジアスとウィルソンは確かにビッグバンの名残のマイクロ波を発見したと確信しながら帰途に就いた。両チームがもっとも驚いたのは、のちに宇宙マイクロ波背景放射（ＣＭＢ）と呼ばれるようになるその雑音の滑らかさだった。天空のどちらの方角を見ても、彼らが見分けられる限りまったく同じ強度だったのだ。この発見によってペンジアスとウィルソンは一九七八年にノーベル賞を受賞した。その約一〇年後、ＮＡＳＡはさらに精確な測定をおこなうために宇宙背景放射探査衛星（ＣＯＢＥ）を打ち上げ、ＣＭＢの中に一〇万分の一にも満たない強度のばらつき、いわば微かなさざ波を発見した。あなたが見たことのある中でいちばんまっさらな紙、その白さのばらつきよりもはるかに小さい。さらに約一〇年後の一九九八年、ヨーロッパ宇宙機関（ＥＳＡ）も独自のマイクロ波観測衛星、プランク宇宙望遠鏡を打ち上げ、その微かなさざ波とＣＭＢの並外れた一様さを確認した。

このＣＭＢは、天の川銀河よりも小さかった頃の宇宙の姿をとらえたスナップショットのようなものである。その一様さが物語っているとおり、無数の原子から初めて光が放たれたその瞬間、宇宙は単純な姿をしていた。それどころか、ＣＭＢは現在知られている中でもっとも単純な存在で、原子一個よりも単純である。さざ波の強度のばらつきを指す〇・〇〇〇〇一というたった一つの数値で表現できるくらいだ。カナダのオンタリオ州にあるペリメーター理論物理学研究所の名誉所長ニール・トゥロックは先頃、「ＣＭＢが教えてくれているとおりこの宇宙は驚くほど単

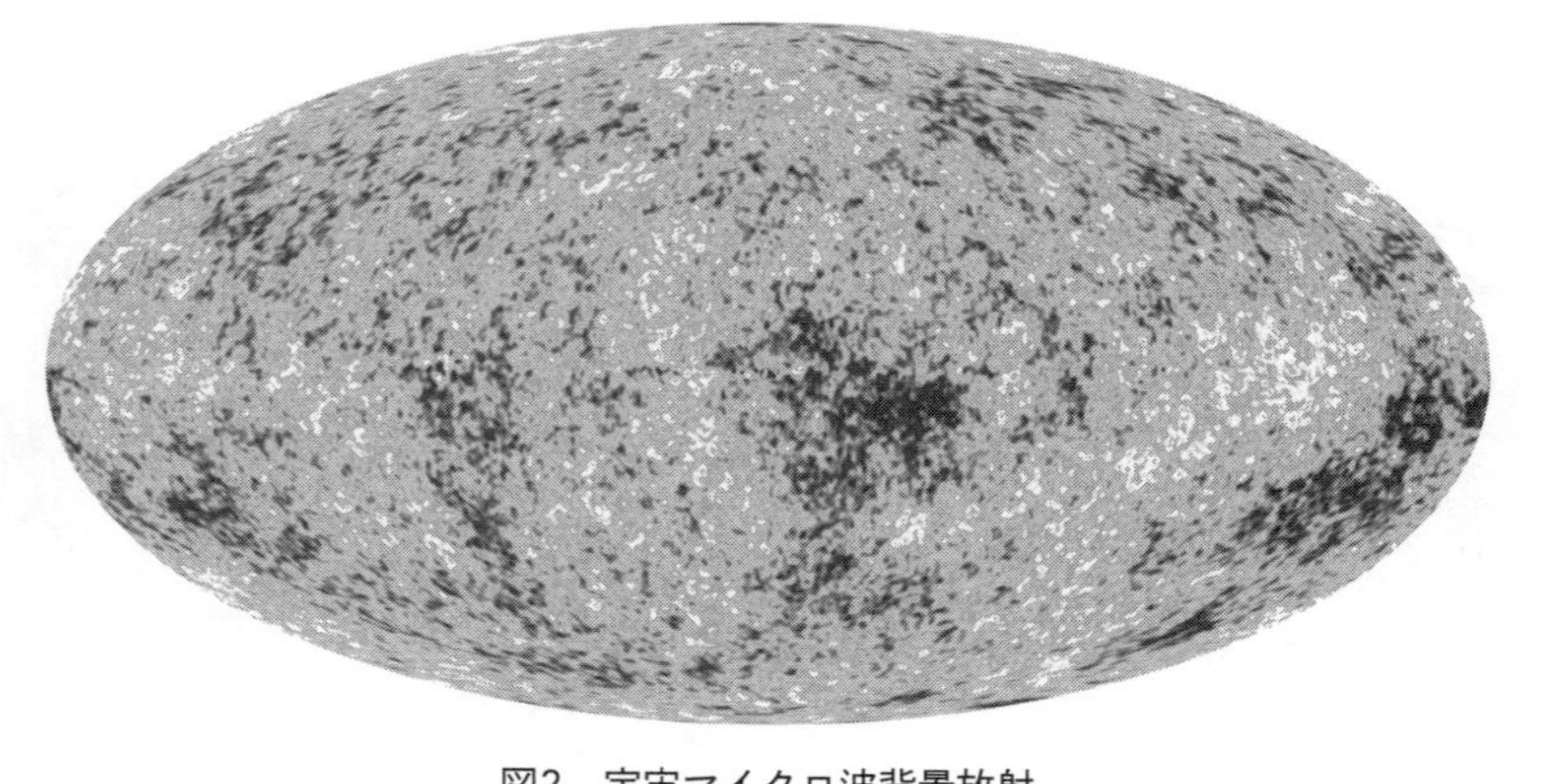

図2　宇宙マイクロ波背景放射

純で、……自然がどうやってそんなことをなしおおせたのか見当がつかないほどだ」と語った。[2]

この宇宙は誕生時の単純さを〝記憶〟していて、ビッグバンから一四〇億年経ったいまでもその本質は単純なままだ。その本質、つまりこの宇宙の単純な構成要素を、オッカムの剃刀と呼ばれる道具を使って解き明かそうとしてきた人々の営み、それが本書のテーマである。オッカムの剃刀という名前は、ペンジアスとウィルソンの七〇〇年前に生きたフランシスコ会修道士オッカムのウィリアムにちなんでいる。

私が単純さの概念に興味を持ったきっかけは、ESAがプランク衛星を打ち上げてCMBの観測を始めたちょうどその頃に、私の職場であるイギリスのサリー大学で開かれた生物学の学会でのことだった。その学会で、友人で同業者のハンス・ヴェスターホッフがおこなった『生物学にオッカムの剃刀の活躍する余地はない』という挑発的なタイトルの講演を聴いた。ハンスの主張を要約すると、生命はあまりに複雑で、彼いわく「減じようがないほど複雑」なのだから、オッカムの剃刀はいっさい役に立たないとなる。いまから二〇年以上前のことで、当時私はオッカムなる人物のことなどいっさい知らなかったし、オッカムの剃刀についてもほとんど知らなかった。ただし、毎日の車通勤の途中に「オッカム村はこちら」という標識の脇を通り過ぎていることは覚えていた。この偶然の一致だけで興味を惹かれた私は、その晩インターネットをさまよって、近郊の地名が付けられたこの剃刀の名声を物語るような情報がないか探した。

するとすぐに、このオッカムの剃刀という呼び名は、一三世紀後半にサリー州のこの村で生まれたオッカムのウィリアムにちなんで名付けられたことが分かった。ウィリアムはフランシスコ会に入信したのちにオックスフォード大学で神学を学び、もっとも単純な答えを選ぶという考え方を取るようになった。それは完全に新しい考え方というわけではなかったが、ウィリアムはこの原理を情け容赦なく当てはめて中世哲学の大部分を打ち壊し、悪名を轟かせた。そして彼の死からおよそ三〇〇年後にフランス人神学者のリベール・フロワモンが、余分な複雑さを削ぎ落とすというウィリアムの考え方を表現した、〝オッカムの剃刀〟という言葉を考え出した。[3]

今日ではオッカムの剃刀は、「不必要に要素を増やしてはならない」という形でもっともよく知られている。ここでいう〝要素〟とは、何らかの特定の体系に対する仮説や説明、あるいはモデルを構成する各要素のことである。つまりホーンアンテナで予想外のマイクロ波が検出されたら、ビッグバンのような新たな要素をひねり出す前に、まずはレーダー施設やハトなどの身近な要素に目を向けてこの現象を説明してみるということだ。ウィリアムは知られている限り、倹約を好むというこの姿勢を上記のとおりの文言で表現することはけっしてなかったが、ただしそれとまったく同じ考え方を、「不必要に複数の事柄を仮定すべきでない」とか「少数の事柄でなしえることを多数の事柄でおこなうのは無益である」などの言い回しで表現している。

ハンスの講演を聴いた日の晩、ウィリアムのことを調べれば調べるほど、その人となりにどんどん魅かれていった。確立されていた〝神の存在証明〟をことごとく打ち崩すなどといったウィリアムの思想がオックスフォード大学から漏れ広がりはじめると、異端を説いていると非難する声が上がり、彼はアヴィニョンに召喚されて教皇の前で審問に掛けられた。ところがアヴィニョンで教皇とフランシスコ会とのさらに激しい対立に首を突っ込んで、逆に教皇のことを異端と糾弾したため、教皇に仕える軍隊に追われて町から逃亡した。

実に心つかまれる話だが、私はすでに地元の英雄を守れるだけの十分な武器を備えていた。翌日、自分の講演の中で、もっともよく知られた表現のオッカムの剃刀は「不必要に要素を増やしてはならない」ことしか求めていないと指摘した。「不必要に」という但し書きが度量の大きさを物語っている。ある現象に対する単純な説明がことごとく失敗したら、必要である限り途方もない概念をいくらたくさん考え出してもいっこうにかまわない。たとえば、この宇宙は一四〇億年前に無限に小さい点から突然誕生したという主張によってデータを説明するというように。シャーロック・ホームズも、「ありえない事柄を排除してしまったら、残った事柄がどんなに信じがたくてもそれが真実であるはずだ」と言っている。[4] 繊細な生物学を扱うにはオッカムの剃刀はなまくらすぎるとハンスは訴えたのだが、それに対して私は、「不必要に」という但し書きがあるのだから、必要最小限に留める限りいくらでも要素を付け加えていっこうにかまわないと反論した。

ハンスとの論争はいまだに尾を引いているが、その一方で私はもっと幅広く、ウィリアムとその功績、そして科学におけるオッカムの剃刀の役割に魅了されている。調べを進めていくにつれて、オックスフォード大学の回廊やアヴィニョンの宮殿から、中世にほとばしった現代科学の最初のきらめきへと導かれていった。さらにそこから、コペルニクスやニュートン、アインシュタインやダーウィンといった、単純な答えを選んだ現代科学の巨人たちの歩んだ道をたどっていった。その旅路の中で、単純さは実験と並ぶ科学の一道具であるというだけでなく、数学にとっての数や音楽にとっての音符のように、科学にとって中心的な役割を果たしているのだと確信させられた。科学と、この世界を理解するそれ以外の無数の方法とを分け隔てているのは、詰まるところ単純さだと思う。一九三四年にアルベルト・アインシュタインは、「すべての科学の大目標は、できるだけ少ない数の仮説や公理からの論理的演繹によってできるだけ多数の経験的事実を説明することである」と力説した。[5] オッカムの剃刀は、その「できるだけ少ない数の仮説や公理」を見つけるのに役立つのだ。

しかもオッカムの剃刀の活躍はまだ終わっていない。物理学者ができるだけ単純な理論に向けて少しずつ歩を進める一方で、生物学者は、ゲノミクスをはじめさまざまな〝……ミクス〟〔各種生体物質を総体的に扱う学問〕によって加速度的に増えつづける膨大なデータから、単純な理論を導き出そうと腐心している。しかもそのような取り組みには、ウィリアムの時代と同じくいまでも異論が多い。統計学者もそのような取り組みの価値と意義についてつねに議論を続けている。先頃フランス人科学者のグループが、自国を襲う新型コロナウイルスの流行は、ほとんどの疫学者が用いている複雑で扱いづらいモデルよりも、オッカムの剃刀で無駄を削ぎ落とした単純なモデルのほうがうまく説明できると論じる論文を発表した。最先端の科学において、深遠で謎めいていてときに心かき乱すような洞察を与えてくれるのは、いまだに単純さの概念なのだ。

おそらく何よりも驚かされるのは、オッカムの剃刀の価値は科学に留まらないことが次々と明らかになっていることだ。ウィリアム・シェイクスピアが強調した「簡潔さが機知の魂」という原理は、現代になってその重みがさらに増している。ジョン・ケージのミニマリズム音楽から、ル・コルビュジエのシンプルな建築様式、サミュエル・ベケットの無駄を削ぎ落とした文体、そしてｉＰａｄの滑らかな形状に至るまで、現代文化は単純さに満ちあふれている。オッカムの剃刀を表現する言葉としては、建築家ミース・ファン・デル・ローエの「少ないほうが良い」や、コンピュータ科学者ビャーネ・ストロヴストルップの「単純なタスクを単純にせよ」、あるいは作家で飛行家のアントワーヌ・ド・サン＝テグジュペリが語った「完璧な状態に達するのは、付け加えるべきものが何もなくなったときではなく、取り除くべきものが何もなくなったときである」といったものが挙げられる。工学の世界ではこの原理はＫＩＳＳ（'Keep it simple, stupid'、「簡潔にしておけ。愚か者よ」）という略語で知られている。これは一九六〇年代にアメリカ海軍が採用した設計原理だが、いまでは堅実な工学に欠かせないものとしてあまねく受け入れられている。オッカムの剃刀は現代世界の礎となっているのだ。

ここで、本書が目指そうとしなかった事柄についてもはっきりさせておきたい。本書の狙いは、科学の歴史をくまなく描き出すことではない。オッカムの剃刀の重要性とその使い方を物語る重要な思想や新機軸をいくつか選び出して説明することで、これまで正しく評価されてこなかったオッカムの剃刀の価値を納得してもらおうという狙いだ。そのため、偉大な科学者たちによる大きな進歩の多くは完全に省くしかなかった。取り上げられていない事柄について知りたい読者のために、優れた書物の中から何冊かを参考文献として挙げておこう。[6]

さらにもっと重要なこととして、本書は科学史の本というよりも、オッカムの剃刀の助けを借りて生まれた科学内外の偉大な考え方を説明して掘り下げた本である。話は科学が事実上神学の一分野だった時代から始まる。今日の我々には奇妙に思えるかもしれないが、人類史の大部分を通じてそれが支配的なとらえ方だった。オッカムのウィリアムとその剃刀は科学を神学の足枷(あしかせ)から解放する役割を果たし、それはその後の人類史の道筋に重大な影響を与える偉業であったと思う。ところが今日ですら科学は文化的状況のしがらみに囚われたままで、それを感じ取るには科学の起源や進化について考えてみるのが一番だ。そこで本書は、オッカムの剃刀が振るわれているもっと幅広い分野についても探っていく。

最後に、科学そのものは一つだけだがそれがいくつもの分野に分かれているし、そのルーツも、天文学者が星々の運動を初めて記録に残した古代メソポタミアや、いまで言うアラビア数字の体系を発明した古代インドなど、さまざまな地域に広がっている。さらに、活字印刷術の原型など数多くの技術を生み出した古代中国や、古代ギリシア人がこの世界を初めて数学で意味づけようとしたエーゲ海沿岸、イスラムの学者がギリシアの科学を守りつつ光学や化学など新たな分野に発展させた中東や北アフリカにも広がっている。我々が現代科学と呼んでいる素晴らしい思考体系には、何百もの場所で何百万もの人が数えきれないほどの回数、力を注いできた。しかし残念ながら、オッカムの剃刀の役割を説明するために私が挙げた科学者のほとんどは、西洋の裕福な白人男性である。あらゆる性別や人種の人たちが現代科学に寄与してきたのは間違いないが、機会の欠如や偏見、そして社会的障壁のせいで彼らの貢献ぶりはほとんど文書に残されていない。本書の後のほうではその不足部分を補って、科学はこれまでもこの先も人類のもっとも協力的な営みであるという私自身の信念を明らかにしようと思う。

本書の物語はある旅から始まる。

パート1　発見

第1章　学者と異端者

異端で誤っていて、ばかげていて滑稽で、奇想天外で非常識で中傷的であり、正統的な信仰や正しい道徳、自然の道理や確実な経験や友愛的な慈悲心に反している上に、あからさまに害をおよぼす事柄をあまりにも数多く見つけた。そのうちのいくつかをここで取り上げるべきだと判断した。

オッカムのウィリアム『フランシスコ会修道士たちへの手紙』、一三三四[1]

脱出

一三二八年五月二六日の晩、剃髪をしてフランシスコ会の灰色のローブをまとった三人の修道士が、教皇の住まうアヴィニョンの町からこっそり逃げ出して馬で南へ向かい、マルセイユの北西およそ一〇〇キロ、十字軍の拠点である川沿いの港町エーグ＝モルトを目指した。一人目は、フランシスコ会会長で印綬を管理するチェゼーナのミケーレ。二人目は、フランシスコ会の主任法学者であるベルガモのボナグラティア。二人とも君主や教皇にはよく知られた人物で、フランシスコ会を代表してヨーロッパの各宮廷を幅広く渡り歩いていた。齢四〇くらいで華奢な三人目の逃亡者が、イングランド人学者であるオッカムのウィリアム。ほかの二人よりも一〇歳以上年下だが、危険な思想を説くことで悪名を馳せ、異端とのそしりを受けていた。教皇から異端と糾弾された三人は、宗教裁判から逃げおおせようとしていた。もしも捕らえられれば破門されて投獄され、あるいは燃えさかる薪(まき)の山の上でゆっくりとむごたらしい死を迎えることになる。

三人は「完全武装した召使い」*を護衛に付けて先へ進んだ。そしてエーグ＝モルトで、港に停泊している「ガレー船の船長でサヴォナ市民のジョヴァンニ・ジェンティル」と落ち合った[2]。ガレー船は細長くて喫水が浅く、つくりはヴェネツィアのゴンドラに似ているがもっと大型で、帆とオールの両方を備え、浅い海域や河川を航行できたため、地中海北岸の港どうしでの交易に広く使われていた。三人の修道士はガレー船に乗り込んで安堵のため息をつき、すぐにでも出港したいと思ったに違いないが、天候と潮目が悪くてなかなか船を出せなかった。

その頃アヴィニョンでは三人が逃亡したことがばれ、教皇に仕える軍隊が彼らを捕らえるために急派された。アラブリー卿が率いて「教皇や王の大勢の召使いを従えた」拘束部隊が到着した深夜、フランシスコ会修道士たちの乗るジェンティルのガレー船はいまだ出航できずに港に停泊

＊ ここの記述はいまから数十年前にジョージ・クニシュがヴァチカンの古文書の中から発見し、ラテン語から「予備的な翻訳」をおこなったものである。その翻訳からの直接の引用にはカギカッコを付けてある。

したままだった。アラブリーは船長に逃亡者たちを引き渡すよう要求した。するとジェンティルはとりあえず協力的に見せかけて、アラブリー卿を船上に招き入れた。教皇の特使であるアラブリーはフランシスコ会修道士たちを形式上逮捕し、彼らを引き渡さなければ「もっとも重い罰」を受けることになるとジェンティルに迫った。そうして二人は、フランシスコ会修道士たちを教皇当局に引き渡すことで話をつけた。ところがアラブリーが下船すると、夜も明けぬうちに「船長は帆を広げ、ひそかに出港した」。

怯えていた三人のフランシスコ会修道士は、怒り狂う兵士たちが暗闇に消えていくのを見て大喜びしたに違いない。しかしその喜びも長くは続かなかった。「川を優に三〇リーグ〔約一五〇キロ〕下ったところで〔当時エーグ＝モルトの港は海から何百キロも離れていた〕神の摂理が向かい風を吹かせ」、船が上流に吹き流されていったのだ。ジェンティルは軍隊の手の届く場所に避難するしかなくなった。引き渡しをめぐる交渉が続けられる中、フランシスコ会修道士たちは「すさまじい恐怖」を感じながら何日も船上に留まった。しかし悪賢い船長はどうやら時間稼ぎをしていたようで、天候が変わると再び船を川に出し、今度は外洋までたどり着いて、神聖ローマ帝国皇帝として選ばれたばかりのバイエルン公ルートヴィヒ四世に仕える「リー・ペレズを船長とするサヴォナの大型軍用ガレー船」と合流した。ジェンティルは逃亡者たちをその大型船に乗り移らせ、六月三日金曜日にその軍用ガレー船とフランシスコ会修道士たちは怒り狂う教皇の手の届かないところまで逃げおおせた。こうしてウィリアムは命拾いしたが、知られている限りフランスにも祖国イングランドにも二度と戻ることはなかった。

フランシスコ会修道士たちの脱出に関する歴史的記述は、エーグ＝モルトから出たところで途切れている。しかしウィリアムと同志たちの経験したであろう航海の雰囲気は、ほぼ同時代の一二四八年にルイ九世率いる第七回十字軍に同行したジャン・ド・ジョアンヴィルが、同じ港から出港した際の様子を書き留めた文章から感じ取ることができる。

馬を船に乗せると、船長は舳先に立っていた船員たちに「準備はいいか」と声を掛け、船員たちは「アイアイサー」と答えた。「ならば司祭たちは前に出ろ」。司祭たちが前に出ると、船長はすかさず「神のために歌え！」と命じ、彼らは声を揃えて『来たり給え、創造主なる聖霊よ』を詠唱した。続いて船長は船員たちに「神のために帆を広げろ！」と叫び、船員たちはそのとおりにした。風に乗ってしばらくすると陸地は視界から消え、空と海以外には何も見えなくなった。……ここで言っておきたい。夜中に船上で眠る以上、朝になったら海の底に横たわっているかもしれない。そんな命の危険にあえて身をさらすのがいかに無謀なことか、あなたにも分かってもらえるだろう。[3]

ではウィリアムの思想のどこがそんなに危険で、教皇はなぜ労を尽くしてまで彼を捕らえようとしたのか？　それを理解するには、中世の古めかしいものの見方に身を投じる必要がある。

ウィリアムは一二八八年頃、ロンドンから馬に乗って南西に一日ほど進んだところにあるサリー州の小村、オッカムで生まれた。この時代の村に関する記録として残っているのは、ノルマン人によるイングランド征服の二〇年後、ウィリアムが生まれる二〇〇年前の一〇八六年に作られた土地台帳の記述だけである。かなり時代が離れているようにも思えるが、ノルマン人の征服による混乱以降、中世イングランドの変化のペースは今日よりもはるかに遅く、我々の知る限りオッカムの暮らしていたちっぽけな村は、ボッケハムというアングロ＝サクソン風の名称で記載された頃とまったく変わっていなかった。牛二六頭が草を食む牧草地と、豚およそ四〇匹の餌となるドングリが採れる森、約二〇家族を養う農地と、水車場が一軒あるだけだった。土地台帳の記述に見られるおそらくもっとも古めかしい特徴は、この村の住民を「ヴィレイン三二人、ボーダー四人……ボンドマン三人」と記載していることである。いずれも農奴のことで、領主のために無賃金で働かされ、荘園と抱き合わせで売買される奴隷同然の人たちだった。名前が記載されているのは、アングロ＝サクソン名でグンドリッドという自由民ただ一人である。荘園全体の価値は一五ポンド、一人の人夫が一年で稼ぎ出せる額のおよそ八倍だった。

ウィリアムに関して分かっている最初の具体的な事実は、おそらく一一歳頃にフランシスコ会に入れられたことである。貴族の家ではそれはわりとよくあることだったが、数々の事実から見てウィリアムが高貴な生まれだったとは思えない。第一に、ウィリアムの家系に関する記録はいっさいなく、卑しい身分だったことがうかがわれる。第二に、土地台帳のオッカム村の項目にものちの記録にも貴族はいっさい挙げられていない。修道院は望まれずに生まれて玄関先に捨てられた子供を預かる非公式の孤児院としての役割も果たしていたため、ウィリアムは孤児または婚外子、あるいは捨て子だったのだと思われる。

オッカムに近い町、たとえばギルフォードやチャーツィーには、フランシスコ会の小さな修道院がいくつもあった。ウィリアムは小さい頃にそのような修道院で暮らしていたと思われる。少年としてやって来たのちに剃髪し、フランシスコ会の灰色のフードをかぶったことだろう。*見習い修道士、いわゆる献身者として、厳しく規則が定められた修道院での生活を送っていたのだろう。毎日午前六時頃に賛歌で一日が始まり、続いて礼拝と聖歌の詠唱、それから授業を受けたと思われる。ウィリアムの受けた初等教育の目的は、修道士の一番の務めである、祈りを捧げて聖歌を歌えるようにすることだった。標準的な教育法は、丸暗記と賛美歌の詠唱。まだこの段階では、賛美歌や祈りの言葉のラテン語を理解することは必ずしも求められていなかった。チョーサーの『尼寺の長(おさ)の話』に登場する少年は、「歌は習ったけれど文法はほとんど分からない」と打ち明けている。

ウィリアムも修道院に入ってから何年かのあいだに基本的な算数を教わり、聖書や聖人たちの伝記を読んだことだろう。書物はとても貴重だったため、授業ではもっぱら先生の読む文章を丸

＊ カルメル会、フランシスコ会、ドミニコ会、アウグスチノ会など、おもに一二世紀から一三世紀に設立された托鉢修道会に属する修道士のことを、とくに托鉢修道士(フライアー)という。現代のフランシスコ会修道士は茶色の僧服を着ているが、〝灰色の僧服を着た修道士(グレイフライアー)〟という異名で呼ばれている。その由来は、初期のしきたり（ウィリアムとその仲間たちも従ったであろう）では生成りの羊毛で編んだローブを着ていて、それが着古されると灰色になったことだと考えられている。托鉢修道士は、少なくとも初期の頃は一般的な修道士と違ってさまよいながら隠遁生活を送っていたが、一四世紀にはほぼ修道院で暮らすようになった。

ごと書き取ってから、蠟板に尖筆で書き写していた。懲罰は規定に基づいて厳格に下され、ディジョンの聖ベニグヌスが定めた、「何らかの罪を犯した少年は……いっさいの猶予なしに僧衣と頭巾を剝ぎ取られ、下着姿で鞭を打たれる」という規定とそうは違わなかったことだろう。[4] ウィリアムはそんな厳しい生活を耐え抜いただけでなく、修道院長たちからおおいに評価され、一三〇五年頃、二〇歳くらいのときに、ロンドン市内のニューゲート地区に近いフランシスコ会の学校（一般学問所（ストゥディウム・ゲネラーレ））、グレイフライアーズ学寮に送られて中等教育を受けることになった。

ニューゲート地区はロンドン旧市街（シティ）の南東の端、町の城壁に開いた七つの門のうちの一つに面している。オッカム村やギルフォードからは馬に乗って北へ一日ほど行ったところにあるが、当時は徒歩で何日もかけて向かう人のほうが多かっただろう。一〇〇人を超す修道士を擁するイングランド最古かつ最大であるこの修道院は、ニューゲート地区のにぎやかな食肉市場の近くにあった。血を滴らせるウシやブタやヒツジの肉、あるいは近くのプディング通りで売られるブラッドプディング〔ソーセージの一種〕の材料である固めた血の入った、湯気を立てるバケツを運ぶ男たちや少年たちの行き交う、騒々しくて足下が滑りやすく、悪臭が漂っていてごった返した、ブラダー街やシャンブルズといった名前の狭い路地や横町を、修練士ウィリアムが人混みをかき分けながら歩いている様子が思い浮かぶ。木製の扉を通って比較的人の少ない静かな修道院にたどり着いたら、心からほっとしたことだろう。

一般学問所であるグレイフライアーズ学寮は高校と大学の中間のような機関で、学問を志す修道士が学士号取得のために三年間、修士号取得のために六年間学び、さらに才気があれば神学の博士号を目指して勉学に励んでいた。この学校でウィリアムは修学の幅を広げ、文法と論理と修辞の三学（中世の大学の教養科目）を学んだのちに、音楽および、今日なら科学教育の一部である算術、幾何、天文からなる四学へと進んだ。

しかし、剃髪して灰色のローブをまとった同級生たちと並んで石壁の講義室の椅子に腰掛け、論理や算術、幾何や天文に関する先生の講義に耳を傾けるウィリアムの経験は、現代の学生とはまったく違っていたことだろう。何よりも、重要な教科書のほとんどは数百年、さらには数千年も昔のものだった。

混み合った宇宙に剃刀を当てる

太陽の光を反射してダイヤモンドのように目もくらむほど明るく輝く磨き上げられた固い表面を持つ、きらめいた濃密な雲に取り囲まれているかのようだった。その不滅の真珠の中へ入ると、流れる太陽の光に身を沈め、その光を飲み込んだ。……もしも肉体か、または実体のない魂だったならば、それは分からなかっただろう。……白い額にあしらわれた白い真珠のごとくほのかだったため、話したがっているいくつもの顔に取り囲まれているのが見えた。

ダンテ『神曲』、「月天」

まず指摘しておくべきこととして、今日の意味で言う〝科学（サイエンス）〟という言葉は中世にはまったく存在していなかった。この言葉はラテン語で知識を意味する〝スキエンティア〟を語源とする。しかし中世の学者はこの言葉を、確実に知ることのできる事柄、たとえば月は丸いとか、直角三角形の斜辺の二乗はほかの二本の辺の二乗の和に等しいといったことに当てはめていた。その対極に位置するのは個人の見解、たとえばダンテとチョーサーのどちらのほうが偉大な詩人であるかとか、盗みと姦淫のどちらのほうが罪深いかといったことである。しかしスキエンティアは今日の科学と違って、天国と地獄の存在など、確実であるとみなされていた〝神学的真理〟も含んでいた。

このことを念頭に置いた上で、ウィリアムがグレイフライアーズ学寮で学んだ（現代的な意味で）初の科学的なスキエンティアと呼べるのは、エウクレイデス（数学）やアリストテレス（ほぼあらゆる事柄）といった紀元前四世紀から前三世紀のギリシア人学者、およびボエティウスなど紀元五世紀から六世紀のローマ人学者によるさまざまな註解だったと思われる。当時アリストテレスは最高の権威とされていて、ウィリアムもアリストテレスの『自然学』、『動物誌』、『天体論』、『生成消滅論』、『気象論』（全四巻）を学んだことだろう。註解の中でも、一二三〇年頃にヨハネス・ド・サクロボスコが著した『天球論』は、アリストテレスや、そののちのプトレマイオスなどギリシア人哲学者たちの説いた天文学を、読みやすい形にまとめたものだった。この書物は中世の芸術や文学にも深い影響を与え、中世でおそらくもっとも偉大な詩作であるダンテの『神曲』もその中の一つである。

ダンテが『神曲』を詠んだのは、ちょうどウィリアムがロンドンで学んでいた一三〇八年から二一年のことだった。この叙事詩には『天球論』とともに、ウィリアムも学んだであろうロジャー・ベーコンやロバート・グローステストといった中世の学者の文書からの要素が満載されていて、[5]そこに詩人ダンテの豊かな想像力がたっぷりと加えられている。かなり奇想を凝らした詩作だが、中世の哲学において神学とスキエンティアがいかに絡み合っていたかを読み取ることができ、[6]科学の進歩におけるオッカムの剃刀の役割を探る出発点としてまさにふさわしいといえる。

ダンテはこの叙事詩の中で、中世に考えられていた宇宙のさまざまな領域へと我々をいざなう。旅の出発点は地上で、そこから地獄へ降り、さらに煉獄*を訪れる。そしてついに、少年時代に愛したベアトリーチェの魂に導かれて天国へ昇る。そこからベアトリーチェに連れられて一〇の天国を巡り、太陽と月（本節の冒頭で引用した）、および水星、金星、火星、木星、土星の各惑星を訪れる。引用した一節にある「ダイヤモンドのよう」な表面とは、透明な結晶からなる回転する球体（天球層）のことで、そこに月（「不滅の真珠」）がつなぎ止められていると考えられていた。この月の天球層が回転することで、月が一か月かけて地球の周りを回る。太陽や各惑星も同じように、地球を中心とした結晶性の天球層によって動いていく。もっとも低いところにある月の天球層でダンテは、天国に暮らす超自然的存在、いわゆる神聖なる魂の「顔」と初めて出会う。

＊　カトリックの教義では、地獄を免れた罪人の魂は煉獄でしばらく苦しみを味わって罪滅ぼしをして初めて、天国に昇ることができるとされている。

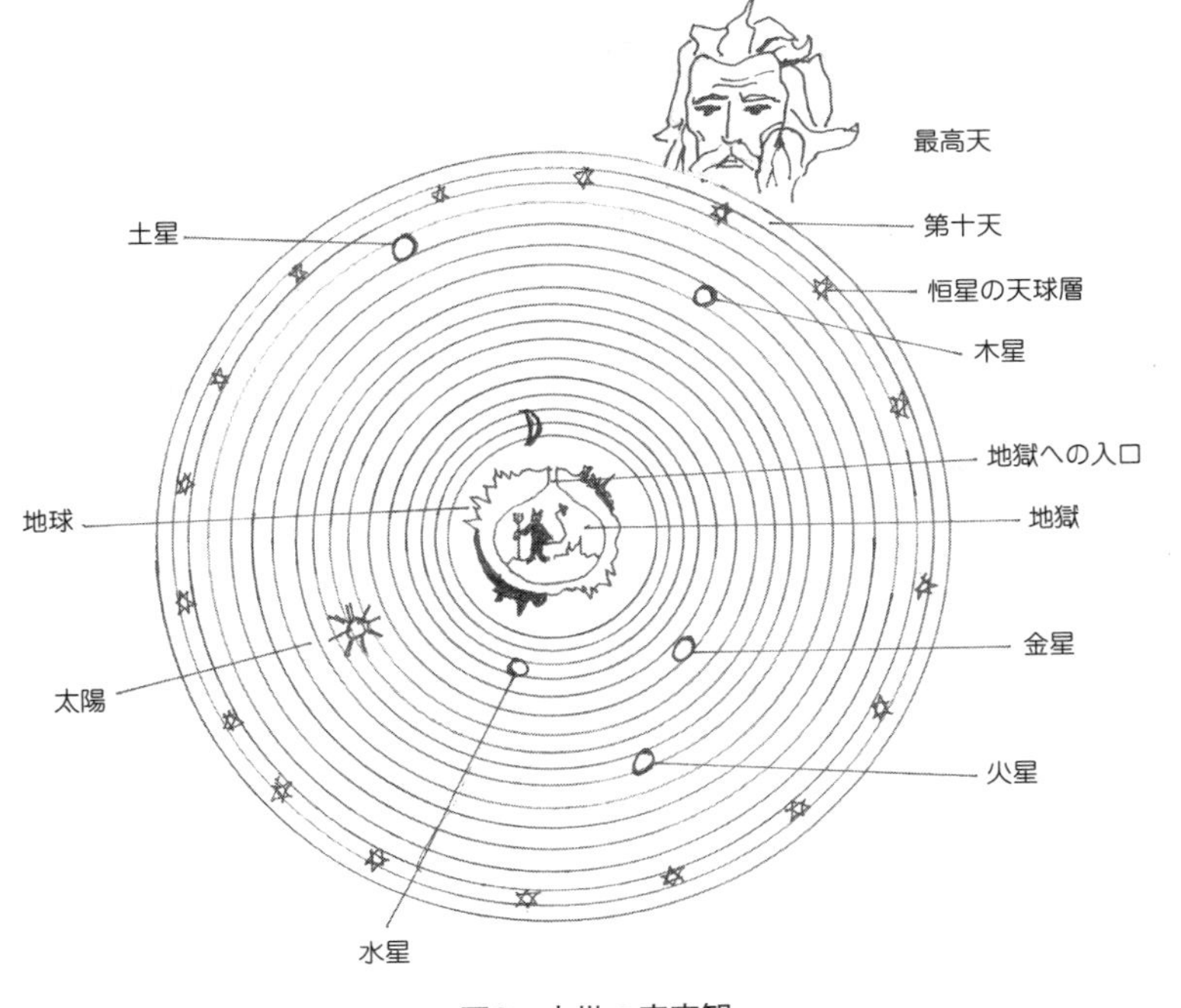

図3　中世の宇宙観

　ダンテの言う天国は明らかに物理的空間のことを指しているが、ではこれは科学なのか、はたまた神学なのか？　両方である。その天国には霊魂や天使が満ちあふれているが、それでも今日の我々ならそれを科学的だと形容するはずだ。たとえばダンテとベアトリーチェは旅の途中で、月の暗い斑点がどうやって生じたかを長々と議論しあっている。天界に棲まう月は穢(けが)れがないはずだとされていたため、この疑問は古代や中世の学者のあいだで盛んに論じられていた。その斑点は人間の罪によるしみだと主張する者もいたが、ベアトリーチェは別の可能性として、月には透明な領域があるのかもしれないという説について論じた上で、その説を否定している。科学も神学も、中世の宇宙に関するスキエンティアの一部をなしていたのだ。

ダンテはさらに天国を昇っていって、五つの惑星の天球層をめぐった末に、恒星を一日一回周回させている天球層を訪れる。恒星の正体についてはかなりの議論が繰り広げられていて、たとえば天球層に張りついた天体であるとか、はたまた天球層に開いた小さな穴から漏れる神の光であるとかと論じられていた。この天球層の向こう側にはもっとも高い天国である第十天があり、ベアトリーチェによるとその唯一の目的は、恒星や惑星を載せた内側の天球層に推進力を与えることであるという。第十天のさらに外側には神や聖人が暮らしている。

ここで指摘しておくべきが、サクロボスコによる天文学の教科書は天使などあからさまに神学的な要素はいっさい含んでおらず、宗教とほぼ無関係なアリストテレスの天文学に基づいていることだ。それでも中世にアリストテレスを学んだ人はほとんどが神学者で、彼らはその註解に反映されているとおり、アリストテレスの天文学をキリスト教の天国の概念に組み込む方法を探った。そのためダンテのこの叙事詩は、ウィリアムが学んだ天国の姿を垣間見せてくれるとともに、教養のある人々が夜空を仰いだときに見えると考えていた事柄も伝えてくれている。夜空には岩石や燃えさかるガスが無数に浮かんでいて、それらが広大な空間で隔てられているというのが現代の考え方だが、中世の人々はそれとはまったく違い、天国の壁に太陽や月や恒星があしらわれているととらえていた。もしもダンテのように高みに昇って恒星の天球層をめぐったら、天使や聖人とともに神の顔を拝めるはずだと考えていたことだろう。

このように中世の宇宙観は、ギリシア天文学とキリスト教の神学とが奇妙な形で混ざり合ってできていた。そしてその神学的要素は、旧約聖書とキリスト教神学者の著作とのつぎはぎだった。一方、科学的要素のほうの由来を探るには、ニューゲートから東へ向かい、時代も古代メソポタミアまでさかのぼる必要がある。

天体

すっきりと晴れた夜に空を仰げば、二〇〇〇個くらいの星々が見えるだろう。また月や、肉眼で見える五つの惑星のうちのいくつかも目に飛び込んでくるかもしれない。月は容易に見つけられる。しかし二〇〇〇個ほどの星々の中で惑星はどれだろうか？

古代バビロニア（前一八〇〇頃—前六〇〇頃）の人々にもその答えは分かっていただろう。暑い夏の夜に涼しい屋根の上で眠っていた彼らは、夜空に見える星々の動きをよく知っていた。二〇〇〇個ほどのまたたく〝恒星〟の作る星座が、北極星を中心とする完璧な円を描いて回転していることには、子供の頃に気づいたはずだ。しかしそれに加えて、またたきもせず円形の経路もたどらずに、黄道帯と呼ばれるいくつかの星座の帯の中をさまよう五つの星の存在にも気づいていた。それらの星はその放浪するような振る舞いから、惑星（ギリシア語でプラネテス）と名付けられた。

古代の天文学者がもっとも興味をそそられたのは、そんな惑星の動きだった。彼らも当時のほとんどの人々と同じく、無生物と生物をはっきりと区別していた。そして無生物は何かに押されない限り静止しつづけようとする一方、生物はその肉体に命を与える超自然的な魂によって自律的に運動する力を持っていると考えていた。惑星は誰かが動かしているわけでもないのに夜空を不規則に動いていることから、彼らバビロニア人を含む古代のほぼあらゆる人々は、惑星も我々と同じく超自然的な主体、すなわち魂によって生かされていると信じていた。我々が水星と呼ぶ惑星は、ナブーという神の二輪戦車に引かれて夜空の中を動いている。今日で言う金星、火星、木星、土星も、イシュタル、ネルガル、マルドゥク、ニヌルタによって運ばれている。太陽と月は太陽神シャマシュと月神シンの二輪戦車に引かれている。* 肉眼で見えるこの五つの惑星と太陽および月に基づいて、一週間は七日と定められた。一個一個の恒星に神をあてがおうとすると莫大な数の神が必要になるので、バビロニア人はもっと単純な解決策として、北極星を中心に東から西へ一日一回回転する、カキの貝殻のような巨大な半球の内側の面に恒星を張り付けるという方法を選んだ。

神々に満ちたこのような宇宙像は今日では奇異に思えるが、重力についていっさい理解されていなかった当時は神々が天界でその役割を担っていた。のちほど説明するが、科学は何らかの究

* 古代のほとんどの人々は、今日の我々が惑星と呼んでいる肉眼で見える五つの天体と、太陽および月とを区別せず、ひっくるめて「惑星」と呼んでいた。

極の真理を見つけ出す営みではなく、有用な予測をするのに使える仮説やモデルを組み立てる取り組みである。神々に満ちたバビロニアの宇宙モデルは、天文学者や占星術師が種蒔きや収穫、結婚や開戦に最適な時期を予測するための暦を与えるという主要な目的にとっては、十分に役に立ったのだ。

天球層

バビロニアは紀元前五三九年にアケメネス朝ペルシアによって滅ぼされたが、バビロニア天文学は生き残ってエーゲ海を渡り、古代ギリシアの天文学者たちに受け入れられた。そして天界を司るバビロニアの神々は、アフロディテやアレスといったギリシアの神々に置き換えられた。しかしミレトス（アナトリア半島の海岸沿いにあったギリシア人の町）のアナクシメネス（前五八五—前五二八）など、もっと哲学的な考え方を持ったギリシア人たちは、少なくとも天界には神々は必要ないと考え、神による原動力の代わりに共通した中心を持つ一連の機械的な天球層を取り入れて、その天球層の回転によって月や太陽、惑星や恒星が地球の周りを回って空を横切っているのだとした。その天球層が誰の目にも見えないというあからさまな問題を解決するためにアナクシメネスは、近代以前の科学に付きまといつづけることとなるある方法論を取った。説明のギャップを埋める存在をでっち上げるという方法である。天球層は、エーテルまたは第五元素（クインテッセンス）と呼ばれる完全に透明な結晶質の元素でできていると唱えたのだ（現代英語のquintessential〔真髄の〕という単語はこれに由来している）。

もちろん天球層やエーテルの存在を示す証拠はいっさいなかったが、古代世界ではそれは、あまたの神々をたった二つの存在に置き換えて天界の運動を説明するという倹約的な手段であった。しかしこれらの仮想的な存在を踏まえて、それから何千年にもわたり神秘主義者や哲学者、占星術師や天文学者がさらにいくつもの要素を付け足していった。サモス島で生まれたピタゴラス（前五七〇頃―前四九五頃）は、天球層の回転によって天界の音楽が奏でられていて、その音は鋭敏な耳にしか聞こえないと唱えた。アナクシメネスから一〇〇〇年経っても錬金術師たちは薬液から純粋なクインテッセンスを抽出したなどと主張していたし、ピタゴラスから二〇〇〇年後の音楽家もいまだに〝天球の音楽〟を作曲していた。不要になった存在もときに驚くほどしぶとく残りつづけるものだ。

しかし結晶性の天球層は、一日一回完全な円を描いて空を移動する太陽や月や恒星にはうまく当てはまったものの、さまよう惑星の動きを説明しようとすると大きな問題に突き当たった。経路が円形でないだけでなく、普段は恒星と同じく東から西へ移動していながら、たびたび進行方向を変えて西から東へ、今日では逆行と呼ばれる動きをするのだ。気まぐれな神々が惑星を運んでいるとした古代バビロニアのモデルにとってはそれは問題ではなかったが、はたして回転する天球層の表面でどうやったら天体がさまようというのか？

古代世界でもっとも偉大な哲学者は、その答えを解き明かしたと考えた。紀元前四二八年にアテナイ（現在のアテネ）の裕福な家に生まれたプラトンである。プラトンはソクラテスに弟子入

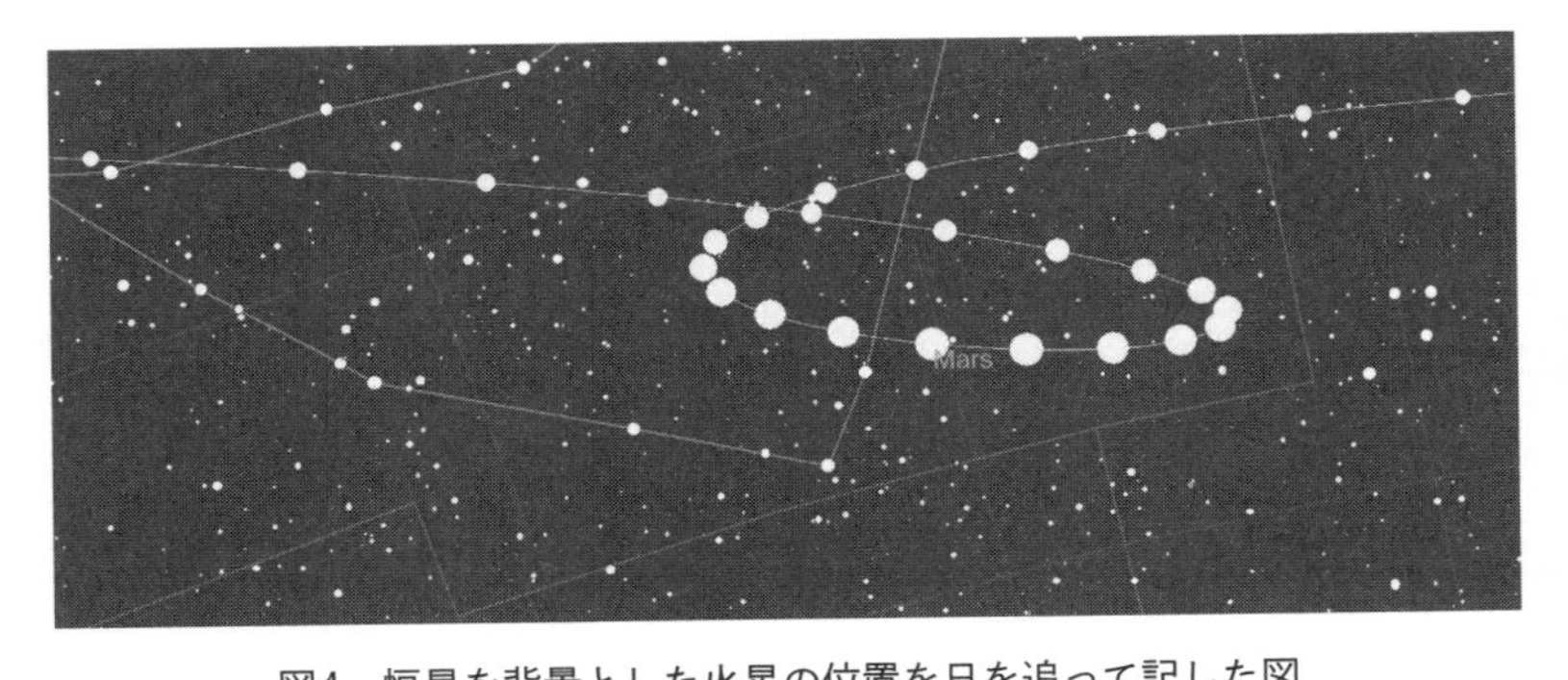

図4　恒星を背景とした火星の位置を日を追って記した図

りし、師が処刑されたのちに世界初の哲学の学び舎である、かの有名なアカデメイアをアテナイに開いた。そして哲学や芸術、政治や倫理、および科学、とりわけピタゴラスの数学や天文学を教えて幅広い文書を書いた。プラトンの思想の中でももっとも大きな影響をおよぼして、西洋文化の道筋を大きく方向づけたのが、イデアの概念とそれに伴う、実在論と呼ばれる哲学思想である。

プラトンの実在論はあらゆるたぐいの経験に当てはまるが、一番簡単に説明するには、円のような数学的・幾何学的物体の性質について考えてみればいい。プラトンは「円とは何か」と問いかけた。具体的な円を石に刻んだり砂の上に描いたりして説明したくなるかもしれないが、プラトンは、十分に細かく見ればその円も、さらにどんな物理的な円も完全ではないと指摘した。いずれもこぶなどの欠陥を持っているし、時とともに変化して崩れてしまう。そうだとしたら、実際には存在しない円というものについてどうやって語ればいいのか？

この問題は幾何学的物体に留まらず、たとえば石や砂、ネコや魚、愛や正義、法や高貴など、我々が一群の物体や概念に与えているあらゆる単語に当てはまる。個々の実例は互いに違っているし、理想化されたネコや石や貴族に対応するものは実在しない。それでも我々はそれらを問題なく認識して、それについて語ることができる。では我々はいったい何と比較して、それらを円や石、魚やネコと特定しているのか？

この問題にプラトンは驚くべき答えを出した。完璧な石のまわりで完璧なネコが完璧な円を描いて完璧なネズミを追いかけ、その様子を完璧な貴族が眺めているという、イデアからなる深遠な現実世界が存在し、我々が見ているこの世界はそのおぼろげな影であるというのだ。イデアこそが真の現実であって、それは我々の感覚を超越した目に見えない完璧な世界に存在しているとプラトンは考えた。プラトンとその弟子たちは、イデアは実在するどころか、我々の知覚を引き起こす究極の現実*であると考えていたため、この思想体系はしばしば〝実在論〟と呼ばれる。

プラトンはこのモデルを生々しく説明するために、人間の経験する事柄を、炎で照らされた洞窟の壁に顔を向けている人の見るものにたとえた、有名な洞窟の寓話を考え出した。実在する物体（イデアのたとえ）がその人と炎のあいだを通り過ぎるが、その人は洞窟の壁に投影されたその物体の影しか見ることができない。しかしその人は、その影こそが現実世界であると思い込んでいて、振り向きさえすれば見ることのできるもっと生き生きしたもう一つの現実が存在することにはまったく気づいていない。それと同じように、イデアからなる現実世界も我々の感覚では

＊ 感じ取ることのできる実際的なものという意味ではないことに注意。

知覚できず、心で認識するしかないとプラトンは主張した上で、次のように忠告した。「哲学者の心を持つ者は全霊をかけて、［我々の経験からなる目に見える世界］を形作る事柄から視線を転じ、そのもっともまばゆい部分をじっと見つめていられるようにならなければならない。それを善と呼ぶ[7]」

プラトンがこの完璧なイデア界をどの場所に位置づけたかは定かでないが、対話篇『パイドロス』の中では「天界より向こうの場所」としている。惑星も天界に存在しているのだから、あらゆる面で完璧であって、幾何学的に完璧な円形の経路を一定の速さで移動しているはずだ。この主張が我々の感覚と真っ向から矛盾しているのは、人間は地上といういわば知覚の洞窟の中からしか見ることができないためだと、プラトンは主張した。そして弟子たちには、自分の感覚という歪んだレンズを無視して代わりに知性を用いることで、「惑星の見かけの動きを説明できる仮説として認められるような、［天空を横切る速さが］一定で完璧に規則的な円運動」を発見するようせき立てた[8]。こうして、「惑星の見かけの動きを説明すること」が二〇〇〇年以上にわたる天文学者の最大の使命となった。

この難題に最初に挑んだのは、プラトンの弟子だったクニドスのエウドクソス（前四一〇—前三四七）である。その後もたびたび繰り返されるように、エウドクソスは天球層をさらに付け加えた。ここでは説明のために、そのモデルを単純化して天球層を一つだけに絞った上で、図5に示したようにその結晶性の天球層の中で帯状の部分だけを考え（エウドクソスは天球層全体を考えていたことを忘れないように）、その中心に位置するプラトンの洞窟の中にあなたがいるとし

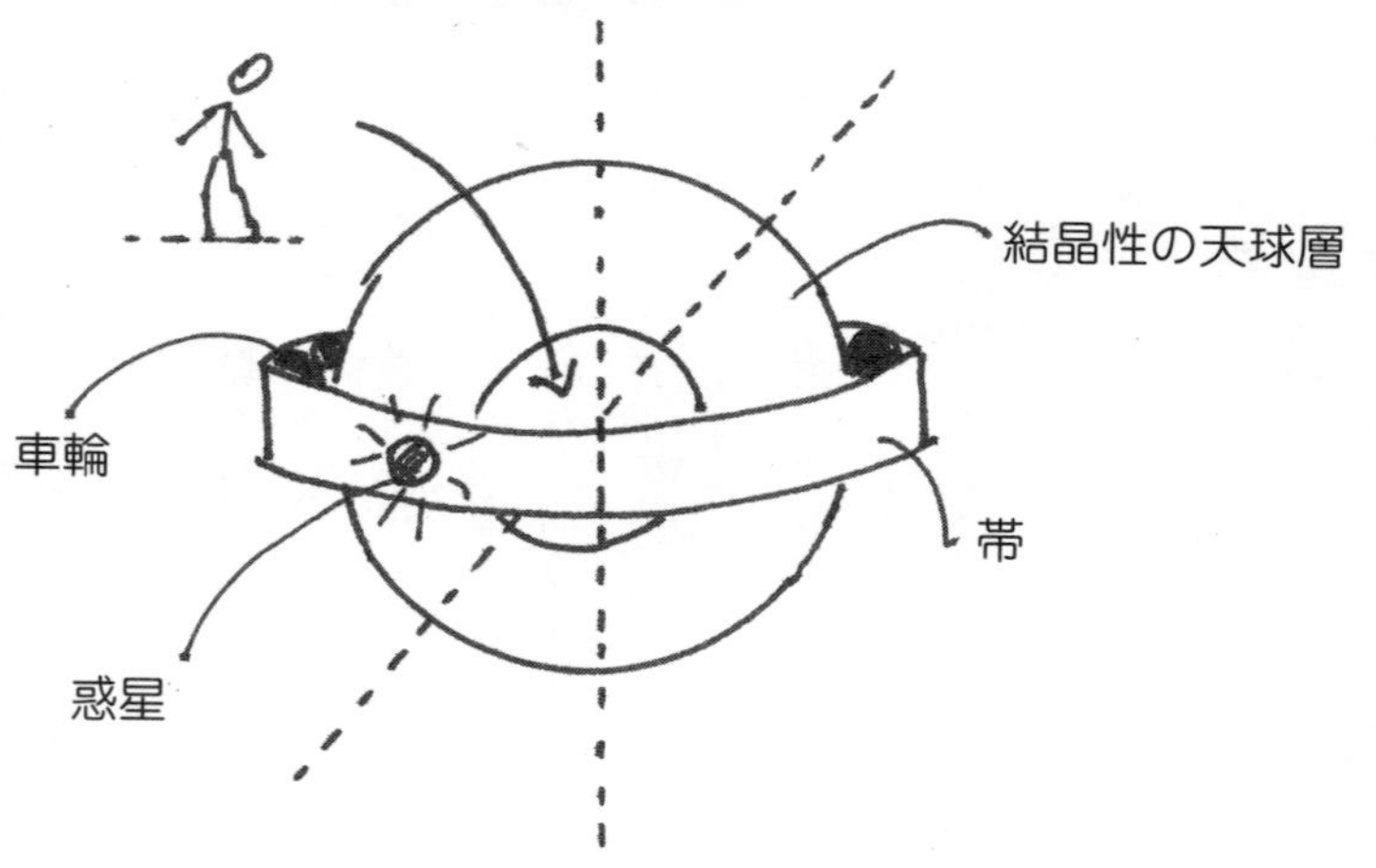

図5　エウドクソスのモデルにおける惑星の運動

よう。その帯の内側のどこかに明るいライトを取り付け、それを〝惑星〟と呼ぶことにする。そして帯を回転させながらライトだけを見ると、惑星が完璧な円形の経路上を進んでいくように見える。次にこの帯の内側に、それと共通の中心を持つ結晶性の完全な天球層を追加する。そして帯に車輪を取り付けて、結晶性の天球層の表面上を一定の経路に沿って滑らかに回転するようにする。帯と天球層の中心にいるあなたから見ると、惑星はやはり円形の経路をたどっているように見える。しかしここで、帯が回転するとともに、内側の天球層がそれと別の軸を中心に回転するようにしてみよう。すると惑星の経路は、惑星自体から見れば完璧な円形のままだが、洞窟の中にいるあなたから見ると、二つの円運動を重ね合わせたもっと複雑な経路をたどるように見える。まさに夜空の惑星のような動きをするのだ。

このエウドクソスのモデルは十分に通用したが、ただし二七個もの天球層を必要とした。プラトンの弟子で機械論的な考え方を受け継いだアリストテレスは、天球層から隣の天球層へ運動が伝わってしまうのを防ぐために、現代のボールベアリングのような働きをする天球層をさらに付け加えた。そうして天球層の数は一気に五六個に増えた。しかしそれでも問題は残った。回転する固い天球層をいくら付け足したところで、惑星運動のもう一つの特徴である、明るさが規則的に増減するという現象と辻褄を合わせることができなかったのだ。本来の光度を一定に保つには、惑星が地球に近づいたり（明るくなる）、地球から遠ざかったり（暗くなる）すると考えるしかない。しかし固い天球層の表面でどうやったらそんな芸当ができるというのか？

その解決法は、大図書館で名高いギリシア・ローマ風の町アレクサンドリアに住んでいた古代最後の偉大な天文学者、クラウディオス・プトレマイオス（九〇頃―一六八）によって考え出された。プトレマイオスはまず、紀元前三世紀の天文学者アポロニオス*の考え方を取り入れることにした。図5では仮想的な惑星を外側の帯に取り付けたが、ここでは観覧車のゴンドラのように、回転する小さな車輪から吊り下げ、その車輪の軸をこの帯に取り付ける。天球層と帯は先ほどと同じように惑星を回転させようとするが、車輪の回転によってそこに小さな円運動が付け加えられ、惑星はあなたのいる地点から見て近づいたり遠ざかったりを繰り返す。この車輪を追加したことで惑星の明るさの増減は説明できるようになったが、石のように固いとされる結晶性の天球層を貫いてどんなたぐいの車輪が回転して惑星を揺り動かしているというのか？　プトレマイオスはそれを説明しようとはしなかった。

ここまで複雑にしながらも、プトレマイオスのモデルは惑星の運動と完全には一致しなかった。そこでプトレマイオスはこの問題を取り繕うために、複雑な要素をさらに二つ付け加えた。第一に地球（図5におけるプラトンの洞窟）の場所を、天球層の回転中心からわずかに外れた、〝離心〟と呼ばれる位置にずらした。さらに、惑星の速さは一定であるとするプラトンの原理をこっそりと放棄し、各惑星は〝エカント（擬心）〟と呼ばれる仮想的な点に対して一定の速さで回転するにすぎないとした。

プトレマイオスはそうしてできた最終的な宇宙の幾何学的モデルを、一五〇年頃に書かれた著作『アルマゲスト』に収めた。そのモデルはすさまじく複雑で、八〇個の円や周転円、離心やエカントが用いられている。しかも、固いとされる結晶性の天球層を貫いて惑星が車輪の上を滑らかに回転するというように、明らかに非物理的であった。さらに、太陽でなく地球が中心に位置していた。それでもこのアルマゲストモデルに基づく天文学的予測はかなり精確で、天体の運動だけでなく日食や月食などの現象が起こる日付もほぼすべて説明でき、それゆえ一〇〇〇年以上にわたって天文学の究極のモデルでありつづけた。アラブ世界で広く学ばれた上に、オッカムのウィリアムがオックスフォード大学で学んだであろうヨハネス・ド・サクロボスコの『天球論』に記されている天文学の大部分も、アラビア語の翻訳を介して『アルマゲスト』を典拠として

＊ アポロニオスはアナトリアで生まれた。

いた。

これほどまでに間違ったモデルがどうしてこれほど有効なのか？　実はそれはきわめて深遠な問題である。世間一般の考えでは、科学の使命は我々の知覚や純粋な知性の限界を乗り越えて、この世界が実際にどのようなものであるかを発見することだとされているが、この問題を踏まえるとそうは考えられなくなってくる。プトレマイオスのモデルのように数々の間違った仮定に基づく科学的モデルですら精確な予測を導き出せるとしたら、ある特定の理論や仮説の正否をどうしたら判断できるというのか？　同様に今日得られているデータのほとんどを説明できる科学的モデルも、実はプトレマイオスのモデルと同じように間違っているかもしれない。そうだとしたら、どうやって真理を発見すればいいのだろうか？

ご想像のとおり、この難題の答えにはオッカムの剃刀が関わっている。だがいざそれを使ってしまうと、科学は真理の探求であるという素朴な考え方を捨てて、〝真理〟はつねに我々の手の届かないところにあるという、もっと微妙な意味合いを含んでいて心をかき乱しかねない考え方を受け入れざるをえなくなるだろう。しかしオッカムの剃刀を手にした科学は、そのような限界を抱えていながらもこの世界を理解するのに役立って、遠くの惑星にロケットを飛ばしたり、何十億もの人々を病気や飢えの苦しみから救ったりできる。科学がどこへ進んでいくかは分からないかもしれないが、その旅路は素晴らしいものなのだ。

天界の没落

プトレマイオスのモデルは古典科学の最後にして最大の偉業であった。プトレマイオスの暮らしたアレクサンドリアの町は、キリスト教の時代に入ってからもしばらくのあいだ学問の中心地でありつづけた。この町の大図書館があまりにも有名で、アレクサンドリアは紀元一世紀から二世紀にかけて古代世界全体の学問の都とされていた。紀元前三〇〇年頃にこの町に設立されたそのアレクサンドリア図書館は、エウクレイデスをはじめとした高名な学者を擁した世界初の大学といえる。その最後の館長を務めたのが、アレクサンドリアのテオンという数学者である。テオンの娘で才色兼備のヒュパティアも数学者、哲学者、教師として大きな名声を上げ、ヘレニズム文化の理想を体現した。素性の明らかとなっている史上初の女性数学者である[9]。皇帝テオドシウスがギリシアの古い多神教を禁ずる勅令を出してからも、その宗教を教えて崇拝しつづけた。ニキウの司教ヨハネスによると、四一五年にヒュパティアは「キリスト教の神を信じる大勢の人に引きずられて大きな教会堂に連れてこられた。……そして衣服を剝ぎ取られて命絶えるまで街なかを引きずり回され、遺体は火で焼かれた」[10]。「こうして哲学者たちの愚かな知恵は敗れた」とウルガタ聖書の翻訳者である聖ヒエロニムスは記している。ギリシア人やローマ人が「星々に道筋を与える」ものとして考えた結晶性の天球層は打ち砕かれ、平らな大地を取り囲む天幕に星々が張りついているというヘブライ人の宇宙モデルに逆戻りした。四〇〇年頃にガバラの司教セヴェリアヌスは著作『創世に関する六つの演説』の中で、「この世界は球体ではなく、天幕あるいは幕屋である」と記している。[11]

第2章　神の摂理

西洋史の中でかつて〝暗黒時代〟*と呼ばれていた中世前期、西ヨーロッパの人口は紀元五〇〇年の約九〇〇万から、その四〇〇年後には約五〇〇〇万にまで激減した。教養水準も著しく下がり、記念碑的な建造物もほぼ建てられなくなった。ローマ帝国の滅亡によって生じた権力の空白を埋めようと侵略者が次々に押し寄せたことで、大規模な人の移動が起こり、避難民はその後の混乱を何とかかいくぐろうとした。

しかしヨーロッパの中でも、イギリス諸島のノーザンブリアやアイルランドなどローマ帝国の辺境だった地では、学問がある程度生き残った。のちにこれらの地域の学者たち、たとえばヨークのアルクイン（七三五―八〇四）やヨハネス・スコトゥス・エリウゲナ（八一五―七七）などがヨーロッパじゅうを旅して、八世紀から九世紀にかけてのカロリング朝ルネサンスを引き起こ

＊　今日の学者は、この時代もそれほど暗黒ではなかったとしてこの言葉をめったに使わない。しかし私は、たとえ教養の衰退によって我々の観点から見て「暗黒」になっただけだったとしても、ローマの滅亡に続く混沌とした時代を指す言葉として使うのはかまわないのではないかと思っている。

し、それがやがて中世盛期と呼ばれる時代につながった。[1] しかしこれらの発明によってある程度は進歩したものの、社会そのものは停滞したままか、または徐々にしか前進しなかった。中世盛期の生産性に関する信頼できるデータは存在しないが、次のように何らかのパターンは見て取れる。たとえば一二〇〇年から一五〇〇年までのイングランドの農業生産量を見ると、[2] この三〇〇年間での増え方はきわめて小さいことが分かる。このような停滞状態、今日で言うところの線形成長は、古代バビロニアやギリシアやローマ、あるいは産業化以前の中国やインドやメソアメリカといった初期の文明にも広く見られる。もっと言うと、線形成長の合間にときたま急成長が起こるというパターンは、指数関数的な加速成長が起こっていたごく最近までの数百年間を除いて、人類史のほぼ全期間に当てはまる特徴だろう。人類の進歩がどのようにしてなぜ線形的から指数関数的にギアを上げたかという疑問については後のほうの章で取り上げるが、おそらくご想像のとおり、そこではオッカムの剃刀がきわめて重要な役割を果たしたと私は考えている。

ローマ帝国が滅亡して東方のコンスタンティノープルを都としたビザンティン帝国が興ってからも、西ヨーロッパではローマのラテン語が共通語として使われつづけた。その影響もあって、たとえば西洋の大部分でローマの法が取り入れられた。しかし科学や哲学はほぼすべてギリシア語で書かれていたため、そのほとんどが西洋では失われてしまう。ギリシア語を使っていたビザンティン帝国は古代ギリシアの文書を活かしつづけられたはずだが、ギリシアの科学にはほとんど関心を示さなかったらしい（理由は定かでない）。

しかしローマ帝国滅亡前に、一握りのギリシアの文書がラテン語に翻訳されていた。中でももっとも有名なのが、ローマ人貴族でキリスト教徒のボエティウス（四七五頃―五二五）が著したものである。『哲学の慰め』というタイトルが付けられたその著作は、反逆罪に問われたボエティウスが独房で残忍な処刑を待っている間に書き上げたもので、哲学を擬人化した女性を相手に、とくにプラトンの哲学の価値について論じ合うという架空の対話篇となっている。この著作は中世に大好評を博し、読み書きのできる少数の人々のあいだであまねく読まれた。今日もなお版が重ねられている。

プラトンの対話篇の一部をラテン語に翻訳したものも西洋に伝わり、中でも『ティマイオス』はヒッポのアウグスティヌス（のちに聖別されて聖アウグスティヌスと呼ばれるようになる）の思想形成に大きな影響を与えた。中世にすさまじい影響力をおよぼしたアウグスティヌスの著作『神の国』には、「神が私の前に……ギリシア語からラテン語に翻訳されたプラトン学派の書物をいくつか差し出した」とある。その影響に圧倒されたアウグスティヌスは、「自分の心の奥底に入り込んで改心への道を歩み出した」という。

『神の国』はその評判に反し、人類に対して陰鬱な見方をしている。これが書かれる以前の四一〇年、西ゴート族がローマ帝国に侵入し、三日間にわたって殺戮や強姦や略奪といった野蛮で残忍な行為の数々を働いた。おそらくそれを受けてアウグスティヌスは、人類を「堕落の山」とみなすようになった。また野蛮な世界とキリスト教の慈悲深い神との折り合いを付けるために、実在論の思想を取り入れた。プラトンの説いたイデア界の概念を拝借して、不完全なこの世界は、目には見えないが完璧である天国の歪んでくすんだ影であると唱えたのだ。

そんなアウグスティヌスは著作『告白』の中で、時間とは何かなど、今日の我々には科学的とみなせるような数々の疑問について思索している。ただしいずれも神学の枠組みの中でとらえていて、たとえば不変の神がどのようにして時間経過を伴う事柄を起こせるのかと問いかけている。[3]また、人間の知性は神学から逸脱しようとする傾向を持っているのではないかと疑い、次のように警鐘を鳴らしている。

もう一つの形の衝動が、……身体的な喜びを得るということではなく、学問や知識という口実のもとで身体の助けを借りて実験をおこなうという、無益な欲求や好奇心である。……もちろんそのような舞台にはもはや惹かれないし、星々の道筋など知ろうとも思わない。……私にとって関心があるのは、天界は球体のようで、地球はそれに取り囲まれていて宇宙の中心に浮かんでいるのか、それとも天界は円盤のようで、大地の一方の面の上に覆いかぶさっているのかという疑問である。[4]

このようにアウグスティヌスが「もう一つの形の衝動」を蔑んだ結果、中世盛期のヨーロッパでは経済と同じく科学の進歩も停滞してしまった。

大地が再び丸くなる

幸いなことにアウグスティヌスの影響力は中東までは伝わらなかったし、かつてのローマ帝国の領土を奪取した狂信的なキリスト教徒も、七世紀にアラビア人に征服されてその地から追い出された。この地域を支配したイスラム教徒は古代の学問に対して西洋の人々よりもはるかに寛容で、八世紀にカリフのアル＝マンスールがバグダッドに創設した知恵の館をはじめ、イスラム世界の至るところに学問の中心地が築かれた。アレクサンドリア図書館など古代の図書館から救い出されたギリシアの文書の断片はとくに尊ばれた。プラトンやアリストテレス、ピタゴラスやエウクレイデス、ガレノスやプトレマイオスの著作が盛んにアラビア語に翻訳され、ギリシア語を読めるイスラムの学者によって註解が付けられた。たとえばバグダッドのアル＝キンディー（八〇一頃生まれ）は、アリストテレスの論理学に関する註解を書いて大きな影響を与えた。現在のシリア北部のアレッポに生まれた一〇世紀の女性天文学者マリアム・アル＝アストゥルラービーヤは、天体観測儀（アストロラーベ）を作成したことで名高い。アラビア語を話す多くの学者は、ギリシアの科学を学ぶだけでなくさらに発展させた。たとえばバスラで生まれたイブン・アル＝ハイサム（九六五－一〇四〇）は光学に関する全七巻の著作『光学の書』の中で、反射に関する画期的な実験によって光は必ず直線的に進むことなどを証明した。また、視覚が作用するためには目の中に光が入ってこなければならないことを初めて見出した。中世盛期を通じてイスラム世界が数学を席巻していた影響で、algebra（代数学）やalgorithm（アルゴリズム）といった英語の単語はアラビア語に由来しているし、alchemy（錬金術）やalcohol（アルコール）やalkali（アルカリ）といった言葉もイスラム世界で化学に新たな概念が取り入れられたことの証左である。風車や蒸留、万年筆や衣服のボタンなどもアラブで発明された技術で、古代には知られていなかった。[5]

西洋が学問の停滞状況から抜け出したのは、九九九年、古典学者で幾何学者、天文学者で哲学者でもあるオーリヤックのジェルベールが教皇シルウェステル二世に即位したときのことである。ジェルベールは教皇に就く前にさまざまな地を旅し、その中のスペインでアラブやギリシアの文書と出合った。そしてギリシアやアラブの科学を再発見して尊重するよう人々に説き、インド＝アラビア数字を取り入れた。ジェルベールが所有していた渾天儀（こんてんぎ）、すなわち天空のモデルは、平らでなく球形の地球を中心とした同心円状の金属の輪で作られていた。俗説と違い、中世の頃も教養人ならみな、地球は平らであるなどとは考えていなかったのだ。

このように古代世界の学問は徐々に漏れ伝わってきていたが、一二世紀後半から一三世紀にかけてイベリア半島やシチリア島のイスラム教徒の王国がキリスト教の国土回復運動（レコンキスタ）に倒れると、それが怒濤の流れへと拡大した。トレドやコルドバやパレルモにあったイスラムの大図書館の扉をこじ開けた十字軍の兵士たちは、何よりも驚くべき財宝を目（ま）の当たりにする。自分たちの忘れ去られた過去である。こうして学問と無縁だったヨーロッパは、それまで取り返しようがないと信じていたギリシアやローマの膨大な哲学や科学が、実は敵方の書物の中で保存された拡張されていたことを知った。史上稀に見るほどの皮肉などんでん返しといえる。何百年にもわたってイスラムの学者たち、たとえばアル＝キンディーやペルシアの博学者イブン・スィーナー（九八〇年イランのハマダーン生まれ、西洋ではアウィケンナの名で知られる）、あるいはイブン・ルシュド（一一二六年スペインのコルドバ生まれ、西洋ではアヴェロエスの名で知られる）が、古代ヨーロッパの大学者たちの書いたギリシア語の文書をせっせとアラビア語に翻訳してくれていたのだ。そこでアラビア語を読めるヨーロッパの学者たちは、それらの著作を食い入るように読んではラテン語に翻訳していった。

こうして哲学や科学に関する文書が翻訳されたことで知的活動の炎が燃え上がり、一二世紀ルネサンスとも呼ばれるかつてない学問の時代が西洋で始まった。カロリング朝時代にヨーロッパじゅうに開設されていた大聖堂付属の神学校では、ギリシア語やアラビア語の文書を学ぶクラスが設置された。フランス王ルイ九世は、イスラムのとあるスルタンが膨大な書物を収めた図書館を設立したという話を聞きつけて、自分もそれに倣おうと、一二五〇年頃にロベール・ド・ソルボンに命じてパリに学校を設立させた。のちにパリ大学の中核をなすソルボンヌ大学となるその学校を、学者で詩人のジャン・ジェルソンは「この世の楽園、善悪の知識の木」と形容している。

このようにして再発見された哲学者の中でも中世後期に飛び抜けて大きな影響力をおよぼしたのが、誰あろうアリストテレスである。アラビア語の原典のラテン語訳が西洋に伝わると、学者たちはあたかも財宝を再発見したかのように（もちろん正真正銘の財宝だった）、アリストテレスの著作やそれに対するアラブ人の註解を先を争って読んだ（アリストテレス派の学者はのちにスコラ哲学者と呼ばれるようになる)。のちにリンカンの司教となるロバート・グローステスト(一一七五―一二五三)はオックスフォード大学で研究する傍らアリストテレスの著作の多くを翻訳し、一二二〇年から三五年にかけて哲学や天文学、光学や数学的推論に関する科学的書物を次々に著した。同じくオックスフォード大学の学者でフランシスコ会修道士のロジャー・ベーコン(一二一九―九二)は、アリストテレスの書いた「光学」や「実験的知識」に関する文書を翻訳し、実験に対する人々の関心を再び呼び覚ました。パリでは同じく翻訳者のアルベルトゥス・マグヌス(一二〇〇―八〇)が『アリストテレスの自然学に関する註解』を著すとともに、著作『鉱物の書』の中でアリストテレスの四原因説と自身の観察結果、さらには実験結果を組み合わせて、現代の鉱物学を事実上創始した。この著作の中では、「自然哲学の目的は他人の言葉を単に受け入れることではなく、自然界で作用している原因について調べることである」と力説している。

ヨーロッパのスコラ哲学者たちはギリシアやアラブの学問を西洋に持ち込んだだけでなく、それを新たな学問分野にも応用した。たとえばロバート・グローステストは一二二五年頃に著した『色について』の中で、色の知覚に関する今日の説明とさほど違わない三次元の幾何学的色空間を示すとともに、虹は屈折によって現れると初めて指摘した。[6] ロジャー・ベーコンは一二六六年頃に著した『大著作』の中で、アリストテレスの自然学、文法学、哲学、論理学、数学、物理学、光学の大部分を取り入れるとともに、そこにレンズに関する研究結果を付け加え、それが眼鏡の発明のきっかけになったと思われる。

ヨーロッパにおける科学の復活はきわめて大きな突破口となって、上記のとおり真に新たな考え方もいくつか生まれはしたものの、あくまでもヨーロッパの学者たちが古代世界やさらに東方の学問に追いついたにすぎなかった。光学に関するロバート・グローステストの著作の大部分はアル＝キンディーの『光学』がもとになっているし、八四〇ページにおよぶベーコンの『大著作』はほぼイブン・アル＝ハイサムの『光学の書』を典拠としている。ベーコンの著作にある「実験」という言葉も現代の人が聞いたら誤解するような意味で、中世にはこの言葉は、たとえば虹の色や水の沸騰、磁石がものを引き寄せる様子を観察するというように、経験による単なる観察のことを指していた。ベーコンは火薬とその花火への利用について西洋で初めて説明しているが、それもおそらくイスラム世界に由来していると思われる。しかしグローステストやベーコンが学んだ中世のスキエンティアと現代科学とのもっとも重要な違いは、二人とも自分は神学の一分野を探究しているとみなしていたことである。たとえばグローステストは、すべての光は神から発せられると信じていたし[7]、グローステストもベーコンも神学があらゆる科学の基礎であると力説していた[8]。

このようにあくまでも神学に従属するものではありながら、〝異教徒〟の思想をキリスト教に組み込むことを神学者たちは一様に歓迎したわけではない。多くの伝統主義者は、若い学者がアリストテレスを読んで異端に走ることを恐れた。その懸念が最高潮に達した一二七七年三月七日、パリの司教ステファン・タンピエが、おもにアリストテレスによる、哲学や神学に関する二一九の命題を教えることを禁じる一連の禁令を発布した。その矛先は、アリストテレスの論理学を全能の神よりも上位に置こうとする神学者たちに向けられていた。彼らはたとえば、真空は論理的に存在しえないとアリストテレスは主張しているが、神ならば真空を作ることができるのだろうかなどと論じていた。一二七七年のこの禁令が厳格に適用されたのはパリだけだったが、その影響を受けてヨーロッパを代表するほとんどの大学ではアリストテレスに対する批判的な風潮が強まった。

今日ではこの進歩の後戻りは一時的にすぎなかったことが分かっている。後退の時期が終わると再び前進が始まり、タンピエによる禁令は忘れ去られてアリストテレスが再び西洋の各大学のカリキュラムを席巻するようになった。しかしこの好ましい展開はけっして保証されていたわけではない。二〇〇年前にイスラム世界では、スンニ派のアシュアリー学派の先導によって同様の反ヘレニズム、反理性主義の反動が起こり、イスラム科学の〝黄金時代〟の灯火は吹き消されてしまった。それ以降アラブの学者は、コーランに記された「文字どおりの真理」だけを研究するようになった。[9] 誕生まもない中世ヨーロッパの科学が同じように圧殺されずに済んだのは、タンピエの禁令が発せられる三〇年前にパリにやって来た中世最高の神学者、トマス・アクィナス（一二二五―七四）の影響力によるところが大きい。

物言わぬウシ

一二二五年にイタリア中部ロッカセッカの裕福な家に生まれたトマス・アクィナスは、テアノの女伯爵テオドラ・カラツィオラの九番目の子供だった。初等教育を受けたナポリの一般学問所でアリストテレスの思想および、アラビア人註解者、とくにイブン・ルシュド（アヴェロエス）やイベリア系ユダヤ人哲学者モーシェ・ベン・マイモーン（一一三八年スペインのコルドバ生まれ、マイモニデスの名で知られる）の思想と初めて出合った。

家族はトマスがベネディクト会の大修道院長という実入りの良い職に就いて、一家に新たな地所を買い与えてくれるものと期待していた。しかしトマスの考えは違っていた。オッカムの所属したフランシスコ会と同様に新たな学問を重んじることで知られた托鉢修道会、ドミニコ会に加わることを望んだのだ。托鉢修道士はさまよい歩く物乞いよりはまだましだというくらいにしか見られていなかったため、家族にとってはいわば中世のカルトに入信するに等しかった。そこで家族はトマスがそんなみすぼらしい聖職に就くのを食い止めようと、自宅の城に監禁するという手に出た。さらにきょうだいたちは、高潔な生活からトマスの気を逸らそうと、売春婦をこっそり連れてきた。するとトマスは焼けた棒きれでその売春婦を追い払ったという。最終的に妹が城の塔からトマスを籠に乗せて下ろし、共謀するドミニコ会修道士たちに引き渡した。トマスはイタリアを脱出し、中世ヨーロッパの学問の中心地だったパリ大学に一二四五年頃にたどり着いた。

その頃、アリストテレスの文書を西洋でもっとも数多く翻訳して大きな影響力を放っていたアルベルトゥス・マグヌスが、パリ大学で五年間教鞭を執っていた。修練士となったトマスは体格が良くて歳（とし）の割に髪が薄く、内気で引っ込み思案だったため、周囲から「物言わぬウシ」とつねにからかわれていたが、そんなトマスに高名な神学者アルベルトゥスは目をつけた。この若き学生の優れた才能に気づいて、「やがてこのウシの鳴き声が世界中に響き渡るであろう」と予言したのだ。やがてその予言は成就することとなる。

アルベルトゥスがケルンに移ってその町の一般学問所で教えはじめると、トマスは数年遅れでアルベルトゥスについていき、その後パリに戻って神学の修士号を目指して学びながら『四巻の命題集』に関する註解を書いた。[10] この命題集は一二世紀にフランス人学者ペトルス・ロンバルドゥスが著したもので、神学者たちが思索を重ねる数々の厄介な疑問、たとえば「自由意思とは何か」といった疑問や、「大量の水がどのようにしてどんな形で上空に存在しうるのか」といった、神学と科学を融合させたような疑問について論じた評論集である。これらの疑問には、自然的な事物と超自然的な事物が同じ領域に存在するという中世の世界観の中心的思想が反映されていて、それはダンテの『神曲』にも表れている。この命題集の各章には、それぞれの疑問の要点に続いて、初期キリスト教の教父たちが記した回答が収められている。中世、神学を学ぶすべての学生には、現代の博士論文よろしく、この『四巻の命題集』に関する註解を書くことが求められていた。

一二五九年にトマスはイタリアへ戻り、一二六五年から七四年のあいだのどこかで（パリでアリストテレスの思想が非難される直前に）もっとも重要な著作『神学大全』を著した。この著作は大きな影響をおよぼし、西方教会でアリストテレスを聖人同然の地位にまで引き上げた。『神曲』においてダンテとベアトリーチェは、太陽の天球層の中でペトルス・ロンバルドゥスやアルベルトゥス・マグヌス、そしてトマス・アクィナスとも出会うことになる。しかし「ものを知る人々の師」と呼ばれているのはアリストテレスただ一人である。

トマスが目指したのは、アリストテレスの自然哲学に基づいていながらも、神や天使、聖人や悪魔を組み込んだ新しい合理的な宇宙モデルの構築であった。しかしキリスト教の神とアリストテレスの自然哲学を両立させるには、その前に神の存在を証明しなければならない。その功業を成し遂げるためにトマスは、変化と運動に関するアリストテレスの分析を拝借した。アリストテレスは「運動しているものはすべて何かによって運動させられている」と記している。現代の我々なら、一つの火花が一つの炎の原因であるというように、それぞれの出来事に対してたった一つの原因を探ろうとするものだが、アリストテレスはそれぞれの出来事に対して、質料因、形相因、作用因、目的因という四つの原因を当てはめた。たとえば家の質料因はれんが、形相因はその家の形や設計、作用因は大工、目的因（テロス）は人が住むための場所ということになる。

最初の三つの原因は、そもそも区別する必要があるのかと揚げ足を取りたくはなるものの、いまでも意味だけは通る。しかしアリストテレスが四つめに挙げた目的因は、原因と結果の通常の時間的順序と逆になっていて、現代科学のいかなる概念とも大きく異なる。れんがや設計や大工は家よりも過去に位置するが、目的因は未来に位置する。それでもアリストテレスやトマスは、目的因もれんがと同じく家が建てられる原因であると考えた。家のような人工物ならばある程度は理解できるが、アリストテレスはあらゆる出来事に目的因があると信じた。石が地面に落ちるのは、石の目的因が「地球の中心にできるだけ近づこうとすること」だからだ。月の目的因は「地球の周りを完璧な円を描いて回ること」である。生物の世界にまで話を広げると、ブタのような下等生物の目的因は、食べられることで人間のような高等生物に尽くすことである。ローマ人哲学者のウァッロはさらに、ブタにとっての命の目的因は自らの肉を新鮮に保つことであるとまで主張した。

しかしこの論法はどこまで続くのだろうか？　このように目的因が階層的に連なっていくと、無限後退に陥るおそれがある。カブの目的因はブタに食べられることで、ブタの目的因は人間に食べられることで……と永遠に続いていってしまうのだ。アリストテレスはこの問題を避けるため、目的因の階層的な連鎖の行き着く先に、万物の作用因かつ目的因である原動者、すなわち神を据えた。そしてトマスはここに目をつけて、神学とアリストテレス哲学を折り合わせた。アリストテレスの言う原動者とは我々から遠くかけ離れた人格を持たない存在で、「彼」や「彼女」よりも「それ」に近いが、キリスト教の神はそれとはまったく違って人格を持っている。それでもトマスは神学に原動者の概念を積極的に取り入れ、聖書に描かれている神を中世世界の万物や万人の作用因かつ目的因とした。

トマスはこのようにキリスト教の哲学にアリストテレスの四原因説を組み込むことで、神の存在に対する五つの科学的〝証明〟のうち四つを思いがけず手にした。その〝五つの方法〟のうちの三つでは、キリスト教の神はこの世界のあらゆる事物の質料因かつ形相因かつ作用因、すなわち第一原因であるはずだとされている。トマスは四つめの証明にも同じロジックを当てはめ、「自然のあらゆる事物を目的へと向かわせる何らかの知性が存在していて、それを我々は神と呼ぶ」と論じている。したがって神は、過去と未来を含むすべての出来事の目的因であるということなる。「階層に基づく論証」と呼ばれる五つめの証明は、その一〇〇年前にフランス人哲学者であるカンタベリーのアンセルムス（一〇三三―一一〇九）が説いた有名な存在論的証明*に手を加えたものとなっている。トマスは、存在物の階層は最上位の存在で打ち止めになっているはずで、それは神でしかありえないと論じた。

神の存在を五通りの方法で証明したトマスは、アリストテレスの自然哲学に基づく宇宙モデルにキリスト教の神を組み込むことに成功したと主張した。そして神学は科学の一つであるどころか、「科学の女王（スキエンティア）」であると説いた。しかしそれだけで留まることはなかった。次に、自らの構築した神学的科学で奇蹟まで説明できることを示そうとしたのだ。

神の嗜好

トマスが繰り出したその究極の哲学的議論のせいで、次の世代のオッカムのウィリアムは異端の罪に問われ、一〇〇年ほどのちには西洋キリスト教の大規模な宗派分裂が引き起こされることとなる。その哲学的議論とは、キリスト教のミサの神学的中核をなす聖餐式の奇蹟、いわゆる聖体拝領に関するものである。聖餐式では司祭が、パンとワインをキリストの肉体と血に変えてく

* 存在論とは、存在するものや存在しないものに関する疑問を扱う哲学の一分野のことで、我々の知りうるものについて論じる認識論とは対極に位置する。

れるよう神に求める。ほとんどの神学者はこのいわゆる化体の奇蹟を、イエスが水をワインに変えたとか、モーセが紅海を二つに割ったとかといった出来事と同じたぐいに分類していたことだろう。それには神が関わっていて、通常の生活に当てはまる通常の規則には従わないとされていたのだ。しかしトマスは、奇蹟ですら自らの科学的な世界モデルに組み込めるはずだと確信した。そこで、古代世界からのもう一つの賜物である実在論に手を伸ばした。

中世盛期に聖アウグスティヌスがキリスト教にプラトンのイデアを取り入れて、イデアは神の心の中に存在すると説いた。しかし一三世紀になるとイデアは、アリストテレスの説いた〝普遍（形相）〟という概念に取って代わられた。アリストテレスの言う普遍はプラトンの言うイデアに似ているが、この世界の中に存在していて、個々の物体にその物体の何たるか、いわば本質を与えている。丸い物体はそれぞれ丸さの完璧な本質を持っていて、貴族はみな高貴さを持っている。父親はみな、父性の本質、すなわち普遍を帯びている。

アリストテレスの言う普遍はこの世界の中に存在するとされていたため、科学的観点からすると、どこか見えない領域に存在するとされていたプラトンのイデアよりはわずかに進歩している。しかしそうすると、我々はどうやって普遍に関する知識を得るのかという問題が出てくる。この問題に答えを出そうと学者たちは膨大な文書を著したが、結論に達することはなかった。さらにもう一つ、普遍があまりにもたくさん存在するという問題があった。我々の言語の名詞や動詞それぞれに少なくとも一つずつは存在していなければならないのだ。アリストテレスはそれをある程度秩序立てるために、著作『範疇論』の中で普遍を一〇のカテゴリー（範疇）に分類した。そのカテゴリーとしては、実体、量、性質、場所、関係、体勢などがある。

アリストテレスが普遍をカテゴリー化した意図についてはいまだに議論が続いているが、第一のカテゴリーである実体は現代の物質の概念と同一視できるかもしれない。これは物体を構成する不変の〝本質〟に相当し、土、気、火、水という元素からできている。それ以外の普遍は〝偶有性〟と呼ばれ、物体の実体に付け加わってその特徴的な見た目や触感、味や形や匂いを与える。たとえばすべての丸い物体は丸さの普遍を持っているが、二個一組で実るサクランボはそれに加えて、二つであるという普遍や甘さという普遍を持っており、それらがサクランボの実体に付け加わっている。こうしてサクランボはサクランボになる。実体は不変だが、色や形などの偶有性はつねに移り変わっていて、たとえばサクランボは熟すと薄い赤色から濃い赤色に変わる。

普遍はアリストテレスの三段論法と呼ばれる論理の基礎を支える概念で、それゆえ中世の哲学や科学の土台をなしていた。三段論法の基本構造を説明するためによく挙げられるのが、「ソクラテスは人間である。すべての人間は死ぬ。ゆえにソクラテスは死ぬ」という例である。このような三段論法は、すべての物体をその普遍、たとえば〝人間である〟という普遍に応じて分類できるという原理に基づいている。この原理を受け入れてしまえば、たとえば死ぬことといった偶有性が分かっている限り、真である科学的言明を示すことができる。

三段論法は上記のような例にはうまく当てはまるが、少し手を加えて「ソクラテスは男である。すべての男はあごひげを蓄えている（古代ギリシアではそうだったかもしれない）。ゆえにソクラテスはあごひげを蓄えている」とすると、この世界に関する推論の方法としてふさわしいかどうかは怪しくなってくる。のちほど説明するとおり、オッカムのウィリアムが剃刀の概念を思いついたきっかけの一つは、この三段論法を崩そうとしたことだった。しかしトマスにとって、普遍は単なる論理の道具ではなかった。究極の現実は神の心の中に存在していて、普遍を掘り下げていけば神の計画をうかがい知ることができると考えたのだ。普遍は天国がこの世に落とす影にほかならず、地上の万物に神の影響を直接与えているというのだ。

ところがトマスは、普遍の概念にとって化体の奇蹟は厄介な問題であることに気づいた。アリストテレスが不変の本質としていたパンの実体が、肉というまったく異なる実体に変化するとされているのだ。この奇蹟が実体変化（化体）と呼ばれているのはそのためである。奇蹟が起こった後、そのパンは見た目こそまだパンのようだが、実はイエスの肉体の実体でできていると信じられていた（カトリックではいまだにそう信じられている）。そこでスコラ哲学者たちは、イエスの肉体にどうして味やもろさといった偶有性が付け加わるのかという疑問に頭を抱えていた。

この疑問に対してトマスは『神学大全』の中である巧妙な答えをひねり出した。トマスいわく、化体の奇蹟の最中にパンの味、触感、色などの偶有性は、パンの通常の材料に相当する実体の普遍でなく量の普遍に付け加わるのであって、奇蹟によってその量の普遍は変化しない。奇蹟の前にはパンが一つ、奇蹟の後にはイエスの肉体が一つだ。そうすれば、パンの実体が消えてからもパンの味は残る。したがって化体の奇蹟はアリストテレスの自然哲学と完全に辻褄が合っていて、「科学の女王」の冠に輝く真珠にほかならないと、トマスは唱えた。*

トマス・アクィナスは死からわずか五〇年後に聖別されるくらいのすさまじい影響力をおよぼ

したため、この奇妙な解釈もキリスト教の標準的な教義となり、今日でもカトリックでは教義とされている。† 中世研究家のイーディス・シーラはユーモアを込めて次のように指摘している。「トマスは、聖なる教義に異質な哲学的要素を持ち込もうとしているのではなく、純粋な道理と天啓を組み合わせて一つの聖なる科学を導こうとしているつもりだった。つまり、哲学という水に天啓というワインを混ぜてワインに変えようとしていたのだ」[11]。トマスはアリストテレスのスキエンティアの取りを飾るために、神学を科学に化体させたのだ。

その二〇〇〇年近く前にソクラテスは、「私は自分が知らないことを知っているなどとは思っていない」のだから、自分はほかの人間よりも賢いと主張した。[12] これはスコラ哲学のスキエンティア‡の根幹を揺るがす問題だった。スコラ哲学者は、自分は何でも知っていると思っていたのに、実は何も知らなかった。さまざまな要素で膨れ上がったスキエンティアは確かに何でも説明できるが、倹約の原理にかなっていないため何一つ予測できなかったのだ。

トマスの『神学大全』は完成を見なかった。一二七三年一二月のミサの最中にこの偉大な神学者はある啓示を受け、「それに比べたらこれまで書いてきたものはすべて麦わらのようだ」とつ

* カトリックの教義のもとで聖人になった。
† たとえばhttp://www.faith.org.uk/article/a-match-made-in-heaven-the-doctrine-of-the-eucharist-and-aristotelian-metaphysicsを見よ（英語）。
‡ 現代でそれにもっとも近いのは、フィリップ・プルマンの『ライラの冒険』三部作に登場する「実験神学」だろう。

ぶやいて、もはや筆を執ることも口述筆記することもできなくなったのだ。それから世代は替わり、一人の学生がその麦わらを切り刻む道具を携えてオックスフォード大学にやって来る。

第3章　剃刀

ウィリアム、大学へ

オッカムのウィリアムはロンドンのグレイフライアーズ学寮で、おそらく三年から六年をかけて三学と四学〔29ページ参照〕を修めた。教師たちから高く評価されたらしく、その後、神学の博士号を目指す学生として選ばれた。グレイフライアーズ学寮はオックスフォード大学と緩い提携関係にあり、一三一〇年頃、二三歳のウィリアムは、イングランド最古のこの大学で学者または聖職者としての教育を受けるべくロンドンを旅立った。

オックスフォードはロンドンから北西に人通りの激しい道を馬で二日かかる場所にあった。道中には盗賊団が頻繁に出没していたため、新入生は集団を組んで、武装したプロの〝随行者〟に護衛してもらうことが多く、ウィリアムもそのような集団に加わったのだろう。オックスフォードに到着してからのウィリアムの暮らしぶりは、ジェフリー・チョーサーの『カンタベリー物語』に登場する若い学僧に似ていたかもしれない。

彼は論理の勉強を始めたが、
ベッドの頭のほうには、
高価なローブやバイオリン、あるいは優美なプサルテリウム*でなく、
アリストテレスと彼の哲学についての
黒または赤い表紙の本を二〇冊積み上げるほうが多かった。

オックスフォードにやって来たウィリアムは、おそらくイフリー通りのグレイフライアーズ寄宿舎にあったと思われるフランシスコ会修道院に加わった。オックスフォード大学は一〇〇年ほど前に設立されたばかりで、現在よりもはるかに小さく、ベイリオル・カレッジやマートン・カレッジなど数えるほどの学寮と、フランシスコ会やドミニコ会が設立したいくつかの学校から構成されていた。ほとんどの学生は修道士ではなかったが、聖職者としての特権を得るために全員が剃髪をして僧服を身につけていた。とりわけ役に立った特権の一つが、罪を犯したとして訴えられても世俗裁判所でなく宗教裁判所で裁いてもらえることだった。宗教裁判所はこの大学の総長が統轄していて、場合によっては殺人を犯した学生ですら文字どおり無罪放免になることがあった。

イングランドやスコットランド、ウェールズやアイルランドの各地から集まった、多くは一五

歳とかなり若い学生たちは、徒党を組んでは喧嘩に明け暮れていた。俗人とさまざまな階級の聖職者との小競り合いも日常茶飯事で、「タウンとガウン」のいさかいと呼ばれていた。ウィリアムがやって来る少し前には、ある托鉢修道会が大学側と口論を起こして大学組織から排除され、学生たちに教会堂を襲撃され冒瀆されていた。学生どうしのいさかいで怪我人や死人が出ることも多かった。一二九八年には、弓矢や剣、丸盾や投石機で武装して徒党を組んでハイ通りを襲撃していたフルク・ネイルミトという名前の学生が、町民の放った矢に当たって死んだ。[1] 同じ年、アイルランド人学生のジョン・ブレルも酒場で口論の最中に刺し殺された。中世のイングランドでは修道僧を含めほぼ誰もが食事に自前のナイフを持ってきていたため、ナイフを使った喧嘩で怪我人が出ることがかなり多かったのだ。歴史家のヘイスティングズ・ラシュダルは、オックスフォードには「あまり血の流れない歴史的な戦場」がいくつかあったと述べている。それを裏付けるように、最近推計された一四世紀のオックスフォードの殺人率は、今日のもっとも治安の悪い都市よりもはるかに高くなっている。[2]

ウィリアムはそのような喧嘩からは距離を取って、自分の所属する修道院や近場の修道院、あるいは大学の学寮で講義に出席していたのだろう。卒業すると、講義をおこなうよう求められた。一時間ほど続く標準的な講義か、さもなければ、論争の的となっているテーマについて学生の前で議論しあう〝自由討論〟だったと思われる。講義がおこなわれた部屋は、オックスフォードや

* リュートに似た楽器。

ケンブリッジの古い学寮にいまでも見られる教室に似ていて、学生のための木製のベンチと机、教師のための書見台が置かれていた。しかし現代の講堂と違って傾斜がついておらず、学生と教師が同じ空間を占めていた。それもあって講堂は荒っぽい雰囲気に包まれていて、多くの学生、とくに授業料を払っていた俗人の学生たちは、謝礼を支払うまでの価値がないとみなした教師をたびたびやじったり侮辱したりしていた。

神学を学ぶウィリアムがおもに使った教科書は、ロンバルドゥスの『四巻の命題集』だったと思われる。そんなウィリアムは、「神学は科学であるか」という疑問にとくに興味を惹かれた。かつてトマス・アクィナスは、神学は科学の一つであるどころか「科学の女王」であると主張していた。しかしウィリアムはそうは思わなかった。

討論

一四世紀当時はかなりの権力者でないと肖像画が描かれなかったため、残念ながら若い頃のウィリアムの容貌は分かっていない。しかし一人の若い学生が本の余白に落書きをしてくれたおかげで、学生時代から二〇年後の姿ではあるものの、ウィリアムを描いたスケッチが遺されている。描いたのはマグデブルクのコンラート・デ・フィペス。ウィリアムを信奉していたことは間違いなく、問題のスケッチはミュンヘン滞在中にウィリアムの著作『大論理学』に描き込んだ。剃髪をした華奢(きゃしゃ)なウィリアムは、どこか物思いに沈んでいて繊細であるように見える。[3]

図6　マグデブルクのコンラート・デ・フィペスが描いたオッカムのウィリアム

ウィリアムは三〇歳頃、一三一七年から一九年のあいだに、『四巻の命題集』に関する註解を完成させた。その後オックスフォード大学と、おそらくロンドンのグレイフライアーズ学寮でも講義をおこなうよう求められた。その段階でこの註解が出版の運びとなる。当時の一般的な慣習では、講義に出席した学生の一人が上質皮紙にインクで詳細なノート（〝レポルタティオ〟と呼ばれた）を取り、それを学内外の学生たちが書き写した。そして講義をおこなった教師がそのノートを修正し、〝オルディナティオ〟と呼ばれる承認済みの版として公表した。ウィリアムはロンバルドゥス『四巻の命題集』第一巻に対する註解（『命題集註解』）の〝オルディナティオ〟を一三二〇年頃に完成させたことが分かっているが、ほかの三巻に対する註解として現存しているのは〝レポルタティオ〟だけである。自由討論もノートに記録され、講演者の手で修正されたものは〝クォドリベット〟と呼ばれた。ウィリアムは一三二一年から二四年までにクォドリベットを七巻完成させた。また同じ頃にはアリストテレスの『自然学』や『範疇論』に関する長大な論評を書いて、『自然学』に示されていた一連の問題に答えるとともに、自然学や神学や論理学に関する著作も何冊か著した。

ウィリアムの著作が世に出るやいなや、動揺の波がオックスフォードから広がった。混乱をうかがわせる最初の徴候は、ウィリアムが神学の修士号を授与される際に通常の手順をたどれなかったことである。知られている限りウィリアムはすべての要件を満たしていたため、それはかなり異常なことだったと言える。誰、または何が邪魔をしたのかは定かでないが、第一容疑者は、一三一七年から二二年までオックスフォード大学の総長を務めて『オッカムに反対する請願』という小冊子を著したジョン・ラッテレルである。それでもウィリアムは講義を続け、批判する者たちに応酬した。ウィリアムのクォドリベットに収められている講義は、ラッテレルがオックスフォードを去ったのちの一三二一年から二四年頃のものが多い。ほかにもマートン・カレッジのトマス・ブラッドワーディン（一二九〇―一三四九）など何人ものイングランド人学者が、異端的な思想を教えたとしてウィリアムを糾弾している。ヨーロッパ大陸でもウィリアムの文書は盛んに書き写された。早くも一三一九年から二〇年にはウィリアムの註解がフランスに伝わり、マルキアのフランシスというフランス人学者に称賛された。[4]

ウィリアムの思想がなぜこれほどまでの騒動を招いたのかを理解するには、そのおおもとを掘り下げて、人間とこの世界との関係、そして神との関係（その存在を受け入れたとすればだが）に迫っていかなければならない。

不可知の神

オッカムのウィリアムが先人たちのスコラ哲学に対して加えた攻撃は、一世代前の一二七七年に始まった論争をさまざまな面で引き継いだものだった。この年にパリのタンピエ司教が、神の力をアリストテレス論理学の定める限界に抑え込もうとするような議論を禁じた。アリストテレスが何と言おうが、キリスト教の全能の神は自らが望むことを何でもできると主張したのだ。

この禁令がいつまでも効力を発揮することはなかったが、それをきっかけにスコラ哲学者たちはアリストテレスの哲学、とくに神の全能性との関係をもっと批判的に見るようになった。ギリシアの神々は決まって限られた力しか持っていなかったため、古代ギリシア哲学にとって神の全能性というのは異質な概念だった。ポセイドンは海を支配していたが、陸上ではほとんど力を持っていなかった。キリスト教の神はそれとはまったく違い、この宇宙を作っただけでなくその規則まで定めた。全知全能なのだ。

神の全能性に関する議論は、ウィリアムがやって来る一世代前にはすでにオックスフォード大学のあちこちで交わされていた。ドゥンス・スコトゥス（一二六六―一三〇八）は、もしも神が気まぐれに規則を変えることができたとしたら、いかにして善悪の違いを判断したらいいのかという疑問について論じていた。ウィリアムはそこからさらに大きく踏み出した。デカルトが西洋哲学を解体して「我思う、ゆえに我あり」という有名な金言にたどり着いたのを先取りするかのように、神の全能性を除く中世哲学のあらゆる要素を剃刀で削ぎ落としたのだ。

このときウィリアムが直面していたのは、全知全能の神は不可知でもあるという問題だった。この問題については、全能の神は無矛盾律（たとえば神が存在すると同時に存在しないことはありえない）を除いて人間の論理に従う必要はない、ということを考えてみればはっきりしてくる。たとえば天地創造の三日目に植物を作って（創世記にはそうある）、その翌日に植物を養う光を作るというように、神は不合理な行動を取るかもしれない。このような順序はアリストテレスの理屈には逆らっているかもしれないが、神は暗闇の中で好きなだけ長く植物を養う力を持っているし、そのような選択肢を選んだ理由を人間には教えてくれないのだ。

ウィリアムはこれと同様の推論によって、哲学の大黒柱であった実在論に攻撃を加えた。前に述べたように、実在論者はプラトンのイデアまたはアリストテレスの普遍がこの世界全体を支えていると信じていたのだった。サクランボがサクランボであるのは〝サクランボ性〟という普遍を持っているからで、父親が父親であるのは〝父性〟という普遍で満たされているからだということだ。

ウィリアムはそのような考え方をきっぱりと否定した。全能の神には普遍などいっさい必要ない。丸さや赤さなどの普遍を用いてサクランボを作れる神であれば、それらの普遍を用いなくてもサクランボを作れるはずだ。ウィリアムは、普遍は我々が物体の集まりを指すのに使う単なる名前にすぎないと論じた上で、「少ない事柄でできることをたくさんの事柄でおこなうのは無駄である。……したがって、知るという行為以外には何一つ仮定すべきでない」と論じた。[5] さらに、「多くの事柄を予測できるもの［普遍］はそもそも心の中にある」と指摘した上で、普遍は我々が物体を分類するのに使う名前でしかないと力説した。そのためウィリアムが推進したこの中世の哲学体系は〝唯名論〟と呼ばれている。

この「少ない事柄でできることをたくさんの事柄でおこなうのは無駄である」という主張に、オッカムの剃刀の考え方を初めて読み取ることができる。ただしこのフレーズ自体は完全に新しいものではなかった。二〇〇〇年近く前にアリストテレスも『動物運動論』の中で、「自然は無駄なことを何一つしない」と記している。しかしウィリアムは自然の無駄のなさを論じたのではなく、剃刀を使って普遍の土台をなす論理に攻撃を加えた。「普遍は、魂の中や外にある心理的状態（主観）を持つ実在の存在ではない。魂の中にある論理的状態（客観）を持つにすぎず、一種の虚構である……」[6]。普遍は精神の外側には存在していないのだから、思考と現実を混同しないよう「不必要に普遍を増やすべきでない」と訴えたのだ。[7]

この「不必要に普遍を増やさない」というのが、オッカムの剃刀の根底にある核心的な考え方である。現実に対する説明やモデルに組み込む要素の数は最小限に留めるべきである。父親に父性の本質を詰め込むのではなく、「ある男が父親であるのは、その男に息子［または娘］がいるからだと言うべきである」とウィリアムは主張した。[8] あまりにも当たり前で今日では新鮮味が感じられず、その革命的な影響を理解するのはなかなか難しい。しかしウィリアムは剃刀を一度当てるだけで、中世の哲学や科学にはびこっていた膨大な数の雑多な要素を剃り落とし、この世界を突如としてはるかに単純かつ理解しやすいものにした。それに対してアリストテレスやプトレマイオスやトマス・アクィナスらは、単純さの利点こそ認めながらも、都合に合わせて複雑さを付け加えていくことに甘んじていた。しかしウィリアムはそうではなかった。この五〇〇年後に、倹約の原理にアリストテレスやプトレマイオスやトマスの名でなくオッカムの剃刀という名前が付けられたのは、そのためである。

普遍がお役御免になったことで、中世の論理学の土台をなしていた三段論法も力を失った。前に述べたとおり、「すべての人間は死ぬ。ソクラテスは人間である。ゆえにソクラテスは死ぬ」という論理は、すべての人間が〝人間である〟や〝死ぬ〟といった普遍を有することに基づいている。しかしソクラテスとたとえばプラトンに共通するのが〝人間〟という言葉だけだったら、

「ソクラテスは死ぬ」という事実から、プラトンなどほかの人間が死ぬかどうかについて何か言うことはけっしてできない。スコラ哲学者たちは大きな衝撃を受けた。だとしたらどうやってこの世界に関する知識を得ればいいのか？　ウィリアムいわく、人間が死ぬかどうかを知るための確実な方法が一つある。人間に矢を打ち込んで、死ぬかどうかを観察するのだ。普遍をいっさい排除して個物のみから構成されるウィリアムの論理では、確実な知識を得るには経験や観察をするしかない。これはもちろん現代科学の基礎にほかならない。

しかしここで押さえておくべきは、この経験主義的方法論では確実性が保証されないことである。矢を一回放っただけでは、ソクラテスが死ぬことは証明できるかもしれないが、「すべての人間は死ぬ」ことは証明できない。一〇〇本の矢で一〇〇人の人間を殺せば、すべての人間は死ぬという仮説を立てることはできるかもしれないが、ウィリアムによればどんな仮説も暫定的で蓋然的であって、一〇一本目の矢で反証される可能性がある。ウィリアムいわく、これが科学と宗教とのもう一つの重要な違いである。フランシスコ会修道士にとって神の存在は疑いようのない事実だが、科学はつねに仮説のみから構築されている。科学は証明でなく蓋然性を与えるものであるとウィリアムは唱えたのだ。

ウィリアムの哲学が混乱を引き起こした理由は想像に難くない。それまで何百年にもわたってスコラ哲学者たちは普遍や範疇とは何かについて論じ合ってきたのに、ウィリアムはペンを何度か走らせただけで、その取り組み全体を時間の無駄だとして切り捨てたのだ。かつてトマスが嘆いたように、単なる麦わらにすぎなかったのだ。

ウィリアム、女王を追い落とす

ウィリアムは実在論を打ち砕くだけでは飽き足らず、トマスらが示した、科学の仮面をかぶった神の存在証明にも攻撃を加えた。前に述べたとおりトマスは〝五つの方法〟のうちの四つで、アリストテレスの言う四原因（質料因、形相因、作用因、目的因）は因果の無限連鎖につながる可能性をはらんでいて、それをどこかで打ち止めにするには第一原因である神を考えるしかないと論じていた。しかしウィリアムは、因果の連鎖は必ずしも無限後退にはつながらず、打ち止めにする必要もないと指摘した。たとえば宇宙に物体が三つだけしかなくて、それらの物体が永遠にぶつかり合って衝突（原因）と軌道の変化（結果）を引き起こしつづけているが、数え上げられる物体はずっと三つのままであるという様子も想像できる。無限後退が起こらなければ、神によって打ち止めにする必要もない。オッカムの剃刀から見て神は不必要な存在なのだから、トマスの巧妙な論法では神の存在を証明することはできないのだ。

トマスの「階層に基づく論証」についてウィリアムはまず、上位の存在へと続く階層が必ず最高の存在で打ち止めになることは受け入れた。しかしその上で、「上位の存在へと続く階層」は複数存在し、それぞれ異なる最高の存在によって打ち止めになっていると指摘した。たとえば当時の人々なら、パリのノートルダム大聖堂とカンタベリー大聖堂のどちらがもっとも美しい建物かとか、ダンテの『神曲』の中でどの一節がもっとも詩的であるかなどと議論しあっていたかもしれない。しかし、カンタベリー大聖堂と『神曲』のどちらがより優れているかなどという議論は意味がない。したがってトマスの「階層に基づく論証」では、どのような特徴で階層づけるかによって、人間や神やロバなど複数の存在で打ち止めにすることができるのだ。

しかしウィリアムが神の存在証明を論破することで倒そうとした最大の敵は、科学の宿敵たる〝目的論〟だった。前に述べたように、アリストテレスの挙げた四番目の原因である目的因は、そのほかの原因と違って過去でなく未来に位置する。ブタの目的因は食べられることである。これは過去から現在、現在から未来へと作用する因果律を根底から脅かす概念で、現代科学ではタブーとされている。我々は未来を知ることはできないのだから、未来に原因があることを許せば科学は成り立たなくなってしまう。それでもトマスは、神がこの世界に存在する万物の目的因であるに違いないと論じていた。もしそうだとしたら、人間には神の目的因は知りようがないのだから、この世界も不可知だということになってしまう。

ウィリアムはまず、家を建てるといった人間の自発的な行為に対しては目的因を当てはめられることを認めた上で、[9]知的主体によって引き起こされるのではない出来事には目的因といったものは存在しないと主張した。「もしもいっさいの権威を受け入れないのであれば、*知られている言明からも経験からも、すべての結果に目的因が存在することは証明できないと主張した

* ウィリアムはこのような条件文を〝免罪条項〟として使うことで、神の権威をめぐる議論から自身の議論を切り離すのが常だった。

い。……自然の作用の場合、『なぜ』という疑問は不適切である」[10]。どんな出来事についても、過去と現在だけから十分な原因を見出せるということだ。「なぜ薪に火をつけると冷えずに熱くなるのかと問われれば、それがその性質だからだと答えるではないか」。こうしてウィリアムは目的論を斥け、現代科学における因果の方向性を確立させた。[*] 目的因もまた不必要な存在になったのだ。

それから三〇〇年後、いわゆる啓蒙運動または〝理性の時代〟の偉大な科学者や哲学者がもっとずっと尊大に振る舞って、科学から目的論を一掃した功績は自分たちにあると主張する。しかしそれ以前にウィリアムが、「自然の力は目的でなくその性質によってあらかじめ定められている」[11]と力説して、もっと簡潔かつ控えめに目的論に引導を渡していた。目的論が排除されたことで、神はこの世界の原因としては不必要な存在となり、トマスによる神の存在証明も崩れ去ったのだ。

実在論とイデアの概念、そしてもっとも確立された五通りの神の存在証明を打ち崩しただけでも、たいていの学者ならきっと溜飲を下げていたことだろう。しかしウィリアムの視界にはもう一つ、悪影響を撒き散らす標的が入っていた。キリスト教の中核をなす化体の奇蹟に関するトマス・アクィナスの巧妙な議論である。

科学の女王を追放する

前に述べたとおり、トマスはアリストテレスの普遍の概念を巧妙に操ることで、キリスト教的な科学に化体の奇蹟を組み込んだ。しかしウィリアムによる唯名論的な哲学では、普遍の存在は否定されている。ウィリアムは普遍を単なる名前だとして斥けた上で、アリストテレスの言う一二の範疇のうちの一〇種を排除して、実体と質の二つだけに減らした。ここでも剃刀が振るわれている。たとえば量については、部屋の中にある二脚の椅子など二つ一組の物体に〝二つである〟という本質が宿っているというのは、論理的に辻褄が合わないと論じた。隣の部屋に椅子がもう二脚あったら、部屋どうしの仕切りを外すだけで〝二つである〟という本質が〝四つである〟に変化することになる。しかし、椅子と無関係な仕切りを外すことで影響を受けるような椅子に関する事柄が、はたして現実と言えるだろうか？　ウィリアムは、「実体や質と区別される量という普遍は存在しない」と結論づけた。[12] アリストテレスの言う範疇という意味での量は不必要な存在であって、排除すべきなのだ。[13]

しかしトマスは量の範疇を用いて、化体の奇蹟におけるパンの味や匂いや触感を説明していたのだった。奇蹟の前にはパンが一個あり、奇蹟の後にはイエスの肉体が一個あるということだ。ウィリアムは量の普遍を切り捨てることで、トマスがこの奇蹟をスキエンティアに組み込んだ根拠を打ち壊したのだ。こうして科学の女王はその座から引きずり下ろされたのだった。

* 量子力学の解釈の中には逆因果律を用いたものもある。

第三の道を守る

神学は科学として適切でないのだから、科学の最初でも最後でも中間でもない……。

オッカムのウィリアム[14]

ウィリアムはトマス・アクィナスの言う科学の女王を引きずり下ろすだけでは留まらなかった。またもや驚くべき一歩を踏み出して、科学と宗教は根本的に相容れず、互いに折り合わせるのは不可能であると唱えたのだ。この結論は、神は人間の理性を超越しているのだから、理性によって神について知るのは不可能であるというウィリアム本人の主張から導き出された。神に近づく道は信仰と聖書だけである。さらにスキエンティアの道は逆方向にも塞がれていて、信仰と聖書によって神のことを知ることができても、この世界に関する知識は得られない。そのため科学と神学は、完全に異質で互いに相容れない探究の道筋である。「[神学の]原理を単に信じた上でその結論を科学的に知ることは不可能である。……神の知る原理を信じているからという理由で、神学の結論に関する科学的知識を持っていると主張するのはばかげている」とウィリアムは記している。[15]

もちろんウィリアムはフランシスコ会修道士であって、知られている限り、神の存在もキリスト教の中心的教義もけっして疑ってはいなかった。それでも、自らの信仰心は理性でなく聖書を信じて研究することに根ざしていて、どちらもスキエンティアに求められる確実性は有していないと主張した。そうして〝信仰主義〟を取り入れ、「神学的真理にたどり着けるのは信仰だけであり、神の道は理性に対しては開かれていない」と唱えた。[16] 信仰は神のためのもので、理性は科学のためのものである。ストア哲学者や快楽主義者、イスラムの哲学者*など、古代の哲学者の中にも科学と宗教をある程度分離するよう唱えた者がいたが、ウィリアム以前には誰一人として、宗教から科学を分離するという、現代科学の土台となる思想をこれほど明確かつ的確に訴えることはなかった。宗教とおおむね切り離された今日の世界は、ウィリアムの容赦ない論理が生み出した必然だったのだ。

オッカムの剃刀とウィリアムの唯名論および信仰主義とが組み合わさって、宗教と無神論の中間に位置する第三の道が事実上開かれた。† それによって科学者は、信仰心を持ちながらも非宗教的な科学を追究できるようになった。ウィリアムは次のように力説している。「とくに自然哲学における、神学と無関係な主張を、誰しも非難したり禁じたりすべきではない。そのような事柄においては誰もが自由であって、言いたいことを自由に言えるようでなければならない」[17]。一四世紀から少なくとも一九世紀までの偉大な科学者はほぼおしなべて敬虔なキリスト教徒でもあっ

---

* アル゠ビールーニー（九七三―一〇四八）は、インド人天文学者を悩ませていた、天文学とヒンドゥー教の折り合いを付けるという問題を取り上げる一方で、「コーランにはこの分野（天文学）をはじめ、必要な知識からなるいかなる分野のことも記されてはいない」と唱えた。

† 中世にも無神論はけっして想像を絶するような思想ではなく、多くの人がひそかに抱いていただろうが（神の存在を疑っていないのであれば、それを証明する必要などないはずだ）、もしも無神論を公に唱えてのちに撤回しなかったら、異端との烙印を押されて薪の山の上で火刑に処されるのは避けられなかっただろう。

て、ウィリアムの切り拓いた第三の道を進んだのだ。

とはいえ一四世紀のオックスフォードやロンドンで活躍するウィリアムの同業者たちは、このような思想にひどく心かき乱された。神学から科学を構築しようと骨を折ってきた神学者たちは憤り、中でも目ざとい人たちは、ウィリアムの主張するようにもしも神が不可知だとしたら、神学は聖書を延々と読んでいくだけの学問に成り下がってしまうと気づいた。実在論を唱える哲学者もうろたえた。普遍は心の中にある虚構にすぎないというウィリアムの主張は、経済学者にお金など存在しないと告げるのに等しいととらえたのだ。

ウィリアム、災難に見舞われる

ウィリアムと同じ頃にオックスフォード大学マートン・カレッジで学んだ伝統主義者のウォルター・バーリー（一二七五―一三四四）とウォルター・チャットン（一二九〇―一三四三）が、ウィリアムの革新的な唯名論に反対する講義をおこなって書物を著した。ウィリアムに学んで彼を支持するアダム・ウォーダムは、そのチャットンの講義に出席してノートを取り、すぐさまそれを師ウィリアムに見せた。するとウィリアムは「批判する者たちの中傷」に対する憤りを急いで殴り書きしたという。[18]

一三二三年春、三五歳の頃にウィリアムは、ケンブリッジで開かれるフランシスコ会の地方総会で自らの主張を弁護するよう求められた。しかし自らの過激な思想に対する批判や流言がオックスフォードやロンドンから漏れ広がりつづけてもほぼ何も手を打たなかったようで、ついにはキリスト教世界で最大の権力を持つ人物から目を付けられる。教皇からの召喚状がオックスフォードに届いたのは一三二四年初めのことだった。当時教皇庁のあったアヴィニョンで聴聞会に出席して、異端を説いたとの告発に対して弁明するよう求められたのだ。

アヴィニョンにて

……私は人間の邪悪さにたいへん通じている……

オッカムのウィリアム、一三三五[19]

異端の疑いのあるウィリアムの思想について誰が教皇に訴えたのかは定かでないが、またもやオックスフォード大学の元総長ジョン・ラッテレルが怪しい。以前の一三二三年にラッテレルは、おそらく昇進を求めてアヴィニョンを訪れた。すると教皇ヨハネス二二世から、ロンバルドゥスの『四巻の命題集』に対するウィリアムの註解は異端の疑いがあるので調査するよう命じられる。そして翌日、五三か所の〝過ち〟のリストを教皇に提出した。その過ちの多くはアリストテレスの量の範疇を否定していることに関する内容で、化体の奇蹟に深く関係していた。そこで教皇は、ラッテレルを含む六人の〝師〟による審問を受けさせるべく、ウィリアムをアヴィニョンに召喚した。

ロンドンのグレイフライアーズ学寮とオックスフォード大学の構内は、仲間の一人が教皇から異端の罪に問われたとの知らせを受けて大騒ぎになったに違いない。悔い改めない異端者に死刑が待っていることは誰もが知っていた。告発された者は火刑を免れるためにほぼ例外なく異端的思想を撤回するものだが、はたしてウィリアムはどうだろうか？　三〇代後半になって強情になったという評判なだけに、足下に火をつけられてもなお告発者たちと言い争いを続けるかもしれない。

召喚を受けてウィリアムはすぐさま出発した。南のドーヴァーへ向かってからイギリス海峡を渡ったと思われる。初の船旅だったことはほぼ間違いない。フランスに到着してからは、パリを経由するルートを取ったことだろう。パリで学者と会って教えを説く機会はあったのだろうか？　証拠はないが、もしそうだとしたら、パリの何人かの学者がウィリアムの思想を熱心に取り入れたことも説明がつくかもしれない。パリからはローマ時代の古い道を通って南へ向かい、おそらく一三二四年の初夏にアヴィニョンに到着した。

一五年前、教皇クレメンス五世が手に余るローマを見捨てて以来、教皇庁はアヴィニョンに置かれていた。[20] フランス国王フィリップ四世から提供されたこの町を、クレメンス五世はありがたく受け入れた。しかしアヴィニョンはけっして壮麗な町とはいえなかった。下水道がなくて衛生状態が悪い上に、泥棒や物乞いや売春婦が巣くっていた。ウィリアムが到着した頃にアヴィニョンに暮らしていた詩人で人文主義者のペトラルカは、この街を「不浄なバビロン、地上の地獄、非道の巣窟、世界の糞壺。……私の知る町の中でも最悪の臭いだ」と形容している。悪臭の漂うアヴィニョンには延べ九人の教皇が暮らし、クレメンス五世はその中の一人目である。

ウィリアムを召喚したのはクレメンス五世の後継者ヨハネス二二世である。ゴシック様式の特徴的な塔を備えた新たな教皇宮殿がいまだ建設中だったため、古い司教官邸に暮らしていた。その司教官邸はのちに教皇宮殿に組み込まれたため、ウィリアムの審問会が開かれたのは現在の教皇宮殿の敷地内だったと思われる。

審問会では一連の聴聞がおこなわれ、その中でウィリアムは六人の師の前で自らの考えを弁護した。教皇自らが出席することもあっただろう。聴聞を終えると審問団は非公開で審議をおこない、判決を下した。最初の判決にはラッテレルの告発のうち一部のみと、それに加えて審問団独自の告発が取り入れられた。それを受けてウィリアムは、『司祭の正餐について』というぎっしりと書き込まれた文書の中で自らの唯名論と倹約の思想を断固として弁護した。その冒頭では「点は量と実際に異なる絶対的存在なのだろうか」と問いかけた上で、「点は線などのいかなる量とも異なる存在ではない」と結論づけている。難解な内容のようにも思えるが、この論証が論理、もっと言うと点と線の区別といった数学的論理に根ざしているところは目を見張る。いまだに科学とはいえないがそれに近いし、ウィリアムが科学の土台である経験主義から論理を使って神学を一掃しようとしたことを浮き彫りにしている。続いてウィリアムは軽率にも審問団の適性に疑義を呈し、「もしも誰かキリスト教の学者や聖人が、量は実体や質と異なる絶対的な普遍であることを証明しているのであれば、その原典を挙げるのは師のほうの責任である」とはっきり述べている。[21]

審問が進められているあいだアヴィニョンに留まるよう命じられていたウィリアムは、町のフランシスコ会修道院に宿泊していた。そしておそらくその修道院で、自身最大の哲学書『大論理学』を書き上げる。強硬な唯名論の立場から書かれた全一巻に論理学で知っておくべき事柄をくまなく収めた、きわめて挑発的な著作である。その中でウィリアムは、「論理学はあらゆる学問の中でもっとも有用な道具である。それがないと科学を完全に理解することはできない」と力説している。

一三二五年八月、ウィリアムがアヴィニョンに到着してから一年ほど経った頃になると、審問が順調に進んでいないことがはっきりしてきた。イングランド王エドワード二世がラッテレルをイングランドに帰すよう手紙で求めると、それに対して教皇ヨハネス二二世は、ラッテレルは「不健全な教義」の根絶に忙しいと返事した。そして一三二七年、「誤っていて異端的な数多くの持論」を公言したウィリアムを断罪する勅書を出した。

しかしウィリアムの試練も彼の学識と同じく、けっして決着がついたわけではない。すでに何人もの命を奪っているさらに致命的な対立に首を突っ込み、数々の歴史家によればそれがヨーロッパ史の道筋を変えることとなるのだ。

第4章　権利はいかに単純か

オッカムのウィリアムは思想史における巨人である。また、自然権の理論の初期における発展を支えたもっとも重要な人物の一人でもある。

ジークフリート・ファン・デュッフェル、二〇一〇[1]

一三二〇年代にアヴィニョンに滞在していた反逆的なフランシスコ会修道士は、ウィリアム一人だけではなかった。同会の法学者で教皇庁に使臣として派遣されていたベルガモのボナグラティアは、教皇庁の監獄に囚われていた。会長であるチェゼーナのミケーレもアヴィニョンに到着したばかりで、ウィリアムと同じく軟禁状態にあった。数か月のうちに三人とも破門され、町から逃げ出さざるをえなくなる。彼らをこれほど苦しい目に遭わせたのは、イエスは財布を持っていたのかという疑問をめぐる激しい論争だった。

中世に繰り広げられた一見些細な数々の論争と同じく、真の論点は財布を持っていたかどうかよりもはるかに根深いものだった。イエスに象徴されるキリスト教会と、財布に象徴される国家との関係に関する論争である。その由来は初期のキリスト教徒たちにさかのぼる。彼らの多くは「金持ちが神の王国に入るのよりもラクダを針穴に通すほうが簡単だ」というイエスの主張と、「持ち物をすべて売り払ってその金を貧しい人に与えよ」という忠告を文字どおりに受け止めた。そしてお金や持ち物を手放してイエスや使徒の生き様を見習った使徒的清貧の生活スタイルを取り入れ、物乞いや施しだけで生活を送る巡回説教師として生きた。

ローマ教会はそれとは大きく違う道筋をたどった。皇帝コンスタンティヌスがキリスト教をローマ帝国の国教として採用して以降、キリスト教会はローマ帝国と分かちがたく結びついていった。ローマ帝国が滅亡するとその結びつきはいっとき弱まったが、八〇〇年のクリスマスの日にフランク王カール一世がローマで教皇レオ三世から神聖ローマ帝国皇帝に冠せられると再び強まった。それ以来、西ヨーロッパの王や皇帝はローマで教皇から冠位を授かるようになり、西ヨーロッパの王国や帝国とその封建体制はカトリック教会の権威と事実上一体となった。

貧しくて気高い異端者たち

ウィリアムが審問を受ける前の世紀、一三世紀に、反逆的なキリスト教団がいくつも生まれた。彼らはローマ教会の贅沢ぶりを批判して国家との結びつきを拒絶し、使徒的清貧の原則を取り入れた。例として、イタリアのフミリアティ（謙遜者団）、ドイツのワルドー派、フランス・ラングドック地方のカタリ派などが挙げられる。

そのほとんどは異端と断定されて厳しい弾圧を受けたが[2]、使徒的清貧を実践する教団の中でも一つだけ、カトリック教会が不承不承ながら認めた教団があった。その創設者であるジョヴァンニ・ディ・ベルナルドーネ、またの名をフランチェスコは、一一八一年頃にペルージャの裕福な家に生まれた。若い頃は金持ちの息子にありがちな放蕩ぶりだったが、その後、遺産と持ち物を手放して、物乞いをしながら説教師として放浪生活を始める。弟子たちとともに目の粗い灰色のウールのチュニックをまとい、結び目のある縄で縛っていたため、「灰色の修道士（グレイフライアー）」と呼ばれるようになった。フランチェスコと灰色の修道士たちは地方を旅して回りながら、耳を傾けてくれる人たちに清貧と懺悔と同胞愛の生活を取り入れよと説いた。あっという間に忠実な弟子が増えるとフランチェスコは教皇に、自身の教団を新たな巡回托鉢修道会として認めてくれるよう訴えた。そして教皇に認められ、彼らの教団はフランシスコ会となった。オッカムのウィリアムが生まれた頃には、一一人の小集団から二万人ほどの教団へと成長していた。

しかしフランシスコ会ですら、一部のキリスト教徒にとってはまだまだ過激とは言えなかった。のちに別の教団を創設するイタリアの神秘主義者ジェラルド・セガレッリは、一二六〇年にフランシスコ会への入会を拒否されたのを受けて、全財産とすべての持ち物をパルマの中央広場に持っていき、銀貨や帽子、椅子やワインを貧しい人たちに残らず分け与えた。そしてあごひげを生やして白いガウンで身をくるみ、裸足で町から町を歩いてめぐる白衣の修道士となった。やがて志を同じくする大勢のキリスト教徒が弟子となって、彼らは使徒兄弟団と呼ばれるようになり、耳を傾ける人たちに「いますぐ悔い改めよ」と説いた。*

ローマ教会は風変わりな隠修士たちに対しておおむね寛容な態度を取った。しかしセガレッリは自分の財産を手放すだけに留まらず、ローマ教会の資産にも批判を加えはじめる。さらに、ローマ教会は人々を天国に送る特権、いわゆる贖宥状（しょくゆうじょう）（教会にお布施をすると地獄に落ちずに済むとされていた）を発行する特権など有してはおらず、十分の一税と呼ばれた教会への納付金も聖職者の強奪にほかならないと主張した。当然ながら教皇はこの思想を異端と断定し、一三〇〇年、ウィリアムがアヴィニョンにやって来る二四年前に、セガレッリを含む使徒兄弟団の何人かの信徒がパルマで火刑に処された。

ところがセガレッリの死はカトリック教会にとって火に油を注ぐ結果となり、輪を掛けて攻撃的な信徒であるフラ・ドルチーノが教団指導者として後を継いだ。[3] そして自分を修道院から救い出してくれたトレントのマルガリータとともに、北イタリアで大勢の信徒を集めた。のちにドルチーノ派と呼ばれることになるこの教団は、使徒兄弟団よりもさらに過激だった。ローマ教会の権威を否定するだけでなく国家の権威も拒絶し、財産や結婚、法律や農奴制といった制度は人々を支配するために考え出された虚構にすぎず、我々は自由になるべきだと訴えた。フランシスコ会と違って男女ともに迎え入れ、現代のヒッピーさながらの共同体で暮らした。

今日ならいずれも害はないように思えるが、所有権や封建支配や権威といった既存の概念を否定したドルチーノ派は、封建国家とカトリック教会を敵に回したも同然だった。そして案の定、一三〇五年に教皇クレメンス五世がこの教団を撲滅すると宣言する。教皇は地元の兵士たちに免罪を約束した上で、反徒たちを攻撃して彼らの集落を破壊し、北イタリア一帯で追い詰めるよう駆り立てた。

これを受けてドルチーノ派はますます喧嘩腰になり、村や修道院を襲撃しては食料や金や衣服を強奪しはじめる。そして一三〇六年三月、ピエモンテ地方のルベッロ山の山頂に要塞を築く。教会側の兵士による最初の攻撃が撃破されたため、司教はこの山を包囲して兵糧攻めにし、降伏を迫った。その戦略は功を奏した。飢えで弱り果てたドルチーノ派信徒が続々と山から逃げ出し、免罪を欲しがる兵士たちの恰好の標的となった。そして乱闘の中、フラ・ドルチーノとトレントのマルガリータは兵士たちに捕らえられた。

二人の審問がピエモンテのヴェルチェッリで開かれ、あっという間に決着した。マルガリータの美貌に心奪われた何人もの貴族や紳士が改宗を条件に求婚するも、彼女は拒絶して火刑に処された。フラ・ドルチーノは拷問された上に、火に包まれるマルガリータの姿を目に焼き付けさせられ、続いて自分も火あぶりになった。

聖なる財布

フランシスコ会はもともと使徒的清貧の原則に基づいて創設されたが、フラ・ドルチーノとト

＊ ウンベルト・エーコ『薔薇の名前』に登場する猫背のサルヴァトーレもこの言葉を発していて、ドルチーノ派〔使徒兄弟団の後継教団〕の元信徒だったことが分かる。

レントのマルガリータがヴェルチェッリの街なかを練り歩いていた頃には、ほとんどの信徒は放浪生活を捨て、調理場や図書室、寝室や農園や養魚池を備えて十分に蓄えのある大きな修道院で暮らすようになっていた。当然多くの人は、創設時の理念を放棄したのだととらえていた。そこで一二七九年に教皇ニコラウス三世は〝エクシイト・クイ・セミナト〟と呼ばれる勅書を発し、フランシスコ会が修道院とその生産物を教皇に代わって所有することを認めた。[4]

ほとんどのフランシスコ会修道士は教皇ニコラウス三世の厚遇を喜んで受け入れた。しかし、逃亡したドルチーノ派信徒が潜り込んだフラティチェリと呼ばれる好戦的な宗派は、この勅書はたわごとであって修道院での生活は使徒的清貧に背いていると主張した。今日ではこの宗派は、ウンベルト・エーコの中世犯罪小説『薔薇の名前』の端々に登場する急進派としてもっともよく知られていることだろう。この小説では使徒的清貧が重要な役割を担っているし、主人公であるバスカヴィルのウィリアム（映画ではショーン・コネリーが演じている）はオッカムのウィリアムがモデルになっている。[5] フラティチェリもドルチーノ派と同じく破門され、神聖ローマ帝国皇帝フリードリヒ三世が支配していたシチリア島に多くの信徒が逃げ出した。中世後期のヨーロッパでは臣従関係が複雑に入り乱れており、彼ら異端者はフリードリヒ三世によってチュニスに送られ、イスラムの支配者の庇護を受けた。

それでもフラティチェリが一掃されたわけではなかった。ウィリアムがオックスフォード大学で学んでいた一三二一年、財産と聖性は相容れないと説いた大勢のフラティチェリ信徒が南フランスのナルボンヌとベジエで拘束された。クレメンス五世から教皇の座を引き継いだヨハネス二二世は、フランシスコ会に対して前任者よりもはるかに手厳しかった。そしてフランシスコ会の会長に選出されたばかりのチェゼーナのミケーレに対し、フラティチェリ信徒六二人にイエスが財布を持っていたと考えるかどうか問いただすよう命じた。

六二人の反抗的なフランシスコ会修道士の多くは、ヨハネス二二世の誘導質問に答えるよう迫られて観念し、イエスは財布を持っていたと認めた。そして生まれ故郷に送られて、自らの信念を公に放棄させられた。拒否した二五人は異端審問官に引き渡され、二一人は説得を受けて信念を撤回した（どのようにして説得されたかは分かっていない）。残る四人は、おそらくチェゼーナのミケーレの見守る前で火刑に処された。

しかしそれで事が片付いたわけではない。一三二三年一一月一二日、ヨハネス二二世はフランシスコ会をさらに追い詰めるべく勅書〝クウム・インテル・ノンヌロス〟を発し、キリストとその使徒たちが何も所有していなかったという教義は「誤っていて異端である」と断言した。また、フランシスコ会の修道院の帰属に関するニコラウス三世の勅書〝エクシイト・クイ・セミナト〟を破棄した。そしてフランシスコ会に、今後は修道院が教皇に属することを受け入れなければならず、さもなければ泥棒で不法侵入者とみなすと迫った。

アヴィニョンからの脱出

この偽教皇の数々の過ちに私は硬い石のごとく断固反抗する……。

オッカムのウィリアム、一三二九[6]

一三二四年末、ウィリアムがアヴィニョンに到着したその頃、慌てふためいたフランシスコ会修道士たちはフランチェスコの出身地アッシジにほど近い町ペルージャに集まって、教皇の猛攻撃にどのように対処すべきか話し合う緊急の秘密会議を開いた。そうして最終的に、使徒的清貧の原則を肯定する親書が起草された。そして教団の法学者ベルガモのボナグラティアが、その親書をアヴィニョンまで届ける役割を託された。アヴィニョンに到着して親書を渡したボナグラティアは、教皇ヨハネス二二世を公の場で非難した。オッカムのウィリアムもそれを目撃したに違いない。そこで教皇は統制権を行使してボナグラティアを宮殿の牢屋に投獄し、チェゼーナのミケーレをアヴィニョンに召喚した。

彼らフランシスコ会修道士は、神聖ローマ帝国皇帝*でバイエルン公のルートヴィヒ四世に助けを求めた。ルートヴィヒ四世は教皇と対立しており、いまにもローマで独自の教皇を立てるのではないかと噂されていた。しかもその座にはチェゼーナのミケーレが目されていた。ミケーレはしばらくのあいだ病気を理由に教皇庁への出頭を渋っていたが、一三二七年一二月にアヴィニョンにやって来てヨハネス二二世から公に警告を受け、おそらくウィリアムが囚われていたのと同じ修道院で軟禁状態に置かれた。ところがヨハネス二二世が思いがけずも起こした数々の状況が奇妙にも組み合わさって、キリスト教世界でもっとも賢い人物が、もっとも手助けを必要とする人物に目を向けることとなる。

ウィリアムは熟考の末、教皇は間違っているだけでなく異端でもあるとの確信に至った。そこで彼らフランシスコ会修道士は、有力な友人たちの助けを借りてエーグ＝モルトの港まで逃れ、そこから先述したとおりに脱出を企てた。そして逃亡者となったことではるかに危険な状況に置かれた。ジェンティル船長のガレー船の上で「すさまじい恐怖」を感じたのも、ナルボンヌとベジエで火あぶりになる仲間のフランシスコ会修道士たちの叫び声をチェゼーナのミケーレが思い出したからだったに違いない。

ピサ、ローマ、ミュンヘン――ウィリアムの旅

ヨハネス二二世は執念深いとの評判で、そう簡単に引き下がることはなかった。逃亡者全員を破門した上で、アラゴン王とトレドの大司教とマヨルカ王に手紙で、彼らフランシスコ会修道士が領地に上陸したらただちに拘束するよう要求した。[7] 彼らが西に向かうだろうという見立ては、アラブリー卿がエーグ＝モルトでの交渉中に狡猾なジェンティルから感じ取ったのだろう。もしそうだとしたら、ジェンティルはしてやったりだったことになる。ウィリアムらは五日ほどかけて東へ四五〇キロほどつらい航海を続けた末に、イタリアのピサの港で船を下りたのだから。

＊　八〇〇年に教皇から皇帝に冠せられたカール一世の後継者を指す。中世後期、この帝位は、選帝侯の会議によって選ばれた君主が務めていた。神聖ローマ帝国の支配はほぼドイツ語圏におよんでいたが、拡大と縮小を繰り返してイタリアなどそのほかの土地にまでおよぶこともあった。

現在のピサの市街地は二〇キロほど内陸にあるが、当時は海辺の港町で、地中海北部の海洋交易の拠点だった。ウィリアムらはそのピサからローマへ向かった。ローマではバイエルン公ルートヴィヒ四世が神聖ローマ帝国皇帝に即位していたし、未詳のフランシスコ会修道士ピエトロ・ライナルドゥッチが対立教皇ニコラウス五世として冠せられていた。そこでアヴィニョンの教皇ヨハネス二二世はルートヴィヒ四世に対する聖戦を布告し、彼の戴冠は無効であると断言して、真のカトリック教徒はみな彼に抵抗するよう迫った。

気まぐれなローマ人はこの〝テウトニ人たち〟〔ゲルマン人の一派〕にほとほとうんざりしていて、一三二八年九月にルートヴィヒ四世の従者がローマを離れてピサへ戻ったのを契機に、皇帝とフランシスコ会の反逆者たちおよび対立教皇ニコラウス五世に辱めを与える。そこで翌年四月にルートヴィヒ四世はウィリアムを連れ、ニコラウス五世を残してミュンヘンへ向かった。見捨てられた対立教皇は首に縄を巻いて徒歩ではるばるアヴィニョンへ赴き、称号を捨てて許しを乞うた。

オッカムのウィリアムとチェゼーナのミケーレはルートヴィヒ四世の庇護のもと後半生を過ごし、ミュンヘンにあるフランシスコ会修道院でおおむね暮らした。そしてヨハネス二二世とその後継の教皇たちを糾弾する論説を書きつづけた。破門されて逃亡し、異端のかどで告発されたウィリアムのこの時期の著作のテーマは、哲学や科学から、アヴィニョンを追われて死ぬまで追放者の身に置かれるきっかけとなった例の論争へと移っていった。

単純な権利

人間の権利はふつう科学の本で論じるテーマではないが、科学が進歩する上では実験的手法や数学と同じくらい欠かせなかった概念であると思う。古代ギリシアのような奴隷経済や独裁体制、あるいは中世後期のヨーロッパや中東のような封建社会でも科学を進めることはもちろん可能だったが、富や支援頼みだったため少数の特権階級に限られていたし、裕福な支援者の気まぐれや国家または教会の要求に翻弄されていた。科学が変革を起こすには、もっと幅広い後ろ盾と、思考のせめぎ合いにおいて富や権力がほとんど、あるいはいっさい介在しない、いわば科学の民主主義が必要だ。それが可能なのは各個人が同じ基本的権利を有する社会だけで、その権利の中にはもちろん間違う権利も含まれる。

そこで話は権利の本質へと進んでいく。権利とは何か? 教皇ヨハネス二二世もオッカムのウィリアムも、食料や住処などの生活手段を利用する権利（ラテン語でiusまたはjusといい、現代英語のjustice〔正義〕の語源となっている）はそれを所有することで得られるのだから、所有は正しい行為であると考えていた。ではその権利はどこにどのような形で存在するのか? この一世代ほど前にアウグスチノ会の神学者で哲学者のアエギディウス・ロマヌス（一二四七―一三一六）が、アダムとイヴがエデンの園から神によって追放されたという創世記の物語をカトリック教会の都合のいいように解釈した。アエギディウスいわく、アダムは「海の魚、空の鳥、家畜、大地のすべて、這うものすべてを支配した」。のちにアダムからその支配権を、すなわち世界全体を引き継いだ子孫たちが王や皇帝や諸侯となり、世界全体を所有して支配するようになった。その状態は神でも人間でもあるイエスの誕生によって終わり、世界の所有権と支配権はイエスに戻された。しかしイエスは死ぬ前にすべての権利と所有物をペテロに遺贈し、それをペテロがさらに後継者の教皇たちに託した。神から与えられたその支配権を教皇がキリスト教国の君主たちに分け与え、君主が貴族たちに授け、貴族が臣民たちに与えたが、もちろん農奴たちは何も所有せず権利も有さない。このように中世の世界全体の社会階層はけっして無意味ではなく、イエスの仮想的な財布の中に収められているのだと、アエギディウスは唱えた[8]。オッカムのウィリアムが教皇ヨハネス二二世といさかいを起こしてから二〇〇年も経たない一四九三年、教皇アレクサンデル六世が、支配権は神から与えられているというこの思想に基づいて、新世界の所有権をスペインとポルトガルの両国王のあいだで分割させることとなる。

しかしウィリアムらはまったく違う見方をしていた。イエスは伝道を始めたとき、絶対的貧困生活を送るためにすべての所有権を放棄したではないかと主張したのだ。たとえ財布を持っていたとしても、ペテロに渡すときにはすでに空っぽだったはずだという。この論法によると、カトリック教会は教会堂や土地はおろか、世界の富の所有権すら主張することはできない。しかし教会の支配権がまやかしだとしたら、教皇から冠を授かった皇帝や諸侯の支配権もまやかしになってしまう。この論争はきわめて重大な意味を帯びていたのだ。

ヨハネス二二世はウィリアムらへの攻撃の手始めとしてアエギディウスの論を改めて取り上げ、

「現世の物事に対する支配権は原始的な自然法で定められるものでもないし、動物に共通する法則で理解できるものでもないし、……国家の法や帝国の諸王の法で定められるものでもなく、過去も現在も万物の王たる神によって定められるものである」と主張した。[9] この論のようがである旧来の実在論では、自然法は神の理法の一側面であって、神の計画によって目的因として世界中に浸透しているとされていた。権利も父性の普遍と同じく、それを主張する人間とは独立に存在するということだ。その意味では、客観的権利と今日呼ばれている概念に相当する。

一方、オッカムのウィリアムは著作『九〇日の仕事』の中で、キリストは絶対的貧困にあったとするフランシスコ会の見解を改めて繰り返した。しかしもしもイエスの財布が本当に空っぽだったとしたら、所有権や支配権というものはいったいどこから生まれたのか？　ウィリアムはヨハネス二二世と同じく神学からその議論をスタートさせた。そして、神はアダムとイヴをエデンの園から追放したとき、ヒツジに草を食(は)む権利を与えたのと同じように、二人とその子孫たちに地上で手に入る資源を収穫する自然権を与えたと論じた。だがやはりその単純な自然権では所有権は得られず、シンプルな生活しか送れなかった。誰しも衣食住の基本的権利を有する「自然の状態」[10]にあるだけで、何も所有していなかった。

しかしアダムとイヴの子孫の中で高潔な者たちは、エデンの園の外でこの理想的な「自然の状態」を享受するにつれ、公平な分け前を上回る資源を消費する貪欲な者たちに対処しなければならないことに気づいた。そしてそのために、共有資源を公平に分配するという方法を受け入れざるをえなくなった。こうして私有財産、すなわち今日で言うところの所有権の概念が生まれた。

何よりも重要な点は、この所有権や支配権が神から与えられたものではないことである。争いを避けるために定められた、完全に人間の手による概念なのだ。ウィリアムいわく、所有権は主観的権利、すなわち一種の合意であって、それを受け入れることを選択した人間の心の中だけに存在する。父性の概念と同じく客観的な実在ではない。単なる言葉、または観念なのだ。

しかしこのような共産主義的な生活様式は、隣人からものを盗む貪欲な者たちによってむしばまれていった。そこでその主観的な盗み（所有権が主観的なのだから盗みも主観的である）から身を守るために、合意のもとで一連の法が制定され、私有財産を守る手段や、法を破った者に対する適切な懲罰が定められた。その法を遵守させるために共同体は、もっとも力が強いか、またはもっとも賢い者をふさわしい支配者として選び出し、必要となれば武力で自分たちの財産を守らせることにした。その見返りに法の執行者は、共有資源をほかの者よりも多く分け与えられた。

ウィリアムは、これが地上の支配権、すなわち王権の起源であると唱えた。要するに人々は、自分たちの選んだ支配者に、土地や財産に対する自然権を余分に貸し付けたということだ。しかし時代が下ると支配者は臣民たちに、この支配権は神から授けられた客観的権利、すなわち中世の社会階級の土台をなす権利であると信じさせた。それでもウィリアムは、臣民から支配者に与えられたその権利は借り物でしかないと強調した。王権や貴族の身分といった概念は単なる言葉でしかない。支配者が失政を犯したら、臣民は権利の返還を要求して支配者をその座から降ろすことができる。このように封建体制を根こそぎ覆したウィリアムは、支配者の権力は被支配者から、つまり「神から民を介して」与えられるのであって、その逆ではないと論じた。さらに、

「万人の合意なしに誰かに権力を委ねるべきではない」と力説した。また、異教徒や不信心者もキリスト教徒と同じくアダムとイヴの子孫であると指摘した。したがって彼らもキリスト教徒と同じ自然権を受け継ぎ、独自の法を制定して独自の正当な支配者を選ぶ権利を有している。[11]

フランシスコ会のジレンマに話を戻すと、修道士たちは人間が作った所有権の概念は放棄しながらも、神から与えられた、必要に応じて資源を利用する自然権は有しているとウィリアムは主張した。そしてその自然権は教皇も皇帝も、さらには自分の意志でも無効にすることはできず、「神と自然によって忠実な信者に与えられた権利や自由は……誰一人取り除くことができず」、「資源を利用する自然権は誰一人放棄できない」と力説した。[12] 主観的権利の概念は何人もの法学者や哲学者によって築かれていったが、二〇世紀のフランス人法歴史学者ミシェル・ヴィレーは、その中でも誰がもっとも大きな役割を果たしたかを次のようにはっきりと述べている。「法の歴史におけるコペルニクス的瞬間は、オッカムの主張した哲学に結びつけられ、……それが主観的権利の母となった」[13]

ウィリアムの著作『九〇日の仕事』は広く写本され、二〇〇年後に宗教改革の主要人物の多くに影響を与えることとなる。イングランド王ヘンリー八世はウェストミンスター宮殿の図書室に一冊所有していて、アラゴンのキャサリンと離婚する根拠を組み立てるためにそれを読み込み、一部に注釈まで付けた。イングランド大内乱の間にその本は、現在ナショナル・トラストが所有するコーンウォールのランハイドロック・ハウスに渡り、いまでもそこに所蔵されている。ウィリアムによる唯名論的な主観的権利の概念は、オランダの人文主義者で詩人、劇作家で法学者のフーゴ・グロティウスなど政治啓蒙運動の主要人物たちに、[14] さらにそこからトマス・ホッブズ、ジョージ・バークリー、そして一九世紀の唯物論者にも影響を与え、彼らもウィリアムと同じく、所有権や支配権は人間が作り出したものだと主張した。カール・マルクスは、「唯名論はイングランド唯物論の主要な要素の一つであって、全般的に唯物論を初めて表現したものである」と述べている。[15]

第5章　科学の一瞬の輝き

ここで舞台をオックスフォード大学に戻し、その構内でウィリアムの思想がいっときだが明るい科学の炎を焚きつけた様子を見ていこう。ウィリアムがオックスフォード大学内のどの機関に所属していたかは謎に包まれているが、この五〇年ほど前に神学生のために創設された最古の学寮の一つであるマートン・カレッジが有力候補の一つだ。ウィリアムは慌ただしく大学を去って異端者の身になったものの、彼の思想はマートン・カレッジで学ばれつづけた。たとえば一三四七年、マートン・カレッジで教鞭を執っていたサイモン・ランボルン師は、ロンバルドゥスの『四巻の命題集』に対する註解を含むウィリアムの何冊かの評論を同学寮に残している。[1] そして何よりも注目すべきこととして、ウィリアムが大学を離れてから何十年かのあいだに、おそらくウィリアムに触発された〝マートンの計算者たち〟と呼ばれる学者グループが、神学によってではなく、数学を自然科学に応用するという革新的な取り組みによって幅広い名声を得ることとなる。

異端と告発されて破門されたウィリアムや彼の研究に直接言及している者はマートンの計算者

たちの中にも一人もいないが、ウィリアムの影響、とくに数学に関するある異説に対する熱中ぶりを見て取るのは難しいことではない。

円の正方形化

アリストテレスがカテゴリー分けにこだわっていたことは覚えておられるだろう。アリストテレスは普遍を、実体、量、性質、時間、場所、受動、能動など一〇種の範疇に分けた。さらに面倒なことに、一つの範疇から導き出された論証や証明の道筋を別の範疇に当てはめることを禁じた。たとえば量の範疇には数は含まれるが、実体性は含まれない。それに対して質の範疇は実体性のある物体を特徴づけるのに用いられ、落ちる（石）、昇る（煙）、融ける（氷）という傾向などを含む。アリストテレスは、異なる範疇の中では互いに異なる法則が作用していて、とくに数学は、円や三角形、あるいは天体など、実体性のない物体にしか適用できないと論じた。「算術と幾何学はいかなる実体にも関わらない」と記している。[2] したがって、たとえば物体の熱さや矢の軌道などを記述する道具として、数や幾何学はふさわしくない。温かいや冷たい、まっすぐや曲がっているなど、性質の範疇に属する言葉しか使えないというのだ。

数学はもちろん現代科学の基礎をなしている。物理学は数学がなかったら考えようがないが、化学や生物学、地質学や気象学でも数学は欠かせない道具である。中世、これらの学問はすべて〝自然科学〟という言葉でひとくくりにされていて、いずれも〝実体〟を扱うという理由から数学の範囲外に置かれていた。数学は単純化への入口であるだけに、これによって科学の進歩は著しく妨げられていた。直角三角形の斜辺の長さを測るにはどうすればいいか？　ほかの二つの辺の長さとピタゴラスの定理が分かっていれば、わざわざ測る必要はない。このようにして数学は科学に貢献する。この世界をより単純で、より容易に理解して予測できるものにしてくれるのだ。しかしアリストテレスは、この道具は光や三角形の普遍、そして天体など、実体性のない物体にしか使えないと考えていた。

ただし、ある科学における証明を、その科学に従属するとみなされる〝下位〟の科学に当てはめるという操作は数少ないながら許した。そのような操作のことを〝メタバシス（移行）〟という。たとえば弦楽器で演奏される音楽は、数学に従属するとみなされる。なぜならその和音は、弦の長さと、その弦を爪弾いたときに奏でられる音程との比例関係から予測できるからだ。ある弦を爪弾いてある音程の音が出たとすると、その半分の長さの弦は一オクターブ高い音を出す。したがって一オクターブという音程差は、2：1という数学的な比を持っている。弦の長さの比が2：3であれば音程差は完全五度だ。しかしアリストテレスは、このような数少ない例外を除いて、科学ではメタバシスを全般的に禁じた。

それに関連する制約としてアリストテレスが課したのが、互いに異なる数学的物体は比較できない（共約不可能）というものである。たとえば円と正方形を比較することはできない。なぜなら数的方法でも幾何学的方法でも、円と等しい面積の正方形を選び出すことは不可能だからである。〝円の正方形化〟のような試みは、メタバシスを禁じる規則を破るというのだ。それと同様に、各種類の幾何学的物体はそれぞれ独自の実体的普遍によって定められていて、チーズの味とリュートの音のように互いに比べることはできないとされていた。

範疇、メタバシス、共約不可能の概念は、古代世界の没落をかいくぐり、多くはアラブの学者を介して西洋のスコラ哲学者たちに伝わった。そのためイスラムやヨーロッパの中世の哲学者は、たとえば運動といったテーマについて考える際には、初めに「運動はどの範疇に属するか」と問うた。その答えによって当てはめられる科学の種類が決まってしまうため、この疑問に答えることは彼らにとってきわめて重要だった。しかし残念ながらアリストテレスの挙げた範疇はあまりにも数が多くて漠然としていたため、スコラ哲学者はこの疑問から先へ進むことすらほとんどできなかった。トマス・アクィナスの師であるアルベルトゥス・マグヌスは、アリストテレス『自然学』第三巻に関する註解の中で、アリストテレスとアラブの註解者たちの言葉を引用しながら、運動がどの範疇に属するかという疑問について長々と論じている。[3] 運動が能動、受動、量、性質、場所のいずれの範疇に入るのか、あるいはまったく新しい範疇をなすのかを考え抜いたのだ。そして当然ながら、マグヌスだけでなくどんなスコラ哲学者も結論にたどり着くことはできなかった。

ウィリアムがアリストテレスの一〇種の範疇のうち八つを不必要な存在として片付けると、その直接の恩恵としてメタバシス禁止則のほとんどが取り除かれた。数学に関して言うと、ウィリアムは唯名論の剃刀を使って、数学はどこか完璧な領域に存在する三角形や円や数、すなわちプラトンの言うイデアに基づいているという考え方を批判した。「もしも［数学的］関係が現実の存在だとしたら、私が指を動かして宇宙全体に対する位置を変えると、天界と地上は一気に災難に満ちあふれることになってしまう」と述べている。[4]

数や図形や幾何学的物体は頭の中にある道具にすぎないのだから、その使い道に制約はいっさいないはずだとウィリアムは論じた。一三二四年にアヴィニョンに向けて旅立つ直前に仕上げた『命題集註解』の序文でも科学と数学の関係を取り上げ、アリストテレスが数学の範囲外とみなした科学の多く、たとえば医学などでも、数学的概念をうまく活用できると説いている。たとえば医者は、剣による直線状の切り傷か、槍による丸い刺し傷かによって、その後の経過を違うふうに予測するかもしれない。

ウィリアムはまた、直線と曲線など、共約不可能とされていた量どうしの比較を禁じる規則も取り払った。円形に巻かれたロープをまっすぐに伸ばせば、それが別のまっすぐなロープよりも長いか短いか、同じ長さかを判断できると指摘したのだ。[5] このようにウィリアムは何世紀にもおよぶ哲学的思索を無視して、経験に基づく唯名論的な科学という現代的な観点を打ち立てたのである。

計算者たち

アリストテレスは運動の研究を禁じたが、その禁止則がオッカムのウィリアムによって緩められたのを受けて、彼と同時代のトマス・ブラッドワーディンが初めて筆を執った。アリストテレスは、運動は増加や減少に伴う変化の一形態にすぎないと唱えていた。運動への抵抗力を上回る力が物体に作用しないと運動は起こりえないと指摘したのだが、その原理を数学的に表現することは頑として避けた。ブラッドワーディンは一三二八年頃の著作『比についての論考』の中で、そのメタバシス禁止則を無視して音程の数学的比例関係を拝借し、運動の量は力と抵抗との数学的な比、すなわち数によって定まると正しく論じた。[6] 物質でできていることが分かっている物体に初めて数学的論証を当てはめるという、画期的な一歩であった。

その後ブラッドワーディンは大きな影響力を発揮してカンタベリーの大司教にまで登りつめたが、オックスフォード大学で彼が踏み出した小さな一歩は、ジョン・ダンブルトン（一三一〇頃―四九頃）、ウィリアム・ヘイティスベリー（一三一三頃―七二頃）、リチャード・スワインズヘッド（一三六四頃没）といったマートン・カレッジの次の世代の学者たちに引き継がれた。三人は一三三〇年から五〇年のあいだマートン・カレッジでともに過ごしていて、石造りの寒い図書館*でろうそくの灯のもと一緒に文献を読み込んでいた様子が容易に想像できる。ヘイティスベリーとダンブルトンはオッカムのウィリアムの唯名論的論理学から大きな影響を受けていた。[7] しかし当時、ウィリアムが科学におよぼした最大の影響は、またしても数学を哲学的な足枷から解放したことである。

のちに〝随一の計算者〟と呼ばれるようになるヘイティスベリーは、一三三五年に著した『難問解決の諸規則』の中で一種の準数学的なメタ言語まで考案し、メタバシスの制限により禁じられていた数多くの問題、たとえば重さと運動抵抗力との関係の問題にそれを利用した。[8] 問題の提示のしかたは典型的なスコラ哲学者と同じで、たとえば「ソクラテスが媒質Bの中で速度Aで持ち上げることのできる最大の重さ、または持ち上げることのできない最小の重さは存在するか」といった形式だった。[9] ヘイティスベリーらマートンの計算者たちによる科学の進歩の中でももっとも重要なのは、速さを距離と時間の関係として定義したことである。アリストテレスは運動を、それぞれ異なる範疇に属していて共約不可能な、場所や時間、位置や状態の変化に関わる複雑な概念とみなしていたため、それを数学的に定義しようとはしなかった。しかしマートンの計算者たちは、いわば円形に丸まったロープをまっすぐに伸ばすことで、単に物体が移動した距離をそれに要した時間で割ったものとして速さを定義した。この定義はガリレオによるものとされることが多いが、[10] その三〇〇年前にはすでにマートンの計算者たちが考えついていたのだ。

オッカムの剃刀で法則を導き出す

ヘイティスベリーらはこの速さの数学的定義を武器にして、現代科学における初の法則といえる平均速度の定理を発見した。この定理を言葉で表すと、静止状態から一様に加速する物体の進む距離は、その物体が平均の（中間点での）速さで同じ時間だけ進んだとした場合の距離に等しいとなる。ロバが止まっている状態から一時間かけて徐々に加速して、時速一〇キロメートルで

＊　本は燃えやすいため、図書館で暖炉の火を燃やすことは通常禁じられていた。

小走りするようになったら、それまでに進んだ距離は、時速五キロメートルという一定の速さで一時間歩いたとした場合の距離、つまり五キロメートルに等しい。

科学法則や数学法則は、その無味乾燥な見た目の裏でオッカムの剃刀をもっとも純粋な形で表現しており、本書の話にとってきわめて重要な存在である。はしがきで引用した、「すべての科学の大目標は、できるだけ少ない数の仮説や公理からの論理的演繹によってできるだけ多数の経験的事実を説明することである」というアインシュタインの言葉を思い出してほしい。[11] 光や運動や熱などに関する科学法則はいずれも、単純な仮説や公理から「できるだけ多数の経験的事実」を説明するための方法である。その価値を理解するために、もしもアリストテレスに「静止状態から一時間かけて時速一〇キロメートルまで徐々に加速したロバはどれだけの距離を進んだか」と質問したら、彼がどう返してくるか想像してみてほしい。おそらく、それはロバの質料因とその運動の形相因、作用因、目的因、およびそれらの原因の属する範疇によって異なってくると答えるだろう。最終的な答えが出てくる前にそのロバは死んでしまうかもしれない。

しかしヘイティスベリーやその仲間たちなら単純に、ロバの最終的な速さをその速さに達するまでにかかった時間で割ったものの半分と答えるだろう。さらにこの問題に手を加えて、ヤギやウシ、彗星や学者や矢など、まったく異なる物質でできていて異なる範疇に属する物体の加速について質問しても、彼らの答えはいっさい変わらないだろう。その答えを計算する上で、物質の種類などの詳細は不必要な要素なのだ。

このように平均速度の定理は驚くほど役に立つ。しかしその一方で重大な限界も抱えている。

マートンの計算者たちは単に運動を記述したにすぎず、その原因を示すことで運動を説明しようとはしなかったのだ。今日の用語を使えば、平均速度の定理は運動学的な理論とでも呼べるだろう。運動学自体は何も間違っておらず、今日でも有効だ。しかし未来や過去について知ろうとしても、現在とまったく同じ状態でない限り何も分からない。科学で不確実な未来を予測するには変化について論じることができなければならず、そのためには原因を組み込んだモデルを構築する必要がある。運動の研究における次なる一歩は、ウィリアムがおそらくアヴィニョンへ向かう途中で立ち寄ったであろう町のオッカム派学者たちによって踏み出された。

原因の原因

ジャン・ビュリダンは一三〇〇年頃、フランス・ピカルディー地方のアラス教区に暮らす身分の低い家に生まれた。幼い頃から聡明で、目をつけてくれた裕福な恩人の計らいによってパリのコレージュ・ルモアーヌ（前期中等教育機関）で学び、のちにパリ大学に進んだ。そして一三二〇年頃に教職の資格を得ると、あっという間に出世していった。その成功ぶりに仲間たちからは「有名哲学者」と評されるようになり、パリ大学の学長に二度選出された。オッカムのウィリアムが同大学を訪れたかもしれない頃のことである。

残念ながらビュリダンの生活ぶりについてはほとんど分かっていないが、スキャンダラスな数々の噂が伝えられていて、そのほとんどは女遊びにまつわるものである。ある噂では、のちの教皇クレメンス六世ととあるドイツ人靴職人の妻をめぐって争いを繰り広げ、その最中に相手の頭を靴で叩いたという。別の噂では、フランス王フィリップ五世の妻と関係を持ったことがばれ、袋に詰められてセーヌ川に投げ込まれ、教え子の一人に助けられたという。

ほとんどの噂はおそらく作り話だろうが、ビュリダンが当時最高の学者の一人だったことは確かだ。アリストテレスの著作『オルガノン』、『自然学』、『天体論』、『生成消滅論』、『霊魂論』、『形而上学』に関する註解を著している。代表作である『弁証法教本』は標準的な教科書として使われ、この本を通じてオッカムのウィリアムの唯名論的論理学はヨーロッパの数々の大学に広まって〝ヴィア・モデルナ（新しい道）〟と呼ばれるようになった。歴史家のT・K・スコットは次のように述べている。「オッカムが手掛けたものをビュリダンが引き継いだ。……オッカムが哲学を進める新しい道を歩み出したとしたら、ビュリダンはすでにその新たな道を歩んでいた。オッカムが新たな宗教の福音だとしたら、ビュリダンはそれを愚直に実践したことになる……」[12]。トマス・アクィナスやヨハネス・スコトゥス・エリウゲナといった哲学者は、多数の要素で膨れ上がった保守的で伝統的なスコラ哲学の〝ヴィア・アンティクア（旧い道）〟を進んだが、この〝新しい道〟はそれに反抗するように、神学から科学を切り離して容赦なく剃刀を振るったウィリアムの唯名論に基づく、もっと単純で整然とした哲学を目指した。

ビュリダンによる科学の進歩の中でももっとも大きな影響をおよぼしたのは、矢の飛翔など、地上での運動の原因を記述するための革新的な方法を見出したことである。アリストテレスはそのような運動を強制運動と呼び、強制運動が起こるためにはあらかじめ質料因、形相因、作用因がなければならないと唱えていた。しかしこれほどたくさんの原因を取り揃えるアリストテレスの体系でも、矢が弓を離れてからかなり後まで空中を飛びつづける理由は説明できなかった。頭を抱えたアリストテレスはいつものごとく、さらに複雑な要素を付け加えた。運動する矢は弓の弦から最初の推進力を得ると、周囲の空気の中に一種のつむじ風を巻き起こし、そのつむじ風によって経路上を進みつづけるのだと唱えたのだ。

オッカムのウィリアムは、ビュリダンの考察から一〇年ほど前にすでにこの説の問題点を指摘していた。[13] ウィリアムいわく、互いに反対方向に飛ぶ二本の矢が空中ですれ違うことは可能だ。そのニアミス地点では、アリストテレスの言うつむじ風は互いに反対向きの二方向に矢を押していなければならないが、それは理屈に合わない。そこでジャン・ビュリダンは、運動する弓の弦が矢にある量の〝インペトゥス（勢い）〟を与えるのだと唱えた。そのインペトゥスは矢に留まり、一種の燃料のように空気抵抗に抗って矢を押し出す。やがてインペトゥスが尽きると、矢は地面に向かって落下するという自然の運動に戻る。

このインペトゥスの概念は完全に新しいものではなかった。六世紀にビザンティン帝国の哲学者ヨハネス・フィロポノス（四九〇頃―五七〇頃）によって導入され、九八〇年に生まれたペルシアの学者イブン・スィーナー（アウィケンナ）によってさらに練り上げられていた。しかしビュリダンの概念が真に革新的だったのは、その数学的定義にある。物体のインペトゥスはその物体の重さと速さを掛け合わせることで計算できると唱えたのだ。現代の運動量の概念とまったく同じではないがかなり近い。*

ビュリダンの法則は数学的に表現された運動の因果法則として史上初のもので、直接間接を問わず現代世界を形作るほとんどの科学法則の原型といえる。ビュリダンもマートンの計算者たちと同じく、「できるだけ少ない数の仮説や公理からの論理的演繹によってできるだけ多数の経験的事実を説明」しようとしたのだ。

話を進める前に、インペトゥスの本質に関する疑問をもう一つ取り上げておきたい。仮にビュリダンが、弓から矢にインペトゥスでなく天使が乗り移り、その後はその天使が羽ばたくことで矢の運動が推進され、やがて天使が疲れ果てるのだと唱えていたとしよう。そうすると矢の運動の理解はそこまで進んでいなかっただろうか？　我々にとってはばかげた疑問に聞こえるが、中世にはけっしてそうではなかった。当時のほとんどの人にとって、天使はインペトゥスよりもはるかに現実的な存在だったのだ。

この疑問はとりあえず棚上げにしておこう。しかしオッカムの剃刀が科学に果たした役割の核心に迫る疑問なので、のちほどもっと幅広い場面に当てはめて再び取り上げることにする。

地球はたぶん動いている

オッカムのウィリアムは『命題集註解』の中で、木立の並ぶ海岸に沿って進む船の甲板に立っている観察者にとって、「それらの木は……動いているように見える」と記している。さらに、「船の動きとともに移動する目には、それらの木は次々に異なる距離と形に見えていく」という命題と、「その目にはそれらの木は動いているように見える」という命題とは互いに等価であると論じた。[14] 運動状態と静止状態は互いに等価で、視点によって決まると指摘しているわけだ。ウィリアムはこの考察結果に基づいて、運動は普遍と同じく存在物ではなく、物体どうしの関係性であると唱えた。そしてビュリダンは、この認識の相対性が天界にも当てはまることに気づいた。

ビュリダンの運動論では、弓から矢にある量のインペトゥスが与えられ、それによって矢は空中を飛翔する。しかし矢はいずれ落下する。それは弓から与えられるインペトゥスの量が限られていて、空気抵抗に逆らって作用するにつれてそれが尽きてしまうからだとビュリダンは論じた。そしてそこからさらに、「逆向きの抵抗や運動に抗う傾向によって減少して消滅しない限り、インペトゥスは永遠に存在しつづけるだろう」と推測した。[15] ガリレオが導き出したとされている現代の慣性の概念にきわめて近い。さらにビュリダンは、「天体の運動には逆向きの抵抗は存在しない」[16] のだから、神が最初にインペトゥスを注ぎ込んで以降、天体は永遠に動きつづけると論じた。これだけでもすでに、（ウィリアムが唱えたとおり）地上の法則に従って振る舞う機械論的な宇宙に向けた大きな一歩であった。しかしビュリダンは、ますます革命的で異端ともとらえられかねない説に思考をめぐらせる。運動状態と静止状態は等価であるというウィリアムの考察結果を拝借して、星々でなく地球のほうが運動しているのかもしれないと考えたのだ。

＊ 運動量は速度（方向を含むベクトル量）と質量との積である。

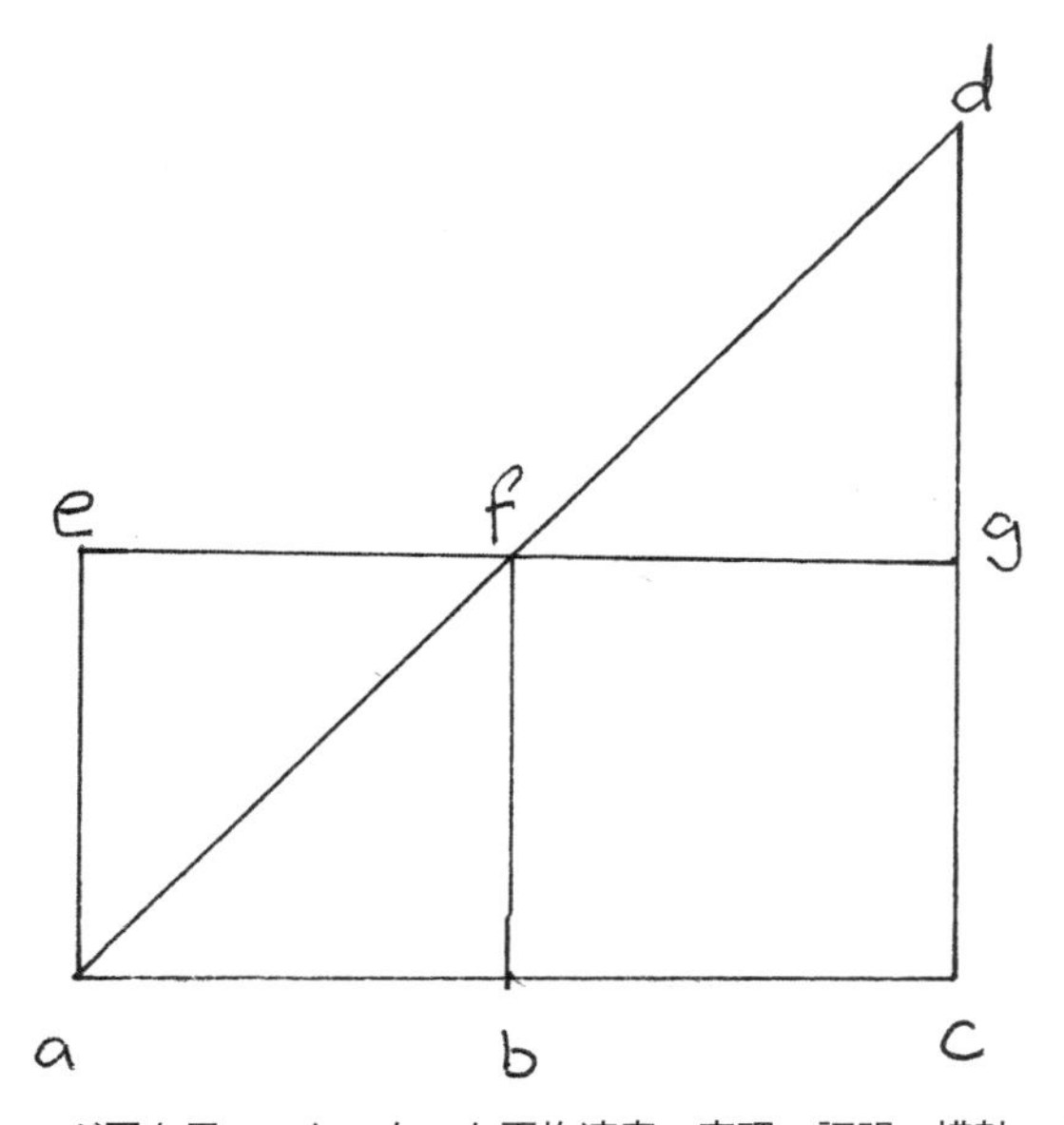

図7　オレームが図を用いておこなった平均速度の定理の証明。横軸*ac*が“時間”を、縦軸*cd*が“一様に加速する速さ”を表し、移動距離は三角形*adc*の面積で与えられる。オレームは、点*f*が*a*と*d*から互いに等距離にあれば、三角形*fdg*の面積が三角形*aef*と等しくなるため、三角形*adc*の面積は長方形*aegc*と等しくなると指摘した。そして長方形*aegc*の面積は、行程中ずっと平均速度で移動したとした場合の距離に等しい。

ビュリダンもあらゆる人と同じく、星々が地球の周りを一日一回回っているように見えることには気づいていたが、それは単に視点の問題ではないかと悟った。もしも地球が自転しているとしたら、星々が一日一回回っているとはいえなくなる。

> 多数の原因よりも少数の原因を通じて見た目の現象を説明するほうが望ましいのと同じく、……大きい物体を動かすよりも小さい物体を動かすほうが容易である。したがって、地球（きわめて小さい）がもっとも速く動いていてもっとも上の天球層が静止していると論じるほうが、その逆であると論じるよりも望ましいといえる。[17]

ビュリダンは地球というたった一個の天体を回転させることで、何千個もの星の運動を止めたことになる。まさにオッカムの剃刀だ。しかし聡明なビュリダンはここで一つの問題に気づく。地球が本当に西から東へ高速で回転しているとしたら、真上に放った矢は放った地点よりも東に落下するはずだ。しかし実際にはそうはならないことからビュリダンは、やはり地球は静止していて天空のほうが回転しているのだと結論づけた。

筋の通った推論だがもちろん間違っている。この問題の正しい解決法を示したのは、ビュリダンの教え子で同じくオッカム派に属し、〝新しい道〟を進むニコル・オレーム（一三二三頃―一三八二）である。オレームは師よりもさらに輝かしい経歴を歩み、のちのフランス王シャルル五世（一三三八―一三八〇）の家庭教師を務めてからリジューの司教に任ぜられた。そんなオレームはパリでビュリダンと研究にいそしんでいたときにマートンの計算者たちの著作を学び、やはりアリストテレスによるメタバシス禁止則を無視して、幾何学に基づく平均速度の定理の図示的証明を導き出した（図7）。さらに師に倣って、「少数または小さい作用によってなしうる事柄を多数または大きい規模の作用によっておこなうことは無意味である」と主張し、オッカムの剃刀に基づいて星々の日周運動を否定した。しかしそこから先は師と違い、動いている船の甲板から垂直に放った矢も甲板に落ちるではないかと指摘して、厄介な矢の難題を解決した。オレームいわく、なぜならその放たれた矢は船と同じ水平方向のインペトゥスを持っているため、弓を離れたのちも船とともに動きつづけるからだ。回転する地球の表面に立っている射手も船の甲板に立っている水夫と同じ状況にあり、「そのため矢は放たれたのと同じ地上の地点に戻ってくる」。

それでもオレームは師と同じく、宇宙をもっと単純にするという大きな一歩を踏み出す気にはなれなかった。地球が自転しているという視点と天球が回転しているという視点を理性だけで見分けることはできないのだから、聖書に剃刀を当てるのは控えようと論じたのだ。聖書のヨシュア記の中に、神はヨシュアが敵を殺す昼間の時間が長くなるよう、太陽に天空で留まるよう命じたという一節があったからである。

このようにオレームは神学に足を取られたものの、オッカムのウィリアムが開いた〝新しい道〟は一三四〇年代には大きな一歩を踏み出して、トマス・アクィナスによる複雑に絡み合った科学的神学を脱しようとしていた。もしもその進歩が続いていたら、産業革命は一八世紀でなく一六世紀に起こっていたかもしれない。しかし残念ながら、ある微生物が最後のスコラ哲学者たちを現実へと引き戻すこととなる。

伝染病の時代

一三四七年、モンゴルの遊牧民族がクリミア半島のカッファの港を包囲し、この町の領主を殺したジェノヴァの商人たちに降伏を迫った。ところが包囲軍が謎の致死性の病に倒れ、ジェノヴァの商人たちは神に感謝した。だがその感謝が長続きすることはなかった。モンゴル軍がその死体を町の中に投げ込んだのだ。すると市民も同じ病で次々に倒れ、ジェノヴァの商人たちは船でイタリアへ逃げ帰った。そしてその船が、当時世界一の人口を誇っていたであろうコンスタンティノープルに立ち寄った。すると数週間のうちに、この町の住民数千人が命を落とした。続いて船は一三四七年一〇月にシチリア島のメッシーナに立ち寄ったが、そのときにはすでに乗組員の大半が死んでいた。発病しながらも生き残った一二人は下船を禁じられたものの、その病はネズミに乗って船から外へ飛び出した。数か月のうちにヨーロッパの主要な港がことごとく疫病に襲われた。そして数年でヨーロッパ人の半数以上が命を落とし、その中にはトマス・ブラッドワーディン、ジャン・ビュリダン、そしてオッカムのウィリアムも含まれていた。ほとんどの大学は存続しながらも、教師が不足して基礎教育が崩壊し、教養レベルが急低下した。

流行の第一波は四年から五年で終息したが、それから何十年にもわたってたびたび流行が繰り返され、ヨーロッパは段階を追って荒廃していった。怯えた支配者や市民は誰かに罪をなすりつけようと、ユダヤ人に矛先を向けて数千人を殺した。ほかの多くの人は、神の与えたこの苦しみの原因は人間の邪悪さにあると信じ、神の怒りを何とか鎮めようと、粗布を身にまとって灰を頭にかぶり、町から町へとさまよっては先端が鉄でできた鞭で互いの身体を打ち合った。しかし鞭打ちを受けようが懺悔しようが、祈ろうが身体を清めようが、神の怒りが鎮まることはなかった。誰一人この災厄からは逃れられなかった。中世ヨーロッパは『ベリー公のいとも豪華なる時禱書』に描かれている田園風景から、ヒエロニムス・ボスの絵画のような地獄絵図へと一変した。中世至るところに死が蔓延し、スコラ哲学者たちも科学的思索をあきらめて祈りに没頭した。中世ヨーロッパで科学に強い関心を持つ人物が再び登場するまでには、それから一五〇年以上もの歳月を要することとなる。

第6章　空白の時代

一五〇四年、フィレンツェの町。トスカーナ出身の芸術家レオナルド・ディ・セル・ピエロ・ダ・ヴィンチ（レオナルド・ダ・ヴィンチ、一四五二—一五一九）が本を荷造りしていた。ヨーロッパを大疫病が襲ってたくさんの命が奪われてから一五七年が経っていた。その黒死病（ペスト）の流行はフィレンツェでとくにひどく、一三四七年から四八年のあいだに住民の四分の三が命を落とした。しかし一六世紀になると、流行はたまにしか起こらず、規模も小さくなっていた。[1]フィレンツェの町は復活して繁栄し、ヨーロッパ屈指の成長著しい都市となった。

レオナルドは公証人ピエロ・ダ・ヴィンチと家事使用人カタリーナのあいだに婚外子として生まれた。住まいはヴィンチ村の外れにそびえるアルバノ山の麓にあった。一四六〇年代半ばに一家でフィレンツェに移り住み、レオナルドは若いうちに彫刻家・金細工師・画家のアンドレア・デル・ヴェロッキオの工房に弟子入りした。するとまもなくしてその飛び抜けた才能が影響力のある裕福なパトロンたちの目に留まり、フィレンツェのサン・ドナート・ア・スコペート修道院に収める『東方三博士の礼拝』（未完、現在はウフィツィ美術館所蔵）など数々の作品の製作を依頼される。一四八二年にはミラノへ移り、無原罪のお宿り信心会のために『岩窟の聖母』や、ミラノのサンタ・マリア・デッレ・グラツィエ修道院のために『最後の晩餐』を描いた。

レオナルドの活動はその後何十年か続き、絵画に留まらず建築や工学にもおよんだ。一四九九年にはヴェネツィアの町を洪水から守るための可動式障壁を考案し、その三年後にはニッコロ・マキャヴェッリとともにアルノ川の流路を変えるシステムを設計した。その工事が八人の命を奪う大事故を引き起こすものの、フィレンツェ市会（地元政府）はレオナルドに、ミケランジェロとともにヴェッキオ宮殿の壁画の製作を依頼する。しかしその年にレオナルドは父親を亡くし、ヴィンチ村に里帰りすることにした。出発前、持っていた本と原稿をすべて荷造りし、目録を二冊整えた。一冊目のタイトルは『鍵を掛けた蔵書箱に収めた本の記録』、二冊目は「修道院の蔵書箱」に入れた本のリストで、その修道院とはサンタ・マリア・ノヴェッラ修道院のことだと思われる。[2] これらの目録は対象の蔵書とともに保管された。

レオナルドはもちろん絵画がもっとも有名で、西洋芸術の最高傑作とされる作品を数多く残しているが、それだけでなく真のルネサンス的教養人として、地層、結晶、鳥、化石、動物、植物、人間の解剖学的構造、現実の機械や架空の機械などの驚くほど写実的な挿絵を含む何千ページもの手稿を書き残している。慎重に保管されたそれらの手稿は彼の死後の一五一九年に何冊かに分けて綴じられ、今日では『レオナルド手稿』と呼ばれている。一部は失われてしまったが、多くが現存していて個人のコレクションや博物館に収められている。

長年にわたって『レオナルド手稿』はもっぱらその芸術性が高く評価されてきたが、一九世紀になると科学史家が関心を寄せはじめる。ラテン語である上に、判読が難しい速記体の鏡文字で書かれていたため、解読はきわめて難しかった。その中の一つである手稿Aはミラノのアンブロジアーナ図書館に所蔵されていたが、一七九六年にイタリアに侵攻したナポレオンが略奪してパリのフランス学士院図書館に収め、現在もそこにある。二〇世紀初め、その難解な文書を丹念に読み込んだフランス人物理学者で科学史家のピエール・デュエム（一八六一―一九一六）は、そこに運動や落下物体に関する馴染みの数学的法則、さらにはエネルギーの保存に関する考え方が記されているのに気づいて腰を抜かした。[3] 別の文書には鳥の翼の絵が描かれていて、そこには「翼の手によってインペトゥスが生み出されたのち、そのインペトゥスによって生じた動きが妨げられないよう、肘が前方に繰り出される」という注釈が添えられていた。[4] 二〇世紀初めの定説では、ローマ帝国滅亡後の〝暗黒時代〟に科学はほぼ姿を消して一七世紀のいわゆる啓蒙時代になるまで復活しなかったとされていただけに、なおさら驚きの発見であった。これらの手稿が書かれたのは一五世紀のことである。レオナルドはどこから高度な科学的原理の数々を学んだのだろうか？

デュエムはあの蔵書箱の中身にその答えがあるかもしれないとにらんだが、残念ながらその箱は中の蔵書とともにとうの昔に失われてしまっていた。ただし蔵書目録だけは残っていて、うち一冊がマドリッドにある。[5] その複製を手に入れたデュエムは、医学から自然史、数学、幾何学、地理学、天文学、哲学に至るまで幅広い分野の科学に関する書物のリストを見つけた。その多くはアリストテレスやプトレマイオスやエウクレイデスなど古代ギリシア哲学者の有名な著作だったが、そのほかにアルベルトゥス・マグヌスの『天と地について』など、中世の学者によるあまり知られていない著作も含まれていた。そこでデュエムは現存する書物をできる限り見つけ出し、そこからインペトゥスなど、レオナルドの手稿に記されている科学的概念の典拠となった文書をさらに数多く発見した。その原文書の多くは、パリのオッカム派学者ジャン・ビュリダンやニコル・オレームがさらに昔の著作に対して与えた註解であった。デュエムのさらなる調査や、その後のアーネスト・ムーディー（一九〇三―七五）の調査によって、レオナルドの学識の由来がイギリス海峡を越えて、〝計算者たち〟と呼ばれた中世のあのイングランド人学者グループと、ウィリアムのオッカムの開いた〝新しい道〟の運動にまで行き着くことが明らかとなっている。[6]一二世紀から一三世紀にギリシアの文書が再発見されたのと同じように、デュエムらは完全に忘れ去られた科学の時代を掘り起こし、「機械に関するレオナルドの文書に含まれる基本的発想は、例外なく中世の幾何学者に由来する」と結論づけた。[7]〝新しい道〟を進んだ者たちが疫病によって一掃されても、彼らの思想まで破壊されることはなかったのだ。

一五世紀にレオナルドただ一人が〝新しい道〟の思想や哲学に触れることができたと考える理由はどこにもないので、ほかに何千人もの学者がオッカムの剃刀やそれによって生まれた科学に通じていたのは間違いないだろう。しかし印刷機の発明より何百年も前に、〝新しい道〟による進歩がどのようにして伝わったのかはいまだ謎のままである。とはいえ引きつづく研究によって、中世後期に起こった二つの大きな文化革命にそれぞれ対応した二つの道筋が明らかとなっている。

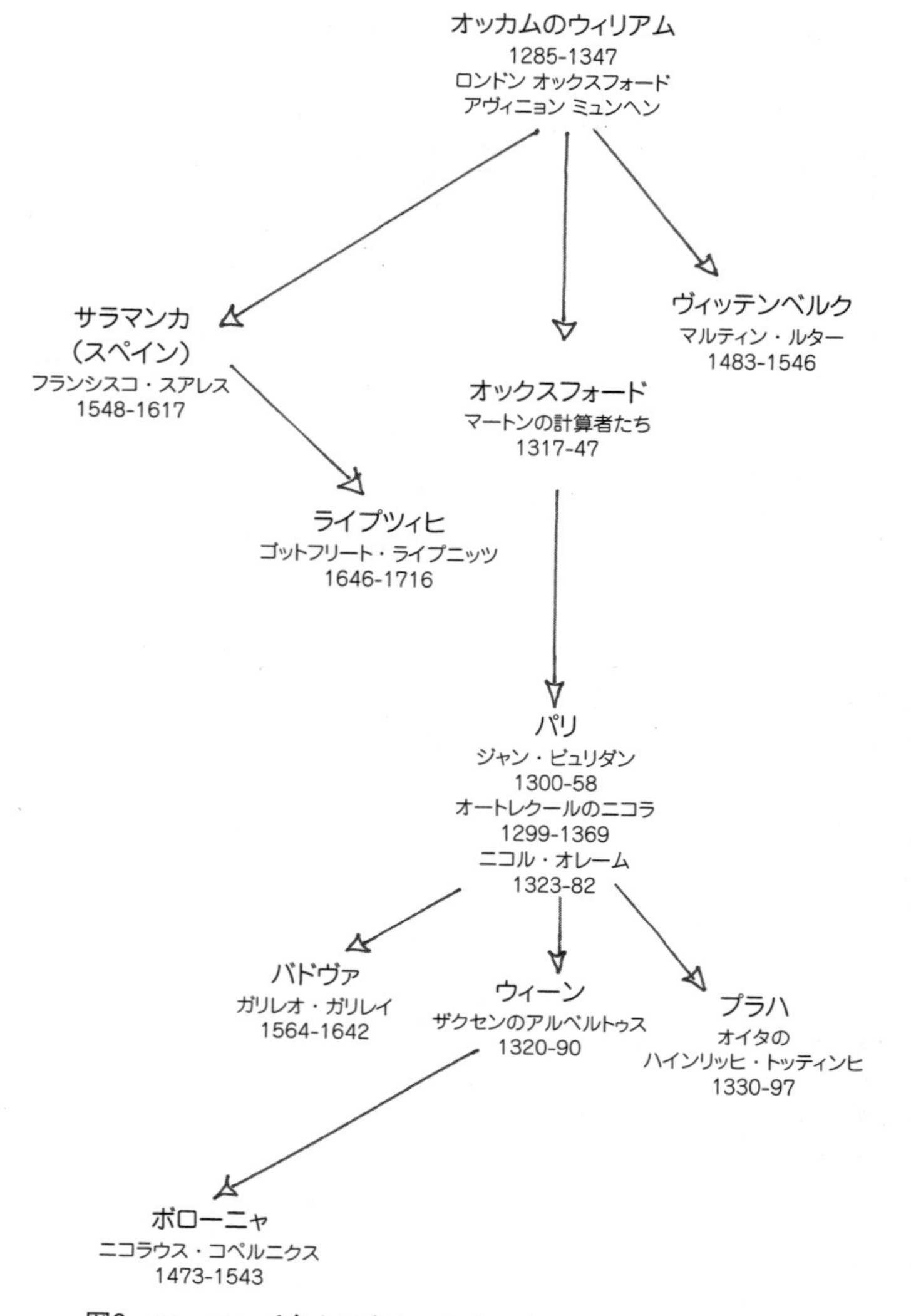

図8　ヨーロッパ全土に広まったオッカムのウィリアムの思想

ルネサンスの南ルート

レオナルドが生まれる七二年前、一三八〇年頃のある日の晩、フィレンツェ随一の音楽家で作曲家のフランチェスコ・ランディーニ（一三二五頃―九七）がある夢を見た。その夢の中で、一人の有名なイングランド人修道士がランディーニを訪ねてきた。ランディーニはフィレンツェはおろか、イタリア全土でもっとも有名で創造力に富んだ音楽家だった。ジョット一派の画家ヤコポ・デル・カセンティーノ（一三一〇頃―四九）の息子で、父親の工房を継ぐはずだったが、子供の頃に天然痘にかかって盲目になってしまう。そこで創造的才能を音楽や詩、楽器製作に向けた。語り継がれるほどの歌声だった。作家で数学者、人文主義の哲学者でもあるジョヴァンニ・ダ・プラートは著作『アルベルティ家の楽園』の中で、ランディーニの演奏は「誰も聞いたことのないような美しいハーモニーで、胸から心臓が飛び出してくるようだった」と記している。ランディーニは中世の弦楽器レベックやフルートから、オルガネットと呼ばれる手持ち式のオルガンまで幅広い楽器に熟達していた。楽器製作にも手腕を発揮し、サンティッシマ・アンヌンツィアータ教会やフィレンツェ大聖堂にもオルガンを納めた。さらに、リュートを改良した〝シュレーナ・シュレナルム〟など独自の楽器も発明した。

しかしランディーニをもっとも有名にしたのは、マドリガルと呼ばれる無伴奏合唱曲の作曲である。おもに二声からなる楽曲で、フランスとイタリアの影響が混ざり合ってまったく新たなスタイルを生み出しており、フィレンツェ文化人の社交の場で盛んに歌われた。そのような場では、金持ちや才能のある人、美しい人や権力者や賢人が集まって詩を朗唱したり、最新の芸術作品について議論したり、ランディーニ作曲の音楽に耳を傾けたりした（ときにはランディーニ本人が演奏したり歌ったりすることもあった）。この偉大な音楽家・作曲家を家に招いたフィレンツェ市民にとって、詩歌の合間に哲学の話を聞かされるのは織り込み済みだった。ランディーニは哲学にも強い関心を持っていて、とりわけ交易や巡礼や外交の大動脈を通ってイタリアに少しずつ伝わってきたオッカムのウィリアムの革新的な唯名論に夢中だった。ランディーニの楽曲『偉大な事柄について思索せよ』には、「キリスト教の言葉は……そのままのとおりに受け止めるべきである。道理によって証明することもできないし、基礎的な知識から導き出すこともできない。科学と神学は根本的に異なっていて、混同してはならない」という歌詞がある。別の一節では、「神の偉大な業について思索するのは結構だが、それを説明する必要はない」と歌っている。*

ルネサンスが絶頂を迎えたのは一五世紀だが、その前の一四世紀にはすでにイタリアで学問の大変革が起こり、文化も中世の古い時代から決別して先の見えない未来へと進んでいった。ランディーニは一三八〇年頃にアヴィニョンの友人に宛てた手紙の中で、例の夢について次のように記している。オッカムのウィリアムの亡霊がやって来て、「論理学者をまるで死のように忌み嫌う猛犬」が「北方の野蛮人」の合理主義哲学に噛みついてくると愚痴を垂れてきた。[8] その「猛

* ランディーニの楽曲を録音したものはいまでも聴くことができる。

犬」とは、イタリアルネサンスの時流に乗ってスコラ哲学に背を向けた思索家たちのことである。ランディーニはそのような運動に加わってはいなかったが、ウィリアムの自己弁護には一言言ってやらずにいられなかった。するとウィリアムの亡霊は、「無知の大衆」を煽ってかつての大哲学者たちに背を向けさせる「無知の男」を延々と罵った末に、物売りの音で夜明けが近いことにはたと気づき、「その師の影はどこへともなく消えた」。

一九八三年になってようやく発見されたこの不思議な話から分かるとおり、一三八〇年にはオッカムのウィリアムの哲学はすでにオックスフォードやアヴィニョン、パリやミュンヘンから漏れ広がって、一四世紀の文化の中心地である活気あふれるフィレンツェにまで浸透していた。ランディーニがなぜどのような経緯でオッカムのウィリアムに通じるようになったかは定かでないが、考えられる道筋はいくつもある。ウィリアムがアヴィニョンで教皇と対決していたちょうどその頃、トスカーナの詩人ペトラルカがこの町に暮らしており、その後フィレンツェに旅してランディーニとも知り合ったと思われる。また、ビュリダンの教え子でオッカム派学者であるザクセンのアルベルトゥスが著した唯名論的論理学の教科書『非常に有益な論理』が、プラハやパリ、オックスフォードやウィーン、ボローニャやパドヴァやヴェネツィアなどヨーロッパのおもな学問の中心地で広く写本されて読まれており、盲目でありながらも広く旅をしたランディーニはこの本を通じてウィリアムの思想と出合ったのかもしれない。

前に述べたとおり、スコラ哲学の写字生の手でさまざまな書物がヨーロッパじゅうに驚くほどのスピードで伝わっていた。それでも書物はきわめて高価で、聖職者か、さもなければ裕福で教養のあるエリートしか手に入れられない贅沢品だった。そんな状況が一変したのは、ウィリアムの死からおよそ一〇〇年後、ランディーニがあの夢を見てから六〇年後の一四四五年に、ヨハネス・グーテンベルクが現代式の印刷機を発明したことによる。最初に印刷されたのが有名なグーテンベルク聖書で、一四五五年にマインツで印刷された。それから数十年でヨーロッパじゅうに印刷所が作られた。印刷機の登場以前、ヨーロッパ全体でも本はおよそ三万冊しかなかったが、一五〇〇年には九〇〇〇万冊以上が流通するようになった。数が増えるとともに本の価格も下がり、財産のある商人や学者や職人にも手が届くようになった。識字率が急上昇して新たな本の需要が増え、聖書印刷市場が供給過剰になると、各印刷所は活字印刷で複製できる上質皮紙の文書を先を争ってかき集めた。

そうしてアウグスティヌスやトマス・アクィナスなどによる神学に関する著作、そしてアリストテレスやガレノス、プトレマイオスやエウクレイデスなど古代の哲学者の著作が印刷された。レオナルドの蔵書箱にも、一四八二年にヴェネツィアのエルハルドゥス・ラトドルトによって印刷されたエウクレイデスの『原論』が収められていた。一四七一年、ドイツルネサンスの中心人物レギオモンタヌス（一四三六―七六）が、科学の文書に特化した初の印刷所をニュルンベルクに設立し、師のゲオルク・フォン・ポイエルバッハの講義をもとにしたプトレマイオス天文学の教科書『惑星の新理論』を印刷した。ヴェネツィアは出版業の主要な中心地ともなり、レオナルドの蔵書には一四九九年にこの町で出版されたサクロボスコの『天球論』も収められた。

やがて神学や古代哲学の書物が出版し尽くされると、印刷所は〝新しい道〟の科学や哲学に関する同時代の著作に目を向けるようになる。オッカムのウィリアムが著した哲学や神学の主要な著作もそのほとんどがこの頃に印刷された。ペトルス・ロンバルドゥス『四巻の命題集』第一巻に対するウィリアムの『命題集註解』は一四八三年にストラスブールで初めて編纂され、一四九五年に同命題集の第二巻から第四巻に対する〝レポルタティオ〟と合わせてリヨンで再編纂され印刷された。ウィリアムの討論を記録した『七巻本自由討論集』と『祭壇の正餐について』は一四九一年にストラスブールで、『大論理学』は一四八八年にパリで印刷された。[9] その本を含め大きな影響をおよぼしたウィリアムの著作の多くは、一四九六年から一五二三年までにボローニャのベネデット・ファエッリによっても印刷された。[10] その後の数百年にわたって何冊もの著作が五回ないし六回再版されており、ウィリアムの著作が人々に求められてヨーロッパじゅうに広まったことは明らかだ。ビュリダンやオレーム、スワインズヘッドやヘイティスベリーの著作の印刷版もヨーロッパのあらゆる主要都市で入手できるようになった。[11] ビュリダンの教え子でオッカム派学者であるザクセンのアルベルトゥスが著した『天と地について』もおそらく一四八二年にパヴィーアで印刷され、その一冊がレオナルドの蔵書箱に収められた。レオナルドは運動とインペトゥスの数学的法則に関する知識を、アルベルトゥスのこの著作から学んだものと思われる。[12] オッカムのウィリアムとその学徒たちの哲学は忘れ去られるどころか、疫病から何百年ものあいだ大きな存在感を発揮しつづけ、フィレンツェの家々の音楽室で活発な議論を引き起こしただけでなく、中世に終止符を打って現代の世界を開いた文化革命にも深い影響をおよぼしたのだ。

唯名論の邪悪な神

神は自らの意志だけですべての生き物を作るだけでなく、自らの意志だけで生き物たちを意のままに操れる。したがって、神を愛して神の満足するあらゆる働きをした者でも、神は何の抵抗も受けずに殺すことができた。同じように神は、そのような働きをした生き物に永遠の命を与えるのでなく、何の抵抗も受けずに永遠の罰を与えることもできた。神は何者に対しても義務を負っていないのだから。

オッカムのウィリアム『命題集註解』、一三二四[13]

いまから七〇〇年前にオッカムのウィリアムが書いたこの一節を何度読み返しても、そのたびに衝撃を受ける。神はまだ死んでいないかもしれないが[14]、人間ごときがその唯名論的で不可知で全能の神の足にすがることなどほぼできないのだ。今日なら腹が立つだけで済むが、神が遺していったと信じられていた執念深い敵、ペスト菌にいまだ翻弄されていた当時のヨーロッパの人々の心にはひどく響く言葉だったに違いない。アメリカ人哲学者で歴史家のマイケル・アレン・ガレスピーは二〇〇八年の著書『現代性の神学的起源』の中で、ルネサンスと宗教改革はどちらもウィリアムの哲学がその引き金になったと論じている。ヨーロッパがウィリアムの哲学と出合ったことで「世界がひっくり返った」のだという。

ルネサンス的教養人

おお、計り知れないほど傲慢で、あれほど偉大な母に無礼を働く新たな人間たちよ！

ペトラルカ『カンツォニエーレ』第五三番第六文

何百年にもわたって政治や文化、社会や芸術にさまざまな変化を引き起こしたルネサンスには、その影響の多さと同じくらい数多くの成立要因があった。その一つが、疫病によってヨーロッパの労働力が半減し、農奴が所有者のもとから逃げ出して賃金労働に就きはじめたことである。忠誠を尽くす小作農が減少したことで、封建体制はほぼ崩壊した。疫病はカトリック教会への信頼をもむしばんだ。無数の人々が何万回祈りを捧げて数えきれないほど懺悔してもその大災厄を食い止められないことを、人々が知ってしまったからだ。そうしてヨーロッパ大陸全体に懐疑論という新たな考え方が広まった。懐疑論者の中でもとりわけ大きな影響力を持っていたのが、学者で詩人のフランチェスコ・ペトラルカ（一三〇四―七四）、イタリアルネサンスの哲学である人文主義の父とされている人物だ。

ペトラルカはトスカーナで生まれたが、幼少期の大半をアヴィニョンで過ごし、オッカムのウィリアムがこの町に足止めされていた時期とも重なっている。ペトラルカもウィリアムと同じく、教皇を堕落していて偽善的だと批判した。スコラ哲学の伝統の中で教育を受けながらも、アリストテレスの野暮ったい論理学を嫌って古代ローマの格調高い著作を好んだ。とくに彼が気に入った法律家で雄弁家、作家で外交官のキケロ（前一〇六―前四三）は、神々でなく人間に焦点を当てた学問や論理を指すラテン語のhumanitasという言葉を初めて使った人物である。ヨーロッパじゅうを旅したペトラルカは、何年か過ごしたフィレンツェではランディーニの夢に出てきた「猛犬」の一人だったかもしれない。著作の中でオッカムのウィリアムには一度も言及していないが、故郷の町であれほどの騒動を引き起こしたこのイングランド人学者のことを知らなかったはずはない。

ペトラルカの人文主義の由来についてはいまだに盛んな議論が続いているが、ガレスピーの言う「唯名論の邪悪な神」と出合ったことがその由来だったと論じている学者が多い。[15] ペトラルカは唯名論者と同じく、実在論と普遍の存在を否定した。また、神の全能性はほかの何よりも勝っていて、神の意思は不可知であると主張した。評論『神自身の無知とほかの多くの者の無知について』の中では、「この生涯の中で神を完全に知ることは不可能であり、……自然は争いと憎しみを伴わないものなど何一つ作らない」と述べている。[16] そして、人間に対する神の計画が不可知なのであれば、人間は神自身の創造性を信頼するしかないと結論づけている。また、「称賛すべきは魂だけであり、魂の偉大さに比べたら偉大なものなど何一つない」と主張している。[17] 実在論者の言う〝人間さ〟の普遍を当てにはできないのだから、人間は自らの本性を作り出していかなければならない。ペトラルカは唯名論的な神の概念に基づいて、人間性は一人一人大きく異なると唱え、外部からの裏付けを探すという無駄な取り組みをやめて内省によって自分の人間性を取り戻す、あるいは探し出すべきだと迫った。内省と想像力によって神のような地位にすらたどり着けると考えたのだ。「神になりたいという願いを口に出すのではなく、神になることを目指してそのことを考える。人間が祈りによってそれ以上なしえることがあるだろうか」と問いかけている。[18]

アメリカ人美術史家でルネサンス研究家のチャールズ・トリンカウス（一九一一―一九九）によれば、ペトラルカの詩作にもオッカムのウィリアムの影響が見て取れるという。[19] 唯名論者であるウィリアムがプラトンの実在論の足枷から単語を解放してくれたことで、柔軟で詩的な比喩が数多く可能となり、その機会をペトラルカがとらえたというのだ。アメリカの文芸評論家ホリー・ウォレス・ブーシエ[20]もそれを受けて次のように論じている。ダンテなどそれ以前の中世の作家は、「単語は真理と単純かつ明瞭な関係にあって、神の秩序を映し出したものである」と理解していたが、ウィリアムの唯名論によってその硬直した関係が崩れ去った。そうして単語は、詩人の選んだどんな意味をも、さらにポストモダニズムの観点から見ると、読者一人一人の選んだどんな意味をも表せるようになった。[21] そのため、ダンテの死からわずか三〇年後に書かれたジョヴァンニ・ボッカッチョの『デカメロン』ではすでに、単語は象徴的な、あるいは神の定めた意味から脱却して、調理する、食べる、おしゃべりする、飲む、欲情する、姦淫する、だまし合うといった通常の人間活動をおこなう通常の人間を表現するのに適した、もっと自然主義的な詩作を生み出せるようになった。我々が詩を理解する上でよすがとする数々の比喩は、単語が実在論の足枷から解放されたことでようやく生まれたのだ。

……見よ、愛する人よ。やっかんだ筋が
東のかなたの引き裂かれた雲をつなぎ合わせているのを。
夜のろうそくが燃え尽きて、楽しげな昼が
霧のかかった山の頂から爪先で立っているのを。

シェイクスピア『ロミオとジュリエット』第三幕第五場

オッカムのウィリアムによる唯名論から影響を受けた芸術家はフランチェスコ・ランディーニだけではない。ウィーン大学の芸術史家マックス・ドヴォルシャック（一八七四―一九二一）は著書『精神史としての美術史』の中で、[22] ビザンティン帝国や中世ヨーロッパ、さらにはイスラム*の絵画様式では神の目から見た実在論的視点がもっぱら使われていたが、それがウィリアムの唯名論を一つのきっかけとして、現代絵画を特徴づける自然主義的視点に変化したと論じている。いわゆる原型が個物に取って代わられ、絵に描かれたウサギはようやく単なるウサギを表すようになったのだ。

もちろん芸術もほかの分野と同じく、一夜にして変わったわけではない。象徴や寓意や原型は、

＊　オルハン・パムクの傑作小説『わたしの名は赤』では、ペルシアの細密画に見られる神の視点と西洋ルネサンス絵画に見られる個人主義的視点との衝突がまざまざと描かれている。

ときに自然主義的表現と並んで何百年もヨーロッパの絵画に残りつづけた。それでもこの晩期の象徴主義は、神からのメッセージを表現するというよりも、芸術家と博識の鑑賞者とのあいだで交わされる秘密の暗号のような趣を呈していった。アルノルト・ハウザー（一八九二―一九七八）は一九五一年の著書『芸術の社会史』の中で、[23]「写実主義が静や控えめな動の表現であるのに対し、……すべての特定の事物が等しく存在すると主張する唯名論は生命の階層に対応し、その梯子のいちばん下の段に位置する者にさえ上に登るチャンスがある」と論じている。ハウザーいわく、唯名論によって、普通の人も王や聖人と同じように注目を浴びるもっと民主的で自然主義的な芸術のスタイルが生まれた。この変化はレオナルド・ダ・ヴィンチの有名な絵画『最後の晩餐』（一四九五頃）にも見て取ることができ、その中では使徒一人一人がキャンバス上でイエスと同じ空間を占めているが、それ以前の絵画ではそのようなことは稀だった。この変化がさらにはっきりと表れているのが、この一〇〇年後に描かれたカラヴァッジオの『エマオの晩餐』（一六〇〇頃）で、この絵の中でもっとも印象的に描かれている人物は名もなき宿屋の主人である。

人文主義とヘルメス

オッカムのウィリアムによる唯名論が人文主義の先駆者たちにインスピレーションを与える一方、ルネサンスが進むにつれてスコラ哲学者やアリストテレスは徐々に顧みられなくなっていった。その潮流を後押しした人物が、学者で司祭、トスカーナ大公コジモ・デ・メディチの助言者だったマルシリオ・フィチーノ（一四三三―九九）である。この頃にはすでにビザンティン帝国の人々との接触によってギリシアの学問が西ヨーロッパに再び持ち込まれており、フィチーノもプラトンの数々の著作をギリシア語から直接ラテン語に翻訳した。そうしてプラトンの哲学、とくに魂の本性に関する広範な著作に魅了され、それが宗教から哲学を切り離そうとする唯名論者の危険な企みに立ち向かう手段になるととらえた。そこで一四六九年から七四年までのあいだに、プラトンの思想の註解と要約を『プラトン神学』というタイトルの書物にまとめ、『魂の不死性について』という挑発的なサブタイトルを付けた。アリストテレスでなくプラトンこそがキリスト教の後ろ盾となる哲学者であると主張したのだ。

寓意や説話や対話に満ちた明快で詩的なプラトンの文章は、アリストテレスの野暮ったい論理学から解放させてくれるものとして歓迎され、フィチーノの翻訳や註解も大好評を博した。人文主義者の関心をとくに惹いたのが、プラトンが自己発見を重視していたことである。人文主義の広まりと呼応するように人々の関心がアリストテレスの経験主義からプラトンの内省主義へと移り、それがローマ帝国時代末期に花開いた新プラトン主義という神秘的な哲学の復活につながった。コジモ・デ・メディチは、ギリシア語で書かれた新プラトン主義の文書が再発見されてフィレンツェにやってきたという知らせを聞きつけると、フィチーノを呼びつけた。そしてプラトンの翻訳は中断して、「司祭、預言者、政治家として三重に偉大な」古代エジプト人と評される、ヘルメス・トリスメギストスという伝説上の人物の著作を翻訳するよう指示した。

一四七一年に出版されたその『ヘルメス文書』と呼ばれる書物のはしがきで、フィチーノは次のように述べている。「モーセが生まれた頃に活躍した占星術師アトラスは、自然哲学者プロメテウスの兄で偉大なメルクリウスの祖父であり、そのメルクリウスの孫がヘルメス・トリスメギストスである。……ヘルメスはアルゴスを殺してエジプトの民を支配し、彼らに法と文字を与えたという」。フィチーノいわく、新たに翻訳したこの文書は、哲学やピタゴラスの神秘主義、錬金術や魔術、神話や占星術が混じり合っていて、ピタゴラスやプラトンや旧約聖書に着想を与えたさらに古い神秘主義の伝統を垣間見るための窓である。

このヘルメス思想は何とも突飛で、一〇〇年前ならナンセンスだとして無視されていただろうが、束縛を解かれた人間の想像力を重視する人文主義者のあいだでは大変な人気となった。人間がいかにして創造的な神のようになるかという人文主義の難題を解く上で、欠けているピースを提供してくれるものと受け止められたのだ。その答えは魔術であった。ロレンツォ・デ・メディチの親友で、ルネサンスの宣誓書とされる『人間の尊厳について』を著したイタリア人貴族のジョヴァンニ・ピコ・デッラ・ミランドラ（一四六三―九四）は、天使の助けを借りれば人間は空を飛べるとか、ユダヤ教の秘法（カバラ）*を習得した自分は魔力を秘めた言葉を発することができるなどと主張した[24]。それどころかヘルメス思想の哲学者たちは、この宇宙全体は魔力が網状に絡み合ってできていて、どんな疑問の答えも星々の中に読み取ることができると唱えた。スコラ哲学の時代に勢いを失っていた占星術が再び流行し、支配者たちは専属の占星術師を雇った。イングランド女王エリザベス一世も、神秘主義哲学者で魔術師としても評判だったジョン・

ディー（一五二七―一六〇八）を助言者につけた。

錬金術も、とくにあらゆる病を治す秘薬の製法として復活を遂げた。スイスのドイツ語圏で生まれたフィリップス・アウレオールス・テオフラストゥス・ボンバストゥス・フォン・ホーエンハイム（一四九三―一五四一）またの名をパラケルススは、病は宇宙との不調和によって起こるのであって、その調和を取り戻す秘薬の組成は星々に記されていると唱えた。フィチーノも、「物事の神秘的な美質は……元素の性質でなく天空の性質に由来する」と主張した。このようにルネサンスの人文主義者たちは、単純さを追求した唯名論者たちとは対照的に、神秘的で魔術的な要素を必要以上に大量に考え出したのだ。

こうして人文主義は神秘主義に傾いていったものの、少なくともこの世界とそれを操る術に対する関心を捨てることはなかった。一方、北ヨーロッパでは、オッカムのウィリアムの唯名論がまったく異なる学問の秘薬を生み出すこととなる。

宗教改革への北方ルート

北ヨーロッパの数々の大学に〝新しい道〟を伝えた主要人物が、オランダ人オッカム派学者のインヘンのマルシリウス（一三四〇―九六）である。マルシリウスはパリ大学でジャン・ビュリ

＊　神との融合を目指した古代ユダヤ人による聖書の神秘主義的解釈。

ダンやニコル・オレームに学び、一三六二年から七八年には同大学で教鞭を執った。その後ハイデルベルクに移って一三八六年の大学創設に尽力し、唯名論に著しく偏ったカリキュラムを設けた。かなりの多作で、アリストテレスの『自然学』、『形而上学』、『霊魂論』、『生成消滅論』に対する註解や、『古い論理学と新しい論理学に関するさまざまな疑問』（「新しい論理学」とは唯名論のこと）など、論理学に関する何冊もの教科書を著した。それらの教科書は盛んに写本されて、プラハやクラクフ、ハイデルベルクやエルフルト、バール（現在のバーゼル）やフライブルクの大学や図書館に行き渡り、北ヨーロッパの大学に〝新しい道〟を広める役割を果たした。マルシリウスの教え子の中でも大きな影響をおよぼした一人であるガブリエル・ビール（一四二〇―九五）は、オッカム哲学に独自の手を加えてドイツ最古で随一のエルフルト大学に伝え、一五世紀末までにドイツでは一大学を除いてすべての大学を唯名論が席巻するようになった。[25]

フィレンツェでフィチーノが『ヘルメス文書』を世に出してから三〇年後の一五〇一年、エルフルト大学が、哲学と法学を学ぶマルティン・ルターという名前の若き学生を受け入れた。ルターは一四八三年、当時神聖ローマ帝国の領土だったザクセンのアイスレーベンで生まれた。父親はもともと小作農だったが、採鉱業に乗り出して一財産を築き、息子を学校に、さらにエルフルト大学に入れることができた。ビールはルターの入学の五年前に世を去っていたため、ルターはその弟子のヨハンネス・ナサンやバルトロメウス・アルノルディ・フォン・ウージンゲンからオッカムのウィリアムの著作を学んだ。

ルターは人格を形成した大学生時代にオッカムのウィリアムから大きな影響を受け、のちにウィリアムのことを「敬愛する師」と呼んで、「論理学を理解していたのはオッカムだけである」と主張している。[26] 若きルターは、唯名論によって普遍が否定されたことを受け入れ、神は恐ろしいほどに全能で不可知であるという思想を取り入れた。のちに、不可知だが怒りに満ちた神に自分は恐怖を感じながら生きていて、ミサで聖餐式のパンを手にすることすら気が進まなかったと記している。

一五〇五年七月、ルターはエルフルト大学を離れてアウグスチノ会の修道士となり、何年か務めたのちにヴィッテンベルク大学で神学を教える職に就いた。その頃にはすでに人文主義がイタリアから北方のフランス、ドイツ、イングランド、オランダへと広まっており、そのオランダでもっとも大きな影響力をおよぼした人文主義者が、学問面における宗教改革のもう一人の中心人物となるエラスムス（一四六六―一五三六）である。司祭と医師の娘とのあいだに婚外子として生まれたエラスムスは、親に捨てられて後見人に育てられたのち、一四世紀に使徒的清貧の原則に基づいて設立された教団、共住生活兄弟会の運営する学校に入学した。二五歳でアウグスチノ会の修道士となって司祭として叙階されたが、修道院での生活に耐えられなくなり、神学の学士号を目指してパリ大学に入学した。そしてそこで、イタリアの人文主義と違って自我中心的でもエリート主義でもなく、もっと神秘主義的色彩の強い独自の人文主義を構築していく。またイタリアの唯名論者よりも強く聖書を信頼し、唯名論的な不可知の神と釣り合いを取るためにイエスの人間性を強調した。とはいえ南ヨーロッパの人文主義者と同じく、人間が神に近づくには己を知るしかないと信じていた。この思想にルターは嫌悪感を覚えた。

ルターも聖アウグスティヌスと同じく、堕落の塊である人間について知る価値はほとんどないと考えていた。そしてオッカムのウィリアムによる唯名論を受け売りするかのように、次のように唱えた。「神はそもそも計り知れず不可解で無限なのだから、この世界の自然な状態は混沌と動乱である。……『神を見てなお生きている者はいない』と聖書にあるように、神は情け容赦のない隠れた存在である」[27]。南ヨーロッパの人文主義者が恐ろしい唯名論的な神から逃れるためにほとばしらせた想像の産物を、ルターは否定した。また、エラスムスによるもっと寛大な人文主義、とくに自己認識と理性によって神にたどり着けるという主張もはねつけた。その上で、神の全能性は人間の自由意思と相容れないと唱えた。ルターいわく、すべての人間の運命、つまり天国に行くか地獄に行くかは、生まれる前からすでに神によって定められている。信心深い者は自分が神に従うことを選んだから信心深いのではなく、神が不可知の英知によってその者をそのような人間にしたから神に従うのだ。ルターにとって信仰は選択するものではなく、神に選ばれたことのしるしなのだ。

科学と文化革命

オッカムのウィリアムとその信奉者である唯名論者たちから不可知で全能の神という概念を突きつけられたキリスト教徒には、さまざまな面で悪い選択肢しかなかった。第一の選択肢は、それまでと同じく道理を無視して教会の権威に信頼を置くという、現実から目を背けた方法。当然ながらカトリック教会は結局この選択肢を取り、唯名論へのいっときの気の迷いを振り払って、実在論とトマス・アクィナスの唱える慈悲深い神の思想に戻った。この立場は今日もなお続いている。

第二の選択肢と第三の選択肢はいずれも、神の全能性を受け入れながら、唯名論者の言う邪悪な神を脇に追いやるというものだった。しかしこの方法を取ってしまうと、ともすれば無意味な宇宙に人間が取り残されてしまう。この欠点を受けて、イタリア人人文主義者のペトラルカや、そこまで積極的ではないがエラスムスの取り入れた第二の選択肢は、宇宙に意味を与えるために人間を半神半人の地位に引き上げるというものだった。一方、ルターが取った第三の選択肢は、聖書が真理を定めてこの世界に意味を与えているとして、それに頼るというものだった。

いずれも選択肢としては中途半端だった。唯名論的な神を受け入れながらもどこか否定するという、一種のごまかしであった。これ以降、ルネサンスの推進者も宗教革命の推進者も、オッカムのウィリアムを心から信奉することはなくなったようだ。彼らにとってウィリアムは、「サンタクロースなんていないのさ」と余計なことを言ってくる子供時代の友達のようなものだった。新たな知識を無視することはできないが、心の奥底では、この世界の魅力が少々失われてしまったと感じてしまう。そして、真理を暴き出した冷酷で論理的なその友人とはもう付き合いたくなくなるのだ。

とはいえ、オッカムのウィリアムの思想からもっとも大きな影響を受けたのは哲学や神学でなく、この学問の激動の中からのし上がってきた科学だと思う。哲学との結びつきが弱く、神学から科学を切り離すといった〝新しい道〟の原理をより積極的に取り入れたルターの思想は、さまざまな点で現代科学の経験主義に近かった。たとえばルターがエルフルト大学で師事したバルトロメウス・アルノルディ[28]は、科学は実験と論理によって検証されなければならないが、神学は聖書によって進めるしかないと説いた。ルターを信奉した人々はまた、南ヨーロッパの人文主義者による神秘主義的な思想を含め、単なる人間の想像の産物に対して健全な懐疑心を抱いた。北ヨーロッパの人文主義者は科学におおむね関心を示さず、この世界でなく聖書の中に真理を見出そうとしたが、それでもこの無関心が残した文化的土壌から科学の種が芽生えることとなる。

驚異の『レオナルド手稿』から読み取れるとおり、この時代の最高の科学者であるイタリア人大学者レオナルド・ダ・ヴィンチを生んだのがルネサンスの人文主義だったというのは、何とも皮肉なことかもしれない。芸術と工学と科学を独自の形で融合させ、とくに占星術や錬金術など当時の疑似科学に対して健全な懐疑心を抱いていたレオナルドの取り組みは、一六世紀に科学革命の踏み台となっていてもおかしくはなかった。しかしレオナルドは自分の考えを一度も発表しておらず、彼の存命中に『手稿』を読んだ人は知られている限りレオナルドのほかに一人もいなかった。彼の死後に『手稿』を保管していた人も、その中に記されている科学でなく芸術性を評価した。南ヨーロッパの人文主義者たちはレオナルドと違って学問に対する厳格さと自然界に対する興味を欠き、オッカムの剃刀もいっさい尊重せずに、神秘的な考え方ばかりを取り入れたのだった。

ルターを信奉する人たちが科学をほぼ無視し、人文主義者たちが魔術に没頭したことで、科学はまたもやその進歩を止めてもおかしくはなかった。しかしカトリックの町クラクフの大聖堂に属する人文主義者の律修司祭と、ルター派の町ヴィッテンベルクで学んだ一人の学者が思いがけず手を組んで、この窮状を脱する単純な道を見つけ出すこととなる。

パート2　扉が開かれる

第7章　太陽を中心に戴いた神秘的な宇宙

一五一九年にレオナルドが世を去る五年前、現在のオーストリアにあるフェルトキルヒという町でゲオルク・ヨアヒム・イゼリンは生まれた。父親は羽振りの良い医師で上質の蔵書を有しており、ゲオルクは地元の中等学校でラテン語と、文法、修辞、論理の三学を学んだ。ところが一四歳のとき、父親が窃盗と黒魔術の罪で裁判に掛けられ、有罪と宣告されて死刑に処される。家族は苗字を奪われ、ゲオルクの母親は結婚前のイタリア語の名前トマシナ・デ・ポリスに戻した（「ポリス」とはネギのこと）。ゲオルクもゲオルク・ヨアヒム・デ・ポリスとなったが、自分はイタリア人ではないと思って苗字をドイツ語に訳し、ゲオルク・ヨアヒム・フォン・ラオヒェンと名乗った。その後、生まれた地がローマ時代にレティア地方と呼ばれていたのにちなんで、レティクスという名前を加えた。今日ではもっぱらこの名前で知られている。

母親が縁故に恵まれていて裕福だったおかげで、レティクスはエラスムスの友人オズワルト・ミュコニウスの指導のもと学びつづけた。そして一五三一年秋にフェルトキルヒに戻ると、父親の医院を継いだ医師アヒレス・ガッサーと生涯の友情を築く。ガッサーは町医者であるとともに、歴史、数学、天文学、占星術、哲学に関心を抱く人文主義の学者としても有名だった。

一五三三年、一九歳のレティクスはガッサーの書いてくれた紹介状を携えて北東へ六〇〇キロあまりを旅し、マルティン・ルターが神学の教授を務める大学都市ヴィッテンベルクにやって来た。その一〇年前、怒りに燃える若き修道士ルターは、聖書にある「皇帝のものは皇帝に、神のものは神に返しなさい」*というイエスの教えに基づいて、一五二四年のドイツ農民戦争を聖職者の立場から厳しく批判し、プロテスタント教国ドイツの支配層でもっとも影響力のある人物になっていた。この農民一揆は、ほぼ丸腰のおよそ一〇万人の小作農が殺戮されて力で鎮圧された。そうしてルターに対する評価は、御しがたい反逆者からドイツ支配層の中心的存在へと一変した。

ルター派プロテスタント主義のさまざまな影響は、ドイツ全土からスイス、フランス、北ヨーロッパ諸国、さらにイギリス海峡を渡ってイングランドへとあっという間に広がった。その後ヨーロッパ大陸はおおよそ南北を貫く軸に沿って、ルター派の支配する北のドイツ諸国と、スペイン、フランス、イタリアという、人文主義の影響を受けた南のカトリック教国とに分断された。このように南と北に分断されたのは、人間の意志の本質をめぐる哲学的論争を反映していたといえる。人文主義者は、創造性に促される意志を人間性の中心に据えた。エラスムスは一五二四年の著作『自由意志論』の中で、神は確かに全能だが、それでも人間は神から与えられた自由意志を有していると唱えた。ルターはこの考えに納得せず、レティクスがヴィッテンベルクにやって

* 『マタイによる福音書』第二二章第二一節

来る八年前の一五二五年、宗教改革においてもっとも大きな影響をおよぼすこととなる文書を書いた。その文書『奴隷意志論』の中では、人間は神の意思の奴隷であると念を押した上で、「神は……限界を知らず全能である」と述べ、そうでないと考える者はキリスト教徒ではないと説いた。

ルターの信奉者たちは、地獄の業火から逃れる唯一の道である聖書に絶対的信頼を置くあまり、聖書研究以外の学問そのものを激しく批判した。しかしルター本人はそこまで原理主義的ではなく、一五一八年、ドイツ人人文主義者のフィリップ・メランヒトンをヴィッテンベルク大学のギリシア語教授に任命した。メランヒトンはルターのもっとも信頼する弟子で助言者となり、その落ち着いた態度と、頭ごなしでなく説得するという姿勢は、師の激しい気性やあからさまな物言いとちょうど良いバランスを取った。そのメランヒトンの影響もあってドイツプロテスタント主義はとげとげしさを和らげ、ルターによる暗澹とした運命予定説と聖書重視の姿勢は残しつつも、神学以外の学問や聖書の外の世界に対する関心に人文主義らしく寛容になっていった。

メランヒトンはヴィッテンベルクで築いた人文主義寄りの知識人グループに若きレティクスを招き入れ、一五三六年に数学と天文学の教師に任命した。その頃ヨーロッパじゅうの大学は、地球が太陽の周りを回っているとする過激な新しい宇宙モデルの噂で持ちきりだった。ヴィッテンベルクのメランヒトンの仲間たちはおおかたその話を不信と愚弄と冷笑であしらったが、レティクスだけは興味を持った。

神秘主義の天文学者のために地球は動く

レティクスが生まれる四一年前の一四七三年、現在のポーランド北部、ヴァルミア地方のトルンで生まれたニコラウス・コペルニクス（一五四三没）は、クラクフ大学に入学して、アリストテレスとアラブ人やキリスト教徒によるその註解を重視した七学からなる伝統的な教育を受けた。アリストテレスの物理的な宇宙モデルに加えて、プトレマイオスの地球中心モデルと、その数学体系を用いた天体の運動の計算法も学んだ。この頃ヨーロッパの各大学では〝新しい道〟が絶頂を迎えていて、クラクフ大学もその例外ではなかった。[1] ポーランド人歴史家のヴワディスワフ・タタルキエヴィチュによると、「クラクフでは〝新しい道〟はかなり早いうちから信奉者を集めていた。もっと具体的に言うと、ここではジャン・ビュリダンの強い影響のもと、名辞説［唯名論のこと］が自然学や論理学や倫理学を支配していた」という。そんなクラクフでコペルニクスも、オッカムのウィリアムの思想とその剃刀、そして彼の信奉者たちと接したのは間違いない。

一四九六年、二三歳でコペルニクスはクラクフ大学を中退してイタリアへ移り、この国最古のボローニャ大学で教会法を学んだ。この大学では、オッカム派学者のアレッサンドロ・アキリーニ（一四六三―一五一二）が哲学と医学の教授を務めていた。この二年前に同じくオッカム派学者のマルクス・デ・ベネウェントが、アリストテレスの『自然学』に対するオッカムのウィリアムの註解をボローニャで出版してアキリーニに献呈していた。デ・ベネウェントはさらにウィリアムの三冊の著作をボローニャで出版し、中でも『大論理学』は一四九八年、[2]コペルニクスがこの町にやって来たのと同じ年に刊行された。この年にはまた、唯名論者ザクセンのアルベルトゥスの著作集を「同胞であるオッカムのウィリアムに敬意を表して」出版した。コペルニクスが学んでいた頃のボローニャの町には、オッカムのウィリアムの著作と〝新しい道〟の学者があふれかえっていたはずだ。

コペルニクスはそもそも教会法を学ぶためにボローニャへやって来たのだが、どうやらこの大学で関心が完全に天文学へ移ったようで、この町で自身初の天文観測までおこなっている。その後、ヴァルミア地方へいっとき里帰りして一五〇一年にイタリアへ戻ってきたが、このときはパドヴァ大学で医学を学びはじめた。この頃にはヨーロッパの学問の中心地はオックスフォードからパリへ、さらにルネサンスのイタリア、とくにパドヴァへと移っていた。おそらくそのパドヴァでコペルニクスは、この町を席巻していた新プラトン主義哲学、神秘主義、古代ギリシアの思想に夢中になり、それがのちに自身の学者人生を左右することとなる。

一五〇三年頃、三〇歳のときにコペルニクスはようやくヴァルミア地方へ戻り、フラウエンブルク（現在のポーランドのフロムボルク）の律修司祭となった。司祭としての勤めはさほど負担ではなかったようで、古代ギリシアの思想に興味を持ちつづけ、ギリシア語の詩をラテン語に翻訳したりした。またもう一つの強い興味の対象である天文学、とくにプトレマイオス体系に人文主義の原理を当てはめようとしたが、そこである問題に突き当たる。新プラトン主義の説く完璧さが天界にも当てはまると予想していたのに、実際には周転円、エカント、従円が複雑に入り乱れてしまったのだ。コペルニクスはのちに次のように記している。

天球層の運動を計算するための異なる体系を考えざるをえなかった。その理由はほかでもない、天文学者の経験する事柄が、誰かがありとあらゆる場所から手や足や頭などの部位を集めてきて、人間でなく怪物を作ったかのようだったからだ。

人体の各部位にたとえているのが興味深い。この一五年ほど前にレオナルド・ダ・ヴィンチがかの有名な『ウィトルウィウス的人体図』を描いている。そのきっかけとなったのは、人文主義者のマルシリオ・フィチーノが「人間はもっとも完璧な動物であり、……もっとも完璧な存在、すなわち神の存在と結びついている」[3]と言い切ったことだと思われる。コペルニクスはプトレマイオスによる怪物のような天文体系を、数学的な宇宙の中心に神々しく均整の取れた人間が描かれた、人文主義者の理想を表現したようなレオナルドの絵画と対比したのだろう。そして数学の助けを借りれば、その死骸を再び寄せ集めてもっと調和の取れた天界の姿を明らかにできるはずだと確信するようになる。「これらの欠陥に気づきはじめると、これまで使われていたものよりも少なくてはるかに単純な構成で解決できないかと、……たびたび考えるようになった」と記している。

〝新しい道〟の先人たちと同じくコペルニクスもオッカムの剃刀に導かれていった。ウィリアムが力説した相対的な観察者の原理に基づいて、太陽や月、惑星や恒星でなく、地球が一日一回回っているということを受け入れれば、宇宙ははるかに単純になると説いたのだ。

世界の恣意性を下げる

単純化はときに思いがけない恩恵をもたらす。恒星を固定して地球を自転させることでコペルニクスは、プトレマイオスの示した惑星の周転円のうちの五つが不要になるという恩恵を得た。惑星の周転円の運動を地球の自転運動に相対的に移すことで、地球が静止しているプトレマイオスのモデルを事実上修正したことになるのだ（もちろん意図してはいなかったが）。もう一つの恩恵が明快さである。整理されたモデルを導き出したコペルニクスは、宇宙の中心を地球から太陽へ移すというますます革新的な第二の手段によって、さらに周転円を排除できると気づいたのだ。

太陽を宇宙の中心に据えた学者はコペルニクスが初めてではない。紀元前二五〇年頃にサモスのアリスタルコスが太陽中心体系を唱えたが、古代のうちに顧みられなくなった。というのもアリストテレスが、惑星を含め重い物体はすべて地球の中心に向かって落下するか、さもなければそのまわりを回転すると主張したからだ。しかしコペルニクスは、古代の少なくとも一人の学者をよりどころとして、あえて太陽をすべての天体の回転中心に再び据えた。そしてそうすることで、「宇宙に驚くべき対称性が与えられ、ほかの方法では見出せない天球層の運動とその大きさとの調和した関係性が成り立つ」ことに気づいて仰天した。[4]

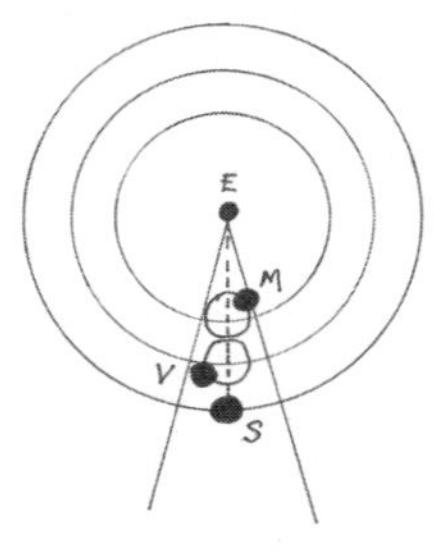

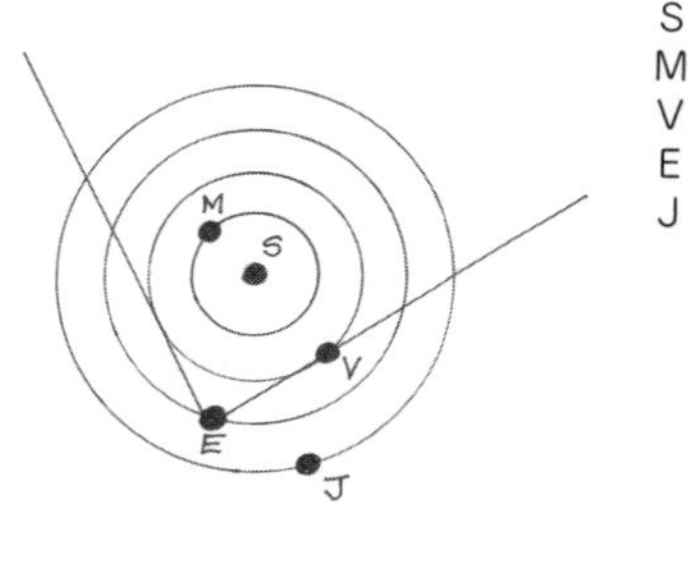

図9　(a) 地球中心体系と (b) 太陽中心体系における、地球から見たときの惑星の位置

　ここでコペルニクスは、体系が見事に単純化されたことを示す驚くほど重要な特徴に気づいた。恣意性が排除されていたのだ。プトレマイオスの地球中心体系では、水星と金星が日没や日の出の太陽からきわめて近い場所にしか見られないことを説明できなかった。そこでプトレマイオスはこの観察結果を説明するために、このモデルに恣意的な法則を付け加えた。水星と金星はなぜか太陽の近くに留まりながら地球の周り（自身の周転円）を回るとしたのだ（図9a）。

　しかしコペルニクスが太陽を各惑星の公転中心に移したところ、水星と金星は地球と太陽のあいだを公転する位置に来て内惑星になった。その位置であれば、地球から見て太陽の近くに見えるのは、実際に太陽に近いからにすぎないということになる（図9b）。こうして、複雑なモデルの恣意的な特徴だったものが、単純なモデルから必然的に導き出される特徴に変わった。

　コペルニクスの太陽中心体系がもたらしたもう一つの思いがけない恩恵は、火星や木星や土星の逆行運動をようやく説明できたことだった。これらの惑星は普段は太陽や恒星と同じく夜空を東から西へ移動しているが、ときどき移動方向が反転して西から東へ移動しはじめ、それから何週間も経つと再び反転して東へ向かいはじめる（P38図4）。コペルニクスの太陽中心体系では、このように方向転換する外惑星はどれも地球と比べて太陽から遠いことに彼は気づいた。かつてプトレマイオスは周転円を付け加えることで逆行運動を説明したが、そこには自らのモデルをデータに合わせるという理由しかなかった。しかし太陽を中心に据えることでそれらの周転円は必要なくなり、逆行運動は地球が公転中の外惑星に追いついて追い抜くことによる必然的な帰結となった。それと似たようなことは、高速道路で遅い車を追い抜くときにも起こる。遅い車が前方にいるときには、周囲の風景に対して自分と同じく前方に走っているように見える。しかし追い抜いている最中には、その車は進行方向を変えて背景に対し後ろ向きに走っているように見える。追い抜き終わってバックミラーに映りはじめると、再び前方に走っているように見えてくる。天体の逆行運動もそれと同じたぐいの錯覚で、公転速度の遅い火星などの外惑星を地球が追い抜く際に見られる。複雑なモデルに含まれていたもう一つの恣意的な特徴も、単純なモデルでは必然的な帰結に変わったのだ。

これらの成功を収めたコペルニクスは、さらに単純な宇宙モデルにたどり着いてもおかしくはなかった。ところがここで立ち止まってしまう。残念ながら太陽中心体系でもあの忌々しいエカントは排除できず、コペルニクスは新たな宇宙モデルを探しはじめた。円軌道を保ちながらエカントを排除するには、プトレマイオスと同じく新たな周転円をいくつも導入するという工夫に頼って、太陽中心体系で不要にできたはずの複雑な要素のほとんどを事実上復活させるしかなかったのだ。

このように後戻りはしながらも、レティクスが生まれた一五一四年にコペルニクスは、『コメンタリオルス（小論評）』というタイトルの短い論文をヨーロッパの限られた学者たちに向けて発表した。この論文はある程度の注目を集め、ローマでも好意的に受け止められた。一五一七年には教皇の秘書官であるニコラス・シェーンブルク枢機卿から、「君の発見を学術界に知らしめよ」とせき立てる手紙を受け取った。初めのうちはその忠告を真摯に受け止めたようで、自らの太陽中心体系の詳細な説明を『天球の回転について』というタイトルでまとめはじめた。ところがその原稿を出版しようとすることもなかったし、知られている限り誰にも読ませなかった。

地球はルターを動かさない

それから何十年かのあいだ、太陽中心モデルを説明したコペルニクスの論文は無視されるか、さもなければ嘲笑を受けるばかりだったが、それでも広く行き渡ってルター派の中心地ヴィッテンベルクにまで届いた。するとマルティン・ルターはある日の夕食後に次のように言い放った。「天文学を根こそぎひっくり返そうとする愚か者がいる。そのような無秩序な状態に放り込まれても聖書を信じつづけよ。ヨシュアは地球でなく太陽に静止せよと命じたのだから」[5]

ルターがこのようにこき下ろす一方でレティクスは興味を抱き、カトリック教国であるポーランドにコペルニクスを訪ねる許可を求めた。あのメランヒトンがヴィッテンベルクを離れることを許可するとは思えなかったが、一五三八年頃にレティクスはある知的な悪ふざけに巻き込まれて危険な立場に置かれてしまう。レティクスも属していたヴィッテンベルクの人文主義者グループの一員であるジーモン・レムニウスが、ローマの詩人オウィディウスの文体を真似て官能的で風刺の利いた一連の詩を詠み、そこにルターを登場させたのだ。しかもその詩選集を、二〇年前にルターがカトリック教会に対する九五か条の論題を釘で打ち付けたとされる、ヴィッテンベルクの教会堂の扉の前で販売した。

するとユーモアセンスに欠けたルターはレムニウスを誹謗中傷のかどで責め、町から追い出した。翌日曜日には説教の中でレムニウスの首をはねてやると脅し、同年九月には『レミーというくだらない詩人の下痢』というタイトルの詩を詠んだ[6]。すると追放の身であるレムニウスはそれを受けて、次のような一節を含む詩で言い返した。

お前の曲がった口が堅苦しく狂気を吐き出した
いまでは尻の穴から癇癪をぶちまけている

またレムニウスは『弁明書』というもっと控えめな語調の文書の中で、自分はもっと穏健なドイツプロテスタント主義を取っていると主張し、支持してくれる仲間としてメランヒトンとレティクスを挙げた。権力者のメランヒトンは共犯の濡れ衣を着せられてもはねつけることができたが、レティクスはルターの怒りの矛先を向けるスケープゴートにされかねなかった。それを考慮したのか、一五三八年一〇月にメランヒトンはレティクスに、ヴィッテンベルクを離れて「天文学を根こそぎひっくり返そうとする愚か者」のもとを訪ねる許可を与えた。

レティクスはわざと時間をかけて旅をした。まずはヨーロッパを代表する天文学者を何人も訪ねてから、出身地フェルトキルヒに立ち寄ってサクロボスコの天文学の教科書『天球論』を恩師のアヒレス・ガッサーに贈った。ようやくフラウエンブルクに到着したのは一五三九年五月のことだった。けっして美しい町とはいえなかった。バルト海にヴィスワ川が注ぎ込む潟の南岸にある鄙(ひな)びた町で、小さな港には潟の中でウナギ漁をする平底船が係留されていた。また町を見下ろすように、ずんぐりとしていてかなり不恰好な赤れんがの大聖堂が立っていた。コペルニクスはこの町を「地球上でもっとも辺鄙なところ」と呼んでいた。革新的な太陽中心体系はすでに三〇年以上棚上げにしていた。

間違っていながらも正しい

コペルニクスと相まみえたレティクスは太陽中心体系への強い興味を伝えるとともに、プトレマイオスの『アルマゲスト』の新版など、数学や天文学に関する書物を贈った。コペルニクスはたいそう喜んだ。何年ものあいだ学界に埋もれていた末に、ようやく弟子が付いたのだ。レティクスはもともと数週間だけの滞在の予定だったが、年配のコペルニクスにすぐさま心酔して彼を

「我が師」と呼ぶようになり、二年ものあいだ留まって太陽中心体系に関する大著の手直しと編集を手伝った。

それでもコペルニクスは、未発表の『天球の回転について』に関する解説をレティクス自身が書くことしか認めようとしなかった。『ナラティオ・プリマ（第一の解説）』というタイトルが付けられたその文書には、著者は「数学にもっとも熱中するある若者」とだけ記されているし、コペルニクスのことは「師」や「トルニの学者ニコラウス博士」としか表現されていない。とはいえレティクスは出版者を見つけるべくダンツィヒへ向かった。

『ナラティオ・プリマ』は一五四〇年に出版された。レティクスはそれを、天文学者のヨハンネス・シェーナーや出身地フェルトキルヒの恩師アヒレス・ガッサーなど、影響力のある知人全員に送った。シェーナーがそれをニュルンベルクの印刷者ヨハンネス・ペトレイウスに渡すと、ペトレイウスは「これは輝かしい財宝だ」と言い切り、コペルニクスに完全版を世に出すようけしかけた。この好意的な反応を受けて、腰の重いコペルニクスもようやく『天球の回転について』を出版する気になった。

レティクスはヴィッテンベルクに戻って講義を再開したが、時間を見つけては出版者や有力政治家を訪ねて、念願である『天球の回転について』の出版を後押ししてくれるよう頼んだ。一五四一年には再びフラウエンブルクを訪れて書写と編集に当たった。そうして一五四二年春、貴重な文書をかばんに詰め、ニュルンベルクにあるペトレイウスの印刷所に向かった。しかしこのときにはすでにライプツィヒ大学の新たな職に就いていたため、同大学で授業を受け持たなければならなかった。そこで、ニュルンベルクのルター派神学者で数学者のアンドレアス・オシアンダーに印刷工程の指揮を委ねた。

悪名高き序文

一五四三年、『天球の回転について』はようやく出版された。コペルニクスの太陽中心モデルを説いた本で、地球が地軸を中心に一日一回自転しながら太陽の周りを一年に一回公転しているとしている点が新しかった。さらに重要なのは、地球が宇宙の中心という主役の座から退いて、太陽の周りを回る六つの惑星の三番目になっている点である。地上の世界はもはや特別な場所ではなくなったのだ。

しかしここで、科学史上屈指のスキャンダルとされる大事件が起こる。「この著作の仮説に関して読者に宛てた」無記名の序文が付け加えられたのだ。その冒頭には、この本に示されている説をあまり真剣に受け止めるべきではないと記されている。「これらの仮説は必ずしも真実ではないし、もっともらしいとも限らない。それどころか、観測結果と一致する計算結果を与えるのであればそれだけで十分である」。要するに、コペルニクスの説は〝天空幾何学〟のもう一つの例にすぎず、プトレマイオスの周転円モデルよりも事実に近いなどとはけっして主張していないということだ。序文は次のように締めくくられている。「仮説に関する限り、天文学から何らかの確実な結論を期待すべきではない。天文学が確実な結論を導き出すことはできない。別の目的で考え出された概念を真理として受け入れて、この学問に立ち入る前よりも愚かになって去っていくことは避けなければならない。以上」

初刷の一冊が急いで律修司祭コペルニクスの枕元に届けられた。そしてコペルニクスはその日、一五四三年五月二四日に息を引き取った。この悪名高き序文を読んで死期が早まったともいわれている。何年ものあいだその序文の筆者は不明だった。のちに真相を暴いて、この序文がアンドレアス・オシアンダーによって書かれたことを明らかにしたのは、かのヨハネス・ケプラーである。

『天球の回転について』の出版は科学史上画期的な出来事で、この瞬間に現代科学が誕生したとすらみなされることが多い。もしもそうだったとしても、当時それに気づいた人はほとんどいなかった。初版の四〇〇部は売れ残り、第二版が印刷されるまでに二〇年以上もかかったのだ。知られている限り、著名な天文学者の中でコペルニクス体系を取り入れた者は一人もおらず、長年の試練に耐えてきたプトレマイオスの方法のほうをみな好んだ。なんといっても、この著作ではいまだ太陽中心体系の証拠を示すことはできなかったし、天文学的予測に関してもプトレマイオスの地球中心体系より精確ということはなかった。どちらの体系からも約一度角という精度の予測が導き出されるのだ。*

しかし前に述べたとおり、コペルニクスが太陽を宇宙の中心に据えたのは、従来よりも精確な予測を導き出すためではなかった。「これまで使われていたものよりも少なくてはるかに単純な構成」を持つ体系を探しはじめたのは、プトレマイオスモデルの込み入った複雑さにぞっとしたからだった。では、もっと単純なモデルを構築するという目標は達成できたのか？　軌道円の数を単純に数える限り、その答えはノーである。プトレマイオス体系でもコペルニクス体系でもモデル全体の姿は示されておらず、部分的な図と惑星の位置の計算法しか与えられていないため、単刀直入に軌道円を数え上げることはできない。おおかたの見解として、どちらの体系でも軌道円の数は、数え方によって二〇個から八〇個まで幅があるとされている。[7]

このように軌道円の数こそさほど変わらなかったが、それでもコペルニクスはプトレマイオス体系よりも自分の体系のほうが単純で理にかなっていると確信していた。『天球の回転について』の中では、「地球を宇宙の中心に置きつづけた人たちが陥ったように、無限に近い数の天球層に戸惑うよりも、このほうが好ましいと認められるべきだと考える」と記している。さらに次のようにも唱えている。「逆に我々は自然の英知に耳を傾けるべきだ。自然は余分で不要なものをいっさい生み出さないだけでなく、たった一つの原因に多数の効果を当てはめるほうを好む場合が多い」[8]。ここで重要な点は、コペルニクスが自らの体系の単純さを軌道円の数に基づいて主張しているのではないことである。プトレマイオス体系に含まれていた恣意的で厄介な要素が排除されているという特徴を、その根拠として挙げているのだ。プトレマイオス体系では各天体が軌道上を一日一回公転するとされ、惑星の逆行運動を説明するために従円が用いられていたが、コペルニクス体系ではこれらの要素が排除されている上に、惑星の配列も一つに定まる。ハー

＊　天空における角度一度は、腕をまっすぐ伸ばしたときの小指の太さにおおよそ相当する。

ヴァード大学の天文学と科学史の教授オーウェン・ギンガリッチによると、コペルニクスは軌道円の数でなくこのような特徴を受けて、太陽中心体系は「新たな宇宙観、宇宙の構造に対する壮大で美的な見方」を提供してくれると確信したという。[9] 単純さを信頼したことは十分に報われた。コペルニクスのような神秘主義者ですら、オッカムの剃刀を手にすることで現代科学への道を見つけることができたのだ。

第8章　天球層を打ち壊す

コペルニクス体系は太陽を中心に据えたという点こそ正しかったものの、それでも雑然としていた。しかも天界には依然として結晶性の天球層が鎮座していたし、宇宙は有限で、もっとも外側の天球までしか広がっていなかった。

えもいわれぬ計算

コペルニクスの死から三年後、デンマークのキュヌットルで、王国の有力評議員である貴族の家にティコ・ブラーエ（一五四六－一六〇一）は生まれた。そしてまだ幼い時分に、子供のいなかったさらに裕福でさらに大きな権力を持つおじのヤーゲンに拐(かどわ)かされた。そのため幼少期は、おじの先祖が代々受け継いできた、デンマーク北部のトステルプに建つ一族の城で過ごした。進学したコペンハーゲン大学は当時、メランヒトンの人文主義、とくに神学や聖書と合わせて科学も教えるという方針を取っていた。そのためブラーエはこの大学で数学や天文学や占星術へと関

図10　ティコ・ブラーエの肖像画

心を移していく。一五六〇年に自身が観測した日食をプトレマイオスの地球中心モデルによって予測できたことには強い感銘を受けたが、その予測が一日ずれていたことには苛立ちを覚えた。[1] そして、このずれの原因はプトレマイオスモデルか天文観測結果のどちらかに誤差があったからに違いないと考えた。しかしプトレマイオスの天空幾何学に手を加えるほどの数学的才能を持ち合わせていなかったため、もっと優れた天文観測装置をこしらえてもっと精確な予測を導き出すことに人生を捧げる決心をする。

一五六六年にブラーエはドイツへ移り、ロストック大学で医学を学びはじめた。ところが入学早々同級生と決闘を果たしたことで、大学での居場所と鼻の一部を失う。傷のほうは銀製の付け鼻で隠せたが、決闘によってブラーエは、大学に自分の将来はないと確信する。そこでそれから何年かかけてヨーロッパじゅうの王室をめぐり、自作の天文観測装置を披露して回った。そうしてヨーロッパの貴族たちに知的な娯楽を提供するとともに、最先端の天文台を建設するという野望を叶えてくれる後援者を探した。

一五七〇年、バイエルンのアウクスブルクにやって来たブラーエは、この町の市会議員パウル・ハインツェルを説きつけて、巨大な象限儀を作るための支援を取り付ける。象限儀とは目盛りを刻んだ四分の一円の板を架台に固定したもので、地平線から測った天体の高度を測定するために使う。新たな象限儀の主要部品は直径五・五メートルのアーチ形のオーク材でできていて、あまりの重さゆえ男四〇人で担いでようやく運び込むことができた。この象限儀は比類ない精度を誇り、「先人たちがほとんど到達できなかった精度である」とブラーエは自慢した。[2]

その年のうちにブラーエはアウクスブルクを離れ、病に倒れた父オテの暮らすキュヌットルに帰郷した。翌年の五月にその父親が世を去り、二四歳のティコは広大な地所の領主として、農場二〇〇か所と小家屋二五軒と水車場五軒からの年ごとの収入および、荘園での生産物とキュヌットルの封建領主としての権利（要するに封建税）を受け継いだ。そこで新たな天文台を建設して、改良した六分儀を設置した。六分儀は象限儀に似た装置だが、円の四分の一でなく六分の一しかなく、そのためもっと小型で運搬可能である。ブラーエは天文学だけでは飽き足らずに、自前の実験室を建てて地元のガラス細工職人にさまざまな容器を作らせ、秘められた錬金術も追究した。

天空の神秘

一五七一年という年は、ブラーエの天文台が完成しただけでなく、のちに天空の混乱を収拾することとなる天文学者が誕生したという意味でも、天文学にとってはめでたい年であった。その人物ヨハネス・ケプラーは、ブラーエ二五歳のとき、ドイツ南西部のシュヴァーベン地方にあるヴァイル・デア・シュタットという小さな町で生まれた。父親は傭兵、母親は宿屋の主人の娘だった。赤裸々な自伝によると、傭兵の父親に育てられたヨハネスは「頑固で喧嘩好き、将来ろくな死に方をしない子供」だったという。ヨハネス五歳のときに父親は家を離れ、二度と戻ってくることはなかった。オランダ独立戦争で命を落としたと考えられている。ヨハネスは母親にもなつかず、母親のことを「背が低くて痩せていて浅黒く、噂話と喧嘩が好きで気性が荒い」と形容している。

自伝にはそれに続いて、地元の学校と、のちに近郊のルター派神学校でのことが綴られている。「その二年間（一四歳から一五歳）はたえず皮膚の病に悩まされてしょっちゅうヒリヒリ痛んだり、足にできた悪臭を放つ慢性のかさぶたがなかなか治らずに何度も破れたりした」。学校ではほとんど友達がいなかったようで、次のように記している。

一五八六年二月……自分のせいでみんなを何度も怒らせた。アデルベルクでは私のほうが楯突いた。……信じていた友人のイェーガーには裏切られた。嘘をついて私のお金をほとんど使ってしまったのだ。そうして彼を憎むようになり、二年ものあいだ怒りの手紙を送りつづけた。

それでもケプラーはテュービンゲン大学の奨学生に選ばれ、聖職者を目指して勉学に励んだ。ありのままの自己描写は次のように続く。「彼［自分のこと］は抱き犬のような風貌で、……つねに他人の好意に飢えていた。……意地が悪く、嫌味を言っては人に嚙みつく」

ケプラーは一五八九年にテュービンゲン大学に入学した。この大学の創設はオッカムのウィリアムの死から一〇〇年少々経った一四七七年のことで、創設者は「〝新しい道〟を力強く主唱して……明敏に唯名論を操る」[3]と形容されたオッカム派哲学者ガブリエル・ビールである。テュービンゲン大学はドイツにおける〝新しい道〟の中心地となり、ケプラーもこの大学でウィリアムの思想やオッカムの剃刀に触れたのはほぼ間違いない。しかも一六世紀のテュービンゲンは、メランヒトンによる北ヨーロッパ版の人文主義が広まったことで、唯名論をもとにしたルター主義が育つ土壌にもなっていた。神学者で歴史家のシャーロット・メシューエンによると、テュービンゲンで唯名論に基づく経験主義と人文主義の神秘性や創造性とが奇妙な形で混ざり合ったことが、天体の運動を解き明かすためのケプラーの革新的な方法論のきっかけになったのだという。[4]

ケプラー本人が一五九八年に、「私はルター派の占星術師で、その無意味な部分を投げ捨てて核心だけを持ちつづけている」と記している。[5] テュービンゲンでケプラーが学んだミヒャエル・メストリンも、流通している数少ないコペルニクスの『天球の回転について』を一冊所有していて、ケプラーにきわめて重要な影響を与えた。

新しい星

ケプラーが生まれた翌年の一五七二年、キュヌツトルの実験室から帰る途中でたまたま夜空を仰いだティコ・ブラーエは、新しい星が輝いているのに気づいて腰を抜かした。自分の目があまりに信じられず、すれ違う小作人の一団に尋ねて確かめたくらいだった。その新しい星の位置は惑星が通る黄道帯の外なので、新たな惑星とは思えない。古代からさまよう星として知られていた彗星だろうか？　しかしブラーエは何夜も観測した末に、この新しい星はさまよってはおらず、すべての恒星と同じく一日一回地球の周りを規則的な円軌道を描いて公転していると確信した。

ブラーエは幸運にも、きわめて稀な超新星爆発（ＳＮ１５７２）の出現を目撃したのだということがいまでは分かっている。一五七二年に出現したその超新星はあまりにも明るくて何週間にもわたり日中でも見えるほどで、ヨーロッパじゅうに衝撃が走った。神学者たちによれば、神は天地創造の四日目に天球に星を一つ一つ貼りつけ、それらの星は世界の終わりまで変化しないはずだった。ただしいくつか有名な例外はあって、たとえば三博士をベツレヘムに導いてイエスの誕生を知らしめたあの星がその一つだった。しかしそれはキリスト教にとって、神の誕生という何よりも重要な瞬間だった。では今度の新たな星の出現は何の前兆なのか？　すぐさまほうぼうの印刷機がフル稼働して、あの星はキリストの再臨とこの世の終わりを告げていると煽り立てる終末論的な小冊子が次々と出版された。しかしおおかたの天文学者はそのような受け入れがたい結論を避けるために、この新しい星は本当の星ではなく、移り変わる地上界と不変の天界とのあいだの近地球空間に侵入してきた彗星などの明るい物体であるという説を取った。

このときブラーエは、この問題に片を付けられる新たな六分儀を完成させたばかりだった。六分儀は視差を使って測定をおこなう。視差とは、異なる二か所の地点から物体（たとえば目の前に立てた指）を見ると、背景に対するその物体の位置が違って見えるという現象である。目から物体までの距離が長いほど視差は小さくなるため、古代から知られていたとおり、視差の角度を測定すれば物体までの距離を計算できる。すでに月に関しては小さい角度ながら視差が測定されていたが、星の示す視差が検出されたことはなかった。ブラーエの天文観測機器は世界一感度が高く、月の視差を容易に測定できた。しかし例の新しい星については視差はいっさい見られなかった。天球とともに移動しているだけでなく、天球と同じくらい遠くにあるようにしか思えない。不滅とされている天国の壁に付いた明るいしみだったのだ。

一五七三年にブラーエはこの新しい星の問題を棚上げにして、天文学と占星術に関するその年の年鑑の作成に取りかかった。そして出版者を探すべくその原稿を携えてコペンハーゲンに赴くと、人文主義者のヨハネス・プラテンシスなど大学時代の友人とのディナーパーティーの席で、誰一人あの新しい星の存在に気づいていないことを知ってあっけにとられた。冬の寒い晩にブラーエに表に引きずり出されて、ようやく彼らはその存在に納得したのだ。するとプラテンシスはブラーエに、年鑑のことなど放っておいてあの星の観測結果の公表に集中するようしつこく勧めた。

だがブラーエにはその気がなかった。学術的な著作は聖職者という自分の立場にふさわしくないと考えていたのだろう。またコペルニクスと同じく、キリスト教指導層の気分を害するのも嫌だったのだろう。しかしあきらめないプラテンシスは、何人ものライバルが発表した書物をブラーエに送りつけて、あの新しい星は彗星であるとする彼らの間違った解釈を知ったブラーエが行動に駆り立てられることを願った。その戦法は功を奏し、ブラーエはようやく自らの観測結果を『新星について』という小冊子にまとめて一五七三年五月に出版した。

この『新星について』の中でブラーエは、視差がいっさい見られないことから、この新しい星は燃えさかる流星や彗星のたぐいであるとする解釈は間違っていると論じ、その運動と地球からの距離（「八番目の天球層よりも遠い」）を説明するには、この星がもっとも遠い天球に固定されているとするしかないと唱えた。その上で、この新しい星は神からのお告げであって、おそらく戦争や疫病、反乱や君主の拘束など大災厄の前兆に違いないと主張した。

『新星について』は売れに売れ、ブラーエはヨーロッパ一有名な天文学者となった。そしてコペンハーゲン大学に招かれて同大学のポストに就いた。ところがすぐに教職の負担にうんざりしはじめ、デンマークを去ってドイツかスイスあたりで独り立ちしようという計画を立てる。その噂を聞きつけたデンマーク王フレゼリク二世はブラーエに使者を送り、近くの狩猟小屋で謁見するよう伝えた。そしてその小屋でブラーエに、ヴェン島とそこに立つ城、そして世界最高の天文台

（肉眼観測ではあるが）の建設資金を提供しようと申し出る。ブラーエはその申し出を受け入れ、天文台をウラニボリと名付けて一五七六年に移り住んだ。

この島でブラーエは、天界の調和的な比率を反映させて設計した大邸宅の建設に取りかかった。もちろん莫大な費用がかかるはずだったが、この島の領主として小作人を週二日無給で働かせることができた。併せて天文台の建設も開始し、世界一精巧な天文観測装置を買い集めては設置していった。その中の一つである、時間や分でなく秒単位で時刻を表示できる時計は一五七七年の大発明で、精密天文学に欠かせない役割を果たすこととなる。ブラーエはさらに何台もの象限儀や、渾天儀（こんてんぎ）（同心円状の金属製のリングからなる装置で、天球層とその運動を模している。図11）も製作した。中でももっとも目を惹いたのが直径一・五メートルほどの真鍮製の天球儀で、ブラーエはそれから二〇年かけてそこに恒星の精確な位置を彫り込んでいった。

一五七七年一一月、ブラーエはまたもや天文学上の幸運に恵まれる。今度は正真正銘の彗星がヨーロッパの夜空に現れたのだ。彗星は古代から知られていたが、アリストテレスは、彗星は月よりも近くを移動していて、永久不変とされる天界を乱すことはないと考えていた。しかしブラーエは再び視差の原理を使って彗星までの距離を測定し、彗星は月よりも遠いところにあって、不可侵とされる天界の中を移動していると結論づけた。さらに驚いたことに、彗星は夜空を移動しながら、金星を載せていると考えられていた天球層を何事もなく通過していることが明らかとなった。こうしてティコ・ブラーエは、新しい星によって天界の不滅性に傷を付けたのに続き、彗星の観測によって期せずして結晶性の天球層を粉々に砕いてしまった。

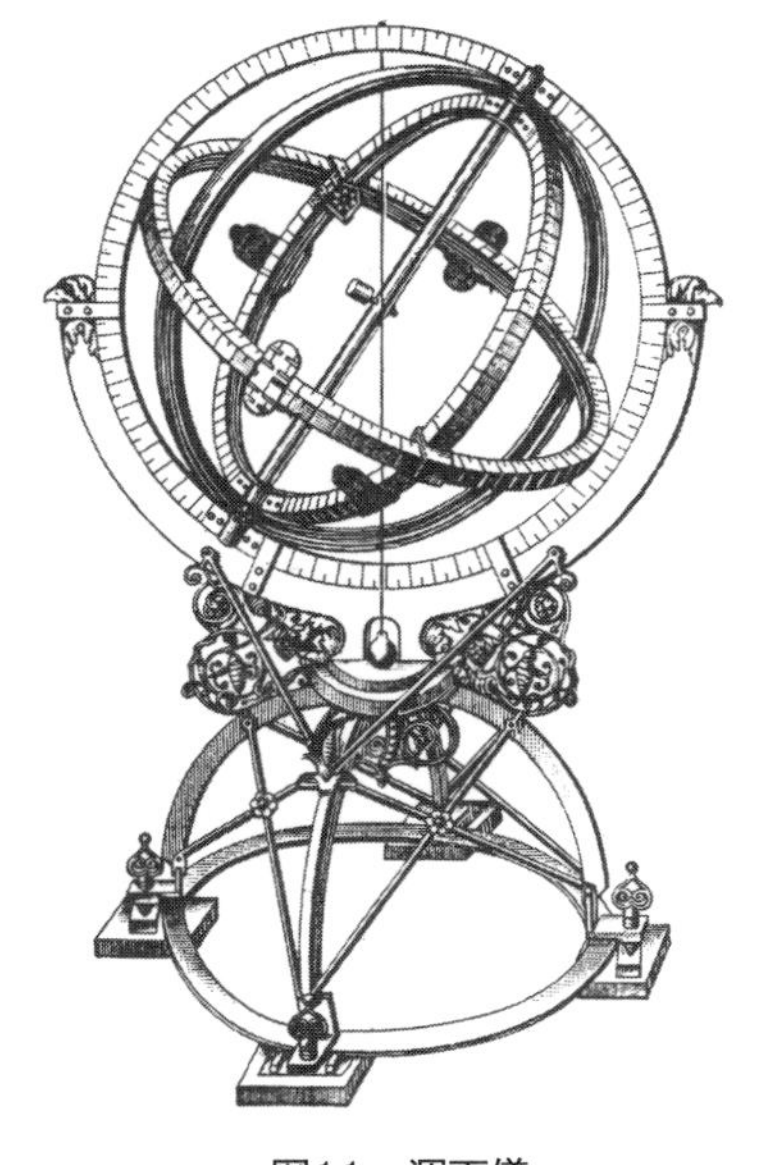

図11　渾天儀

そんなブラーエは一五七〇年代、プトレマイオスとコペルニクスのあいだを取った独自の宇宙体系を新たに考え出した。手始めに、太陽中心体系を用いれば「プトレマイオス体系に含まれている不要で調和しない要素をすべて巧妙かつ完全に避けられる」ことは認めた。しかし地球が動いているという考え方には納得できなかった。その理由として、「地球は図体が大きくてものぐさなのだから動けないはずだ」というありふれた反論に加え、もしも地球が太陽の周りを回っていたら太陽に視差が観測されるはずだが、実際には観測されていないと指摘した。その上で、静止した地球の周りを太陽と月と天球（恒星を載せているもっとも遠くの天球層）が回っていて、残りの五つ

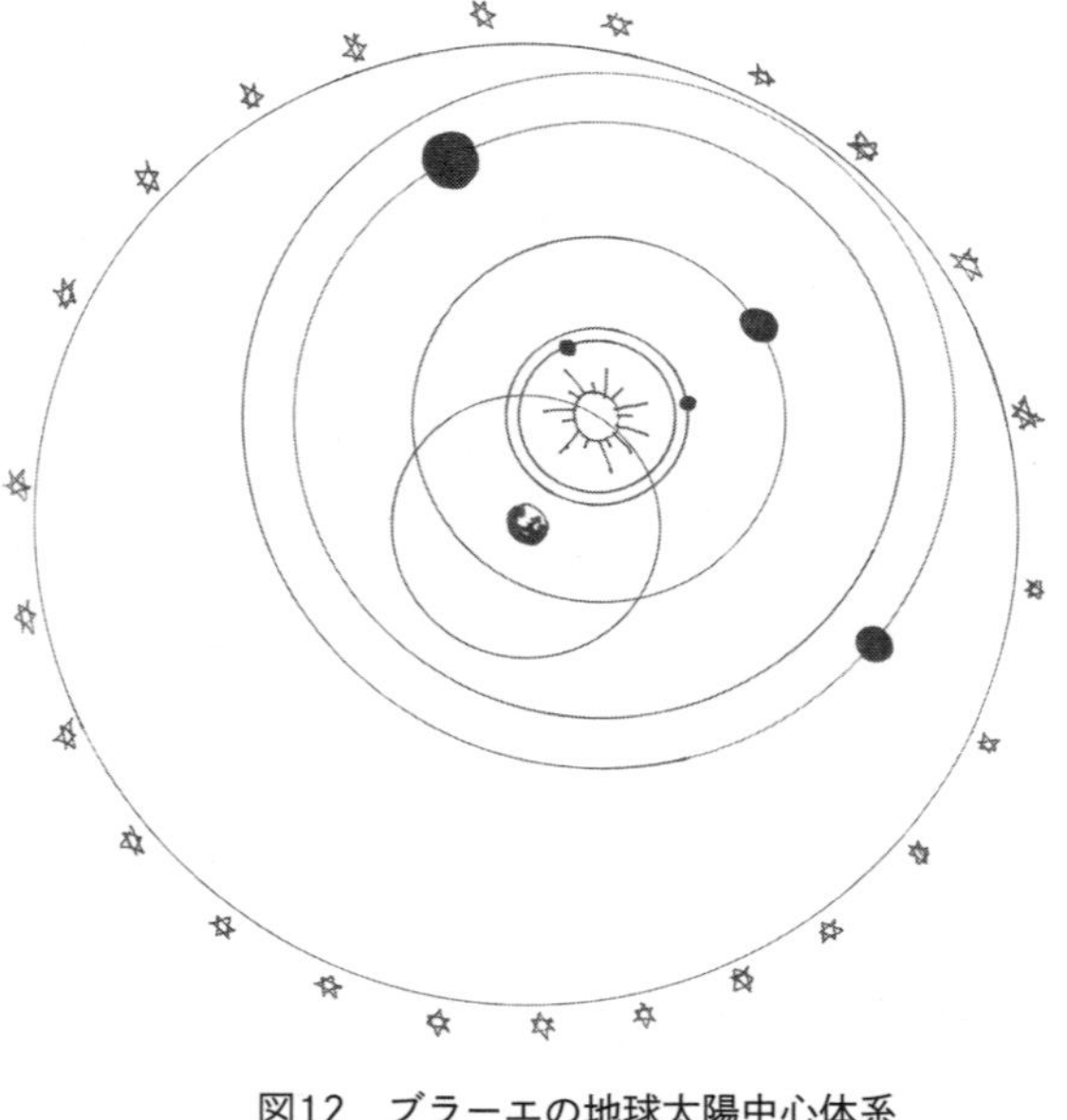

図12　ブラーエの地球太陽中心体系

の惑星は太陽の周りを回っているとする、地球太陽中心体系なるものを考え出した。

ブラーエはこのいわゆるティコ体系を著作『天界における最新の現象について』にしたため、一五八八年にウラニボリで出版した。こうしてこの体系は、コペルニクスとプトレマイオス両体系のライバルとなった。

神秘的な宇宙

ヨハネス・ケプラーがテュービンゲン大学に入学した一五八九年、天文学者はそれまで二〇年にわたり、ブラーエの観測した新たな星と、月よりも遠くを移動する彗星を、有力なプトレマイオス体系やコペルニクス体系に何とか組み込もうともがき苦しんでいた。ブラーエの新たな宇宙モデルはそんな彼らをさらに追い詰めるだけだった。どのモデルを計算に使えばいいのか？　これは単なる神学的な論争ではなかった。天文学者の務めの一つが、キリスト教の暦にとって重要な復活祭などの日付を特定することだったからだ。さらに厄介なのが、どの体系が天界の正しい物理的モデルになるのかという疑問だった。ケプラーはテュービンゲン大学でミハエル・メストリンから、どの体系も単なる数学的道具であって、不可知である天界の実際の姿を表してはいないと教わった。しかし納得はできなかった。

ケプラーもコペルニクスと同じく、太陽中心体系は単なる数学的モデルではなく、地球は確かに動いていると信じていた。そして早くも一五九三年にはテュービンゲン大学での学生討論会で、コペルニクス体系を物理的に解釈するという考え方を支持した上に、地球を含む各惑星の運動は太陽によって引き起こされているとまで唱えた。しかし異端と受け取られかねないこのような持論を抱いていたからか、聖職者の道はあきらめるよう忠告される。そこではるか東、現在のオーストリアにあるグラーツの田舎の高校で数学を教える職に就いた。

グラーツで教えていた最中にケプラーは、生涯にわたって取り憑かれることとなるあるアイデアを思いつく。この宇宙全体は共通の中心を持つ一連のプラトン立体でできていて、その中心には地球でなく太陽が位置しているというアイデアが浮かんできて、教室の前の黒板に一枚の図を描きはじめたのだ。

それはもちろん新プラトン的神秘主義と、天界の隠れたメッセージを見つけ出すという夢にぴたりと添った図だった。プラトン立体（プラトンが発見したと信じられていたことからそう呼ばれていた）とは、すべて同じ面からできていて球の中にぴたりと収まる五種類の正多面体のことである。単純なものから順に挙げると、正四面体、立方体、正八面体、正一二面体、正二〇面体となり、いずれも球に内接および外接する。そこでケプラーは、各プラトン立体に外接する球を次のプラトン立体に内接する球として使えば、互いに入れ子になった球の組ができあがることに気づいた（図13）。共通の中心を持った六つの球の中に五種類のプラトン立体をすべて収めることができるのだ。当時知られていた惑星も六つ（地球を含む）だったため、ケプラーはこの六という数に魅了される。そうして、惑星を載せた六つの天球層が五種類のプラトン立体を取り囲むように配置されているという驚きの発想にたどり着いた。

そこで紙の模型を使って実験してみたところ、プラトン立体を入れ子にして並べられる方法がごくわずかしかないことが分かった。さらに驚くことに、惑星の天球層を水星―正八面体―金星―正二〇面体―地球―正一二面体―火星―正四面体―木星―立方体―土星と並べると、これらの天球層の大きさの比がコペルニクス体系における各惑星軌道の大きさの比と約一〇パーセント以内で一致した。

並々ならぬ偶然の一致で、神秘主義に傾倒した若きケプラーはまさに仰天したに違いない。これまで神のほかには、口の堅いあのピタゴラス学派しか知らなかった秘密を発見した、そうケプラーは確信した。そしてその発見を小冊子『宇宙の神秘』にしたためて一五九六年に世に出し、その冒頭で、コペルニクス体系によって暴かれた古代の知恵を信じると高らかに宣言した。

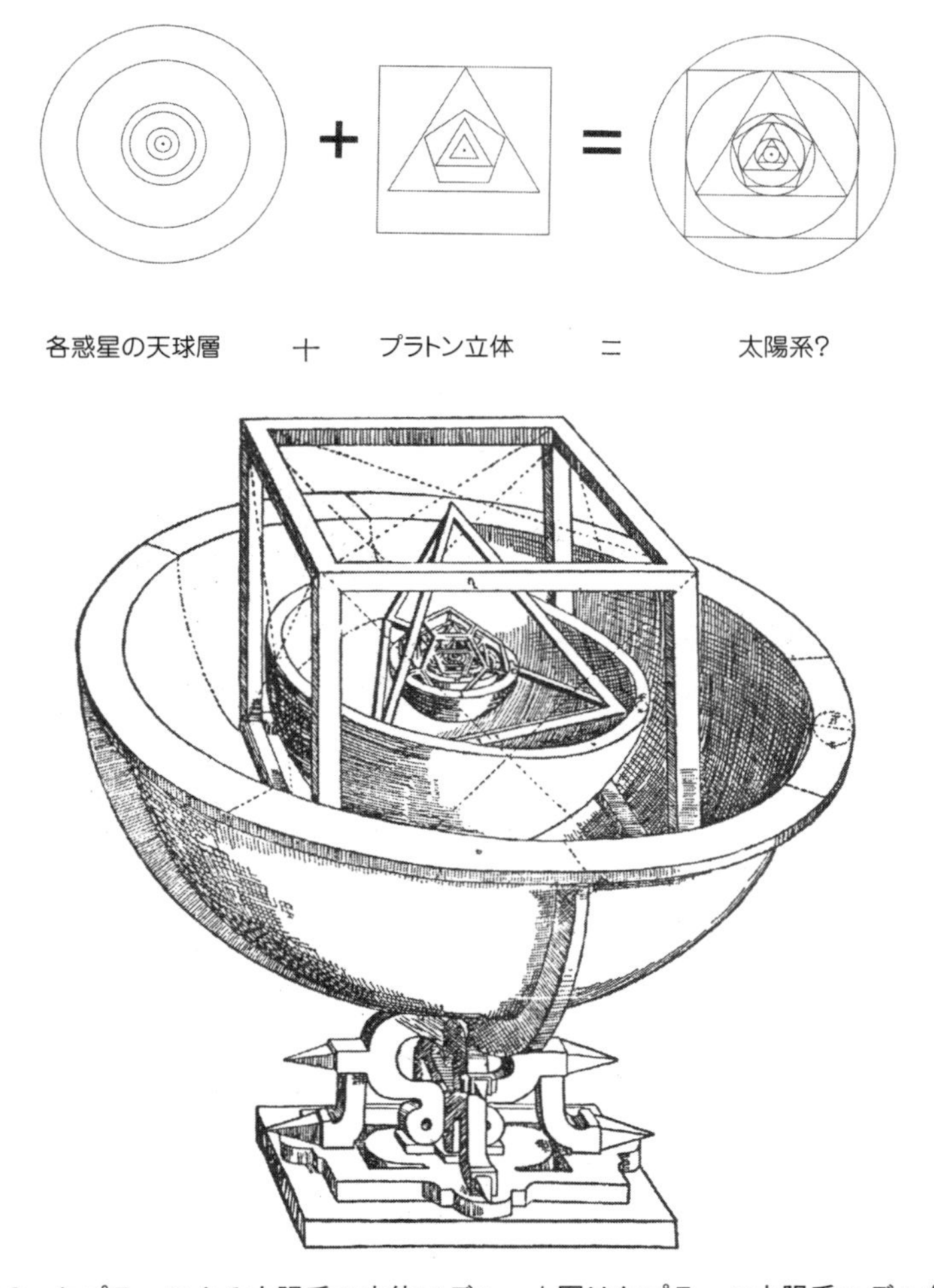

図13　ケプラーによる太陽系の立体モデル。上図はケプラーの太陽系モデルを模式的に表したもので、入れ子になったプラトン立体が各惑星の軌道に内接しているのが分かる。下図は、ケプラーが銀製の半球の器として組み立てることを計画していた模型の図で、1596年の著作『宇宙の神秘』に収められている。

それに続いてもっとも重要な主張として、幾何学者たる神が惑星の天球層をもっとも調和の取れた形で配置して、各惑星がピタゴラス的な天球の音楽を奏でるようにしたのだと論じている。

得意げになったケプラーはこの小冊子を当時の代表的な学者たちに送り、その中にはティコ・ブラーエのほかに、「私と同じくコペルニクスの異端説に長年帰依していると公言するガリレオ・ガリレイという名の数学者」[6]も含まれていた。冗談半分で「異端説」と表現していることから分かるとおり、この頃にはすでに多くの科学者が、神学者にどう言われようが科学と神学を切り離せというオッカムのウィリアムの主張を受け入れていた。

『宇宙の神秘』の出版によってヨハネス・ケプラーはヨーロッパじゅうの天文学者の関心を惹いただけでなく、いくばくかの結婚資金を手にした。そして一五九七年、二六歳のときに、繁盛する製粉所の経営者の娘である二三歳の寡婦バーバラ・ミュラーと結婚した。しかし『宇宙の神秘』の評判はそこまで芳しくなかった。そのモデルに基づく予測と天文観測結果が約九〇パーセントの精度でしか一致しないという批判が寄せられたのだ。するとケプラーは当然のごとく、その不一致は観測誤差によるものだろうと反論した。しかし疑念を払拭するにはさらに精確な観測をおこなう必要があることも承知していた。そこで、そのような観測の腕を持った唯一の人物に手助けを求める。『宇宙の神秘』の一冊をヨーロッパ一有名なあの天文学者に送ったのだ。のちに同じく天文学者で友人のミハエル・メストリンに宛てた手紙の中で次のように記している。「みな口をつぐんで、三五年ものあいだ観測に身を捧げてきたティコの話に耳を傾けようではないか。……私が待っているのはティコただ一人である。彼が各軌道の順序と配置を説明してくれるはずだ」[7]

銀の付け鼻の天文学者と神秘主義の夢想家の出会い

この頃にはすでに、ブラーエのウラニボリ天文台は国際的な名声を博していた。一五九〇年三月三〇日付の日記には、「スコットランド王［ジェイムズ六世、のちのイングランド王ジェイムズ一世］が今朝八時に訪ねられて三時に帰られた」と記されている。しかし天文台の運営には多額の費用がかかり、支援に頼るしかなかった。一五八八年にフレゼリク二世が世を去り、その若き後継者クリスチャン四世は天文学にあまり好意的でなかった。そして一五九七年一月にブラーエのもとに、今後は王が天文台の維持費を提供しないだけでなく、国家年金の支給も停止すると伝える手紙が届いた。そこでブラーエは観測機器を荷造りしてコペンハーゲンに向け出発した。ウラニボリ天文台は使われなくなり、やがて廃墟と化した。

ブラーエは何年ものあいだヨーロッパの王室を転々とした末に、神聖ローマ帝国皇帝ルドルフ二世の皇帝付き天文学者に任ぜられた。そして一五九八年、五二歳のときに、プラハから約五〇キロ離れたボヘミア地方のベナツキー城に居を構え、そこに天文台を建設する。ヨハネス・ケプラーから手紙と『宇宙の神秘』を一冊受け取ったのはその年のことだった。

この頃ブラーエは天文観測を続けながらも、気持ちは自らの地球太陽中心体系を証明することへと傾いていたが、それは自分の数学の才能で歯が立つような課題ではなかった。そんなとき、難解だが異彩を放つ数学に満ちた『宇宙の神秘』を受け取っていたく感心し、ケプラーへの返事の中で仕事口を提供しようと申し出る。

ブラーエの返事を受けとったケプラーは飛び上がって喜んだ。その頃、カトリックの町グラーツを宗教改革の波が襲っていて、その手紙はきわどい時期に届いたといえる。カトリックとプロテスタントの分離によって、厳格なルター派信者であるケプラーは教職と、さらに自身や家族の身の安全までもが危険にさらされていたのだ。そこですぐさま荷物をまとめ、家族を連れてベナツキー城に向け旅立った。二人の天文学者が相まみえたのは一六〇〇年二月、ケプラー二九歳、ブラーエ五四歳のことだった。

ブラーエはすぐさまケプラーに、方向転換して逆行運動をする火星の複雑な軌道を合理的に説明するという困難な課題を託した。すると、天界の秘密を解き明かしたと自負する若き自信家のケプラーは、八日で解決してみせようと大見得を切った。結局は八年を要したが、科学的偉業という面では古代以降もっとも生産的で重要な八年間となる。

ところが出だしから、人間的な問題や個性のぶつかり合いが次々と起こる。そもそもブラーエがケプラーをベナツキー城に招いたのは、自らの地球太陽中心モデルを証明してもらうためであって、それと対立するケプラーのピタゴラス的な夢を実現させるためではなかった。そのためケプラーがやって来てから何か月かのあいだブラーエは観測データをかなり「出し惜しみ」して、ティコ体系の研究に必要だと思う最低限のデータしか提供しようとせず、ケプラーに歯がゆい思いをさせた。二人はたびたび口論を起こし、ケプラーが城から飛び出したことも一度や二度ではなかった。

しかし一六〇一年一〇月一三日、いさかいの絶えない二人の共同研究は突然終わりを迎える。ケプラーがベナツキー城に来てから二年にも満たないある日のこと、ローゼンベルク男爵なる人物がプラハで開いた祝宴にティコ・ブラーエが参加していた。ブラーエはしこたま飲んでいながら、席を立つのは失礼だと思って膀胱の張りにひたすら耐えた。すると家に着いてからひどい痛みに襲われ、熱も出てきた。高熱でうわごとまで言い出す始末で、いっときは回復しながらも、肉眼観測による史上最高の天文学者は一〇月二四日に世を去った。二日後、その助手が皇帝付き数学者に任命され、ブラーエが丹念に収集したデータがようやくケプラーの手元に渡ったのだった。

天空のモデルを作る

ケプラーはさまざまな文書の中でブラーエの死を悼んだ。社会的、文化的、気性的に違いはありながらも、二人は心から尊敬しあっていた。その一方で文書には、天文学上のお宝を収めたベナツキー城の宝物庫の鍵を手にしたケプラーの喜びもはっきりと表れている。「ティコが亡くなると、跡継ぎがいないのをいいことにすぐさま観測結果を我がものにした」とのちに打ち明けている。[8]

皇帝付き数学者の職を引き継いだケプラーは、すさまじく偉大な天文学者の後釜に座ったことに身震いした。ブラーエは古代以来もっとも偉大な観測天文学者であると広く称賛されていた。ケプラーが皇帝付き数学者の肩書きに恥じないためには、世に大きな衝撃を与えた前任者の発見の数々に匹敵するか、さらにはそれを上回る業績を上げなければならない。そこでケプラーは科学者としての信頼を勝ち得るために、古代のピタゴラス学派の考えた五種類の正多面体が天界の秘密を解き明かす鍵であることを証明しなければならないと心に決めた。

しかし出だしから数々の問題に突き当たる。ケプラーが直面した困難はあらゆる科学に付きまとっていて、科学的推論におけるオッカムの剃刀がもっとも大きな役割を果たすたぐいのものだった。それはモデル選択の問題である。ケプラーがどんな難題に取り組んだのか考えてみよう。彼には少なくとも四つのモデル（プトレマイオス、コペルニクス、ティコ、ケプラー自身によるもの）があって、いずれも観測データをかなりうまく説明できるが完璧ではなく、いずれも五から一〇パーセントほどの誤差があった。とはいえ、このいずれかのモデルに小細工を加えてデータとの一致度を高めれば、実質的には無限通りの修正モデルを考えることができる。たとえばプトレマイオスモデルの八〇個ほどある軌道円のどれか一つを調節したり、コペルニクスモデルにさらに周転円を付け加えたりすればいい。このように無数のモデルが考えられる中で、はたしてどれを出発点に据えるべきか？

このような状況は科学では日常茶飯事だ。運動はアリストテレスの言う範疇のうちのどれに属するのかという問題をめぐって、スコラ哲学者たちが何百年ものあいだ不毛な議論を続けたことを思い出してほしい。二一世紀の現在でも弦理論学者は同じように、宇宙全体に存在する素粒子よりもたくさんの数の数学的モデルで身動きが取れなくなっている。科学を前進させるには、データに合致する無数の複雑なモデルの中から、さらに優れたモデルにつながりそうなものをふるい分ける何らかの手段が必要なのだ。

モデルを選び出すための基準はいくつも考えられる。もっとも多く用いられてきたのが、宗教的、歴史的、あるいは文化的な教養や信条である。科学者もほかの人と同じく、自らの先入観に、ふさわしい解決法を選びたがる。地球は公転していないと主張するために、ジャン・ビュリダンが不本意ながら、そしてマルティン・ルターが率先して当てはめた選択基準もそうだ。コペルニクスも同じようにモデルを選択する上で古代以来の定説に影響され、自らの太陽中心モデルに円軌道だけを用いることにこだわった。そしてケプラーも、古代のピタゴラス学派の言ったことは正しいという信念に流されてしまった。しかし彼の場合は幸運にも、間違いを容易に証明できるような単純なモデルを選んだのだった。

ケプラーは単純さを最優先に考えたわけではないが、念頭には置いていた。前に述べたとおり、ケプラーはグラーツで授業をしている最中に突然、ピタゴラス的な宇宙モデルを思いついたのだった。そのときに気分が高揚したのは、「神は最初に作った天界を、残りの小さくてありふれたものよりもはるかに美しく設計した」[9]という新プラトン的な信念を抱いていたからだった。ケプラーの言うこの「美しい」という言葉、あるいはほかの多くの発言に見られる「調和」という言葉は、数学者にとって馴染み深い数学的な美しさのことを指している。この言葉で形容される美的喜びを数学者が感じるのは、幾何学的であれ代数学的であれ数値的であれ、何らかの数学的な構造の存在を感じ取ったときである。そのような構造は調和や秩序や対称性も有しているが、なんと言っても単純である。たとえば数学者はピタゴラスの美しくて単純な定理と、古代から何度も導き出されてきたその鮮やかな幾何学的証明の数々を高く評価している。ケプラーの三〇〇年後にフランス人数学者のアンリ・ポアンカレは次のように記している。「科学者が自然界を研究するのは、それが役に立つからではない。そこに喜びを感じるからであって、喜びを感じるのは自然界が美しいからである。……単純さと幅広さがどちらも美しいからこそ、我々は好んで単純な事実や幅広く通用する事実を探すのだ」[10]。ノーベル賞を受賞した物理学者のポール・ディラックも、「自然界の基本法則を数学的な形式で表現しようとする研究者は、もっぱら数学的な美しさを追い求めるべきである」と諭している[11]。単純さと数学は互いに手を取り合っている。何百年ものあいだ数学者は、「醜い方程式」を単純化して美しい解を導き出すことに骨を折ってきた。それが数学者の営みなのだ。

ケプラーものちにそのことをさらにはっきりと語っている。『宇宙の神秘』や一六一九年出版の『宇宙の調和』の中では、この世界（宇宙）は神の調和を体現していて、それはこの世界が基本原理、すなわち「単純さと不可分な原型」[12]から構築されていることから明らかであると主張している。さらに「自然は単純である」と言い切った上で、神や宇宙は「多数の効果のために一つの原因を用いる」と繰り返し唱えている[13]。これはもちろん〝新しい道〟を通じて轟いていたオッカムの剃刀を言い換えた数々の言葉の一つであって、ケプラーはこの言葉をテュービンゲン大学時代に知ったのだと思われる。コペルニクスなど〝新しい道〟の先人たちと同じようにケプラーも、オッカムの剃刀をあからさまにあてがうか、または数学的な美しさや調和を介して間接的にあてがうかすることで、単純さをモデル選択のもっとも重要な基準として取り入れたのだ。

　ケプラーがこの世界の部品のリストを極限まで切り詰める決心をしたのは、オッカムのウィリアムに導かれたからだった。コペルニクスもケプラーも数値的な単純さでなく、とりわけ美的な単純さにこだわった。ではその美的な剃刀はオッカムの剃刀と同じものだったのか？　単純さを目指す道はどれも同じ目的地につながっているのか？　単純さの概念はその言葉と裏腹に単純ではないため、今日でもこの疑問には決着がついていない。[14]だからといって、単純さがつかの間しか通用しない漠然とした概念というわけではない。物理学におけるエネルギーや生物学における生命など数多くの科学的概念も、同じようにつかみどころがなくて定義するのが難しいが、それでも無用だなどということはけっしてない。逆にこれらの用語が定義できないことから察するに、現在の我々が抱いている基礎的な概念よりも深いレベルに究極の現実があるのかもしれない。

　ケプラーは単純なモデルの長所に一つ気づいたが、それは何とも逆説的な長所だった。単純なモデルはたいてい間違っているのだ。あなたの友人が電話で、「庭に動物がいたんだけれど何の種類だと思う」と言ってきたとしよう。あなたは「イヌだ」と答えるかもしれないし、「哺乳類だ」と答えるかもしれない。どちらも庭にいそうな動物のモデルとしては申し分ないが、前者のほうがより単純である。なぜなら〝動物の種類〟を考えた場合、イヌのモデルのパラメータは〝イヌ〟というたった一つの設定値しか取りえないが、哺乳類のモデルのパラメータは、ネコやウシ、ヤギやイヌやウマなど、友人の庭にいそうな哺乳類を含む多数の設定値を取りうるからだ。

単純なほうのモデルは、その謎の動物が「ワン」と吠えれば正しいことが証明されて、「ニャー」とか「モー」、「メー」とか「ヒヒーン」と鳴けば間違いだと証明される。複雑なほうのモデルはこのうちのどの鳴き声が聞こえても正しいことになるが、その動物が「チュンチュン」と鳴けば間違っている。

単純なモデルは、矛盾するデータが出てきたら容易に否定されるという意味で打たれ弱い。それに対して複雑なモデルは、パラメータの取りうる値の範囲が広いためほとんどのデータ点に合わせることができ、反証するのがはるかに難しい。プトレマイオス体系があれほど長く持ちこたえたのはそれが一因である。あまりにもパラメータが多くてほぼどんなデータセットにも合わせることができたのだ。

ケプラーが単純なモデルの打たれ弱さを痛感したのは、自らが構築したピタゴラス的モデルを、ブラーエの資料から抜き出した天文学的データに合致させようとしたときのことだった。どんなに苦心を重ねてもうまくいかなかったのだ。プトレマイオスやコペルニクスのような複雑なモデルならば解決は容易で、軌道円をさらに付け加えればいい。ケプラーのような優秀な数学者が八〇個ほどもあるパラメータを忍耐強くいじり回していれば、データと合致するようにモデルに手を加える方法を見つけられたに違いない。しかしそれとは対照的にプラトン立体は五種類しかないため、ケプラーにできるのはその順序を入れ替えることだけだったが、前に説明したとおり、プラトン立体を互いに入れ子になるように並べる方法はごくわずかしかない。その方法を残らず試してもなお、ブラーエのデータと九〇パーセント以上の精度で合致させることはできなかったのだ。

そこで次にケプラーは、渋々ながらも複雑な要素を付け加えることにした。とはいってもオッカムの剃刀の原理にはいっさい背いていない。オッカムの剃刀は数々の批判の声に反して、この世界は単純であると言い張っているのではなく、推論を進める上で不必要な要素を付け加えるべきでないと主張しているだけだからだ。既存の要素だけでうまくいかないのであれば、「不必要」でない限りいくらでも要素を付け加えてかまわない。ケプラーが自らのモデルに付け加えた複雑さは、惑星はつねに一定の速さで運動しているとするプラトンの原則を捨てることに等しかった。火星は太陽の周りを公転しながら速さが変化するとしたのだ。このように複雑さを付け加えたことはただちに報われた。コペルニクス体系における五つの周転円が必要なくなったのだ。不必要な要素となったためケプラーはそれらを取り払った。

続いてケプラーは、火星の軌道は完璧な円であると信じたまま、その円の半径をはじき出そうとした。ところがまたもや失敗する。

このうんざりするような計算法に飽き飽きした読者は、その計算を少なくとも七〇回は繰り返して膨大な時間を無駄にした私を不憫に思ってほしい。私が火星の問題に取り組んでからまもなく五年目が過ぎようとしていることにも驚かないでほしい。

脳みそを酷使する計算を五年間にわたって何千回も重ねた末に（当時は計算尺すら発明されて

いなかった)、ついにケプラーはブラーエの観測結果から導き出した四つの重要なデータ点を精確に予測することに成功した。「その方法に基づくこの仮説は、そのもととなった四か所の位置と合致するだけでなく、それ以外のすべての観測結果も二分以内の誤差で正しく予測している……」。その一方でケプラーは次のように嘆いている。「こんなことがありえるなどと誰が考えていただろうか? この仮説は観測された衝(しょう)のデータとかなり良く合致するが、それでも間違っている……」

ケプラーがこの新たなモデルを検証しようと、ブラーエの膨大なデータの中からデータ点をさらに二つ抜き出したところ、とんでもないことが起こった。信じつづけてきたプラトンの天球層仮説がデータによってまたもや打ち砕かれたのだ。今度はブラーエの観測値から角度にして八分角もずれていた(月の直径は約三〇分角)。「八分角ぐらいのずれは無視できると片付けてしまえば、それに合わせて私の仮説に手を加えられたのに」とケプラーは嘆いている。「手を加える」とは、データにうまく合致するようにモデルのパラメータをいじるということである。しかしケプラーも分かっていたとおり、単純であるがゆえに打たれ弱いこのモデルに小細工をする余地などほとんどなく、八分角というずれを説明するには明らかに不十分だった。「この八分角のずれを無視できない限り、天文学を完全に作り替えるという道を進むしかなかった……」とケプラーは述べている。残された唯一の道は、プラトン立体を捨て去って一からやり直すことだった。

八分角のずれはありながらも、真の答えに近づいてはいるだろうとケプラーはにらんだ。そして惑星の運動が一定であるという条件を外したのに続いて、古代以来のもう一つの定説である、惑星の軌道は完璧な円であるという前提を捨て去ることにした。プラトン以来ほぼすべての天文学者が、天体は天界に存在しているのだから完璧な円を描いているはずだと主張していた。もちろん円は途切れなく一周しているという意味でそもそも完璧だが、プラトンらがこの「完璧」という言葉で強調したかったのは、円は数学的な美しさにおいて完璧であって、優美で調和が取れていて最大限に単純な二次元図形でありながら、半径というたった一つの数で記述できるということである。その円をケプラーは渋々ながらも歪めてみた。そして何種類もの曲線を試した末に、楕円という曲線に行き着いた。楕円は、円錐の切断面の外周として得られる円錐曲線の一種である（図14）。もっとも単純な楕円曲線が実は円で、円錐のどこで水平に切断するかを表すたった一つの数で記述できる。次に単純なのが楕円で、円錐を斜めに切断することで得られる。楕円を記述するには、円錐表面のどこから始まってどこで終わるかを表すたった二つの数で十分だ。円が中心を一つしか持たないのに対し、楕円は二つの焦点のまわりを取り囲む曲線として表現される。ケプラーが火星の円軌道を歪めて楕円にしてみたところ、そのモデルによる予測がブラーエの丹念な観測結果とついに合致したのだ。

確かに大発見だが、これは火星に限ったことなのか？　それを確かめるためにケプラーは、地球を含めすべての惑星の運動を一定でないようにした上で、それぞれの円軌道を楕円に歪めてみた。すると驚いたことに、その新たなモデルによる予測はブラーエのデータと完璧に合致した。今度こそ天界の秘密を解き明かしたのだ。

しかしその新たなモデルはとんでもないことを意味していた。それまで二〇〇〇年以上にわた

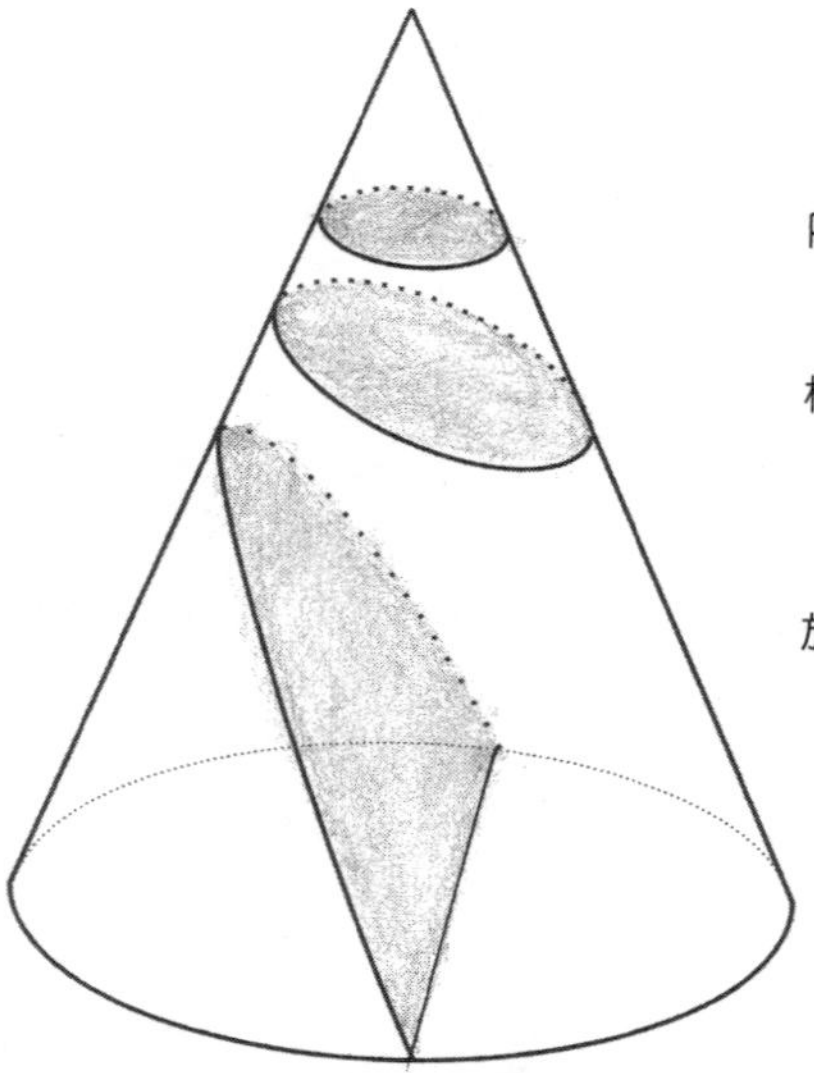

円

楕円

放物線

図14　円錐曲線

り、天界は結晶性の天球層で埋め尽くされていて、惑星は完璧な円軌道を描いていると考えられてきた。ケプラーはさらにピタゴラス的な夢に基づいて、そこにプラトン立体を付け加えていた。しかしプラトン立体に内接および外接するのは球であって、その表面に乗るのは完璧な円だけである。ケプラーはその天体の円軌道を歪めることで、図らずも結晶性の天球層とプラトン立体の両方を打ち壊したことになる。どちらも楕円軌道とは合わないのだから。

しかし天球層とプラトン立体が打ち壊された結果、円や周転円やエカントから完全に解放された宇宙モデルが浮かび上がってきた。それはなんとも単純なモデルだった。ケプラーはプラトン立体に基づく最初の単純なモデルを三段階だけ

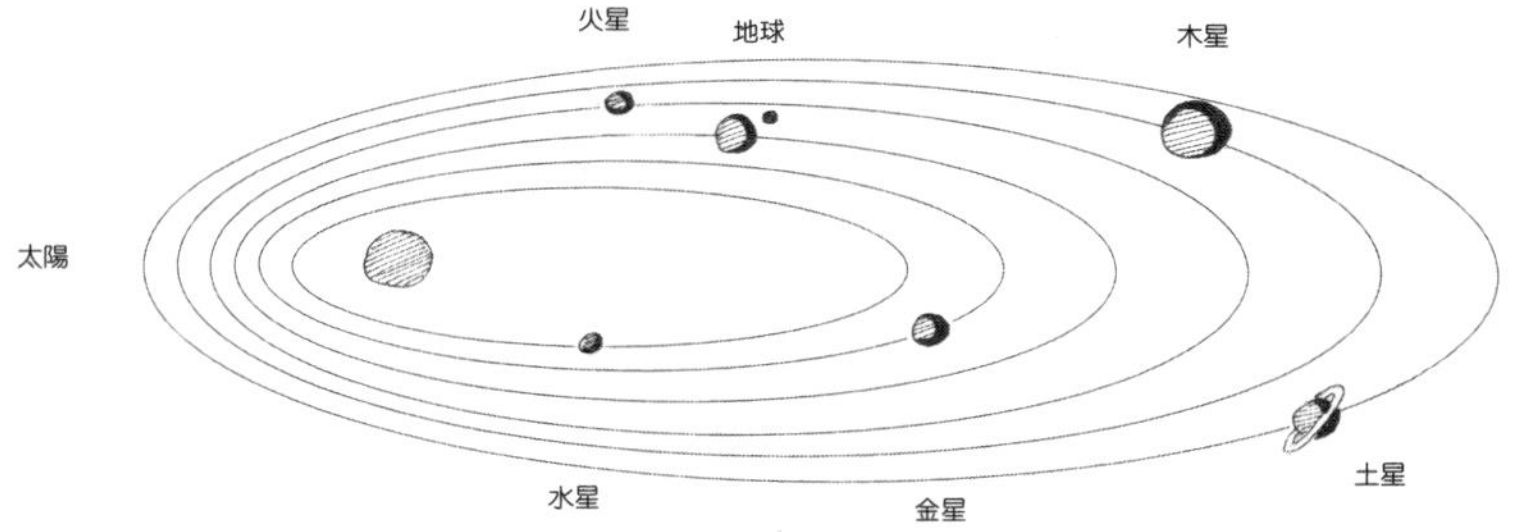

火星
地球
木星
太陽
水星
金星
土星

図15　楕円軌道を用いたケプラーの太陽系モデル〔実際の軌道の歪み方はもっと小さい〕

まったく新たな形で複雑にすることで、今日の我々が知る太陽系モデルを作り上げたのだ。それは現代科学における最初で最大の偉業の一つといってもいい。

ところがケプラーはこの発見に満足できなかった。天空にピタゴラス的な調和を見出すことを夢見ていたというのに、見苦しい楕円しか見つけられなかったからだ。「天界に荷車いっぱいの糞をぶちまけてしまったようなものだ」と自ら形容している。[15]

法則と単純さ

古代からの定説を捨て去って天球層を打ち砕いたケプラーは、科学の未来の道筋を視界にとらえた。絡み合ったいくつもの円軌道を一刀両断にしたことで、太陽系を構成する各惑星の運動の裏に隠された三つの数学的な法則が浮かび上がってきたのだ。法則にどれほどの価値があるかは、前に述べたようにマートンの計算者たちが導き出した平均速度の定理がいまだに使われていることからも分かると思う（彼らが正当に評価されることはめったにないが）。平均速度の定理と同じくケプラーの数学的な三つの法則も、恣意性を含む複雑なモデルを予測力を備えた法則に置き換えたものにほかならない。法則があればこの世界はもっと単純に、そしてもっと予測可能になるのだ。

ケプラーの発見した一つめの法則は、各惑星の軌道は楕円であって、その二つの焦点の一方に太陽が位置するというものである。二つめの法則は、その軌道上を進む惑星と太陽とを結ぶ線分が一定時間内に横切る面積はつねに等しいというもの。一か月おきに太陽から惑星まで線分を引いて、その惑星の楕円軌道をいくつもの部分に分割したとしよう。ケプラーの第二法則によると、その各分割部分の面積はすべて等しいことになる。ケプラーの示した三つめの法則は、惑星が太陽の周りを一周するのにかかる時間の二乗と、その惑星の楕円軌道の長軸の半分の三乗とが比例するというものである。具体的にイメージするのは前の二つよりも難しいが、基本的には惑星の公転周期と太陽からの距離との関係を表している。各惑星の軌道を決めているのは神や天使、あるいは何らかの深遠な哲学的原理でなく、太陽からの距離にほかならないということを意味していて、三つの法則の中でもおそらくもっとも革新的なものだろう。このケプラーの第三法則によって、天界に超自然的な存在は必要なくなったのだ。

ケプラーの三法則は初めて世に知られた科学法則なので、それによってこの世界が以前よりもいかに単純になったかは改めて強調しておきたい。この法則の登場以前、各惑星は、軌道や周転円の大きさと回転周期というそれぞれ独自の規則に支配されていた。これらの規則はさらに基本的な規則から予測されるものではなく、夜空から読み取るしかないという意味で恣意的であった。

その恣意的な規則がケプラーの法則によって、各惑星の運動を支配する規則に置き換えられた。それどころか、もしも神がほかにも惑星を作って太陽からある距離に据えていたとしても、ケプラーならその軌道を描き出せただろう。それが法則のパワーである。複雑で混沌とした予測不可能な宇宙が、単純で規則的で予測可能な宇宙に取って代わられたのだ。

しかしここで指摘しておくべき点として、ケプラーは天界から超自然的存在の必要性を排除しておきながらも、自分が解き明かした法則は神によって書かれたのだと信じていた。代表的な著作『新天文学』の中では、「幾何学は神の心の中に永遠に輝くものである」と述べている。ケプラーにとってこの三法則の発見は、幾何学に通じた神の心を読み取ることにほかならなかったのだ。

一六〇九年に出版された『新天文学』には、惑星の運動に関するケプラーの三法則のうち最初の二つが示されている。この本は大成功を収め、ケプラーは当時最高の天文学者としての地位を固めた。しかし残念ながら私生活で次々と悲劇が起こり、この新たな称賛を十分に受け止めることができなかった。まずは一六一一年に妻と息子を亡くした。さらに宗教対立によってルター派信者がプラハから追い立てられ、ケプラーも皇帝付き数学者の職を辞して、もっと寛容な町であるリンツに移らざるをえなくなった。そして再婚するものの、生活面や金銭面で次々と災難に見舞われ、幼い二人の娘まで亡くした。さらに一六一五年、ケプラー四四歳のときに母親のカタリーナが、ケプラーの故郷である南ドイツのレオンベルクの執行吏によって、ほかに一四人の女性とともに魔女と告発される。ケプラーが帰郷したときには、母親は独房の床に一四か月も鎖でつながれて拷問を受けていた。何か月にもおよぶ裁判でケプラー自身が母親を弁護し、一六二〇年秋に母親はようやく釈放されるものの、その六か月後に息を引き取った。ほかに告発された女性のうち八人が処刑された。その二年前の一六一九年にケプラーは『宇宙の調和』を世に出し、その中で惑星運動の第三法則を発表する。また、自らの研究によって天界の調和と単純な数学的美しさが明るみに出たと論じた。しかし残念ながら地上の世界は、宗教的な不寛容と迷信に染まりきったままだった。

それでもケプラーは天文学の研究を続けた。この時期でおそらくもっとも重要な業績は、一六二七年に『ルドルフ星表』を世に出したことだろう。この不朽の著作には、ブラーエの丹念な観測結果から導き出した大規模な星表と、自身の新たな三法則に基づいて計算ではじき出した各惑星の未来の精確な位置が収められている。この星表が見事に役立ったことが、ケプラーの太陽中心体系と三法則が正しいことの何よりの証拠となった。惑星の位置や食、合や衝などの天文現象を精確に予測できたのだ。おおかたの天文学者は何よりもその精度の高さを受けて、太陽中心体系が真実であることをようやく確信した。そしてそれ以降、占星術師ですらケプラーの法則を使って天界の運動を予測するようになった。

ヨハネス・ケプラーは五八歳で病に倒れ、一六三〇年一一月一五日にドイツのレーゲンスブルクで息を引き取った。惑星運動の三法則はケプラーの遺産の中でももっとも長く受け継がれ、いまだに史上最大の科学的偉業の一つとなっている。ではなぜこの三法則はこれほどまでに通用するのか？　惑星が楕円軌道を描いているのはなぜなのか？　惑星はどうやって太陽から自分までの距離を測って、軌道上を進む速さを決めているのか？　ケプラーの法則はかつての軌道円や周転円と比べればはるかに単純だが、それでもまだ恣意性を残していた。ケプラーは何らかのもっと深い原理から軌道の形を導き出すのではなく、ブラーエの観測データに合致させることで法則を見つけ出したからだ。しかもこの三法則は惑星にしか当てはまらない。矢や砲弾など地上の物体の運動については何も語っていないのだ。次なる大きな単純化は、数学的な法則が天体の運動を支配するだけでなく、地上にも当てはめられるという驚きの事実が明らかとなったことによる。

第9章　単純さを地上の世界に当てはめる

天界の物質はここ地上の物質と同じ種類であるように……私には思える。必要がない限り複数の種類の物質を仮定すべきではないからだ。[1]

オッカムのウィリアム、一三二三頃

みなさん、最初はありえないように思えた事実が、たとえほとんど説明を要しなくても、その姿を覆い隠していたマントを脱ぎ捨ててありのままの単純な美しさをあらわにするさまを、とくとご覧下さい。

ガリレオ・ガリレイ『二大世界体系に関する対話』、一六三二

一六〇八年九月二五日、デン・ハーグにあるネーデルラント連邦共和国（現在のオランダ）議会にゼーラント州議会から一通の手紙が届いた。氏名不詳のある〝人足〟が、遠くの物体をまるで近くにあるかのように見ることのできる装置を発明したと主張しているという。その装置はス

ライド式の管でできていて、中にレンズが二枚仕込まれている。前端に付いているのは凸レンズで、それよりも小さい凹レンズが接眼鏡になっている。くだんの発明者は、この〝望遠鏡〟をオラニエ公マウリッツ・ファン・ナッサウに披露して、さらなる開発を進めるための資金提供を求めたいと訴えていた。一週間後、オランダの町ミデルブルフ出身のハンス・リッペルハイという名の眼鏡職人が双眼望遠鏡の特許を出願した。その翌日にはアルクマールのヤコブ・メチウスが、自分と「古代の何人かの人々」しか知らない秘密の知識に基づいて二年におよぶ研究の末に開発した望遠鏡装置の独占特許を出願した。そんな中、くだんの「ネーデルラントの発明家」は、一六〇八年のフランクフルト品評会で実用的な望遠鏡を売ろうとしていた。一人の顧客が興味を示してきたが、高すぎるからとあきらめた。それでもその〝オランダの望遠鏡〟は一六〇九年四月にパリのポン・ヌフ橋そばの店で販売され、五月にミラノのスペイン総督によって購入された。そしてその年のうちに、ローマやヴェネツィア、ナポリやパドヴァやロンドンにも望遠鏡が普及した。[2]

アイデアが生まれるのには時間がかかるとよくいう。湾曲したガラスによって物体の像が拡大されたり歪められたりすることは、古代から知られていた。古代のアッシリア人やエジプト人は結晶を研磨してレンズを作っていたし、ギリシア人やローマ人はガラス球に水を満たして物体を拡大していた。一三世紀になると研磨したガラスレンズで眼鏡が作られるようになった。イスラムやヨーロッパの科学者、たとえばイブン・アル＝ハイサム（アルハーゼン）やロジャー・ベーコンは、ガラスレンズによる光の屈折の実験をおこなった。しかし知られている限り一七世紀初

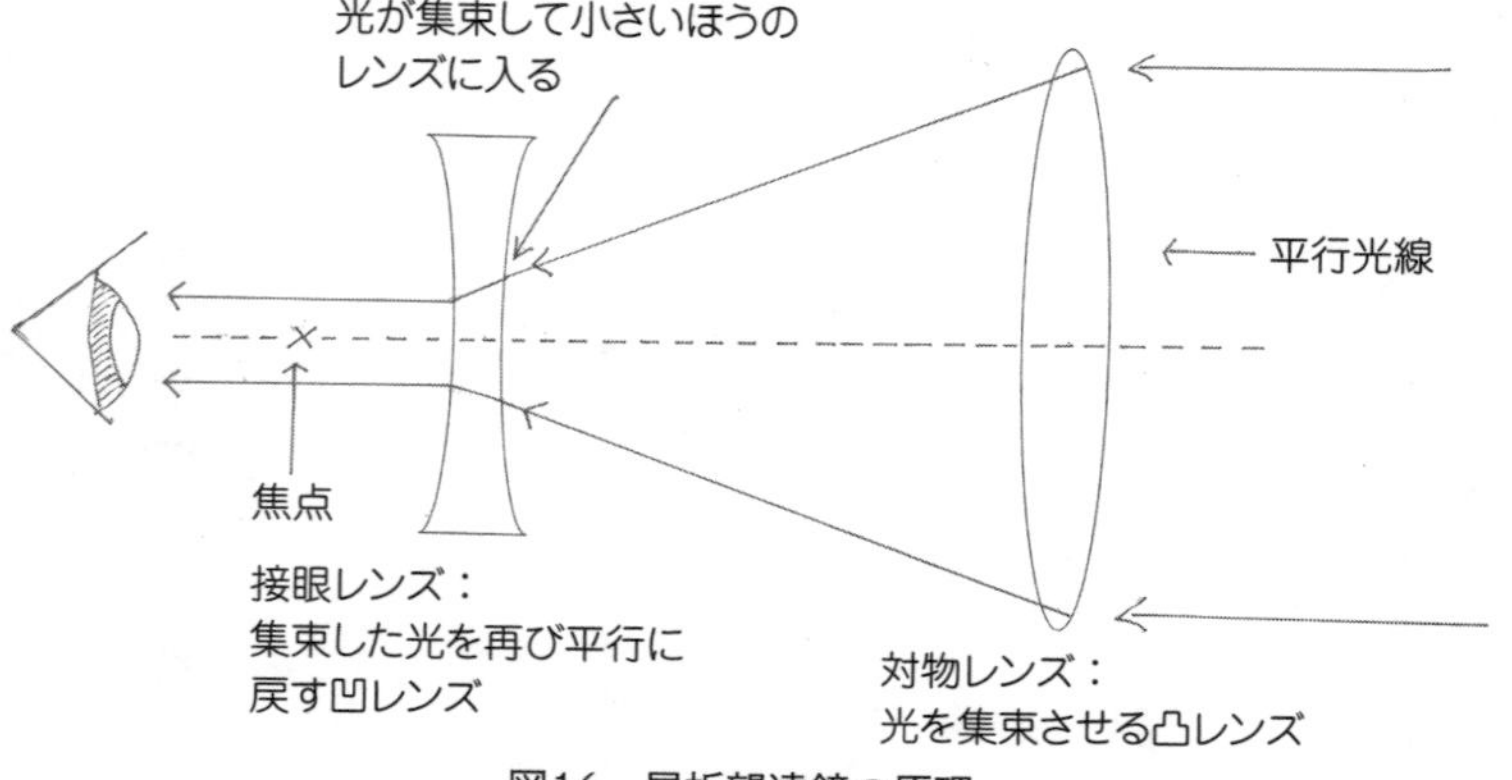

図16　屈折望遠鏡の原理

めまで、複数のレンズを組み合わせて物体を拡大しようなどとは誰一人考えなかった。

先ほどの話はどれもオランダでの出来事なので、望遠鏡がオランダで発明されたのは間違いないだろうが、その発明の知らせがあまりにも急速に広まったせいで、実際に誰が最初の発明者なのかは定かでない。いずれにせよネーデルラント議会はハンス・リッペルハイに特許権を与えた。

戦争に明け暮れていたヨーロッパの各大国は、艦船や軍隊など、脅威になりかねない遠くの物体を見つけられる装置が軍事に利用できることを見逃さなかった。オラニエ公マウリッツがデン・ハーグで新たな望遠鏡を吟味していたその場には、宿敵であるスペイン領ネーデルラントの軍司令官アンブロジオ・スピノラ侯爵も居合わせていた。そうして一六〇九年には、この発明の知らせがスペイン帝国全土に広まった。オーストリアのアルブレヒト大公もその年の春と冬にオランダの望遠鏡を少なくとも二台入手したらしい。駐オーストリア教皇大使グイド・ベンティヴォリオはその望遠鏡を覗いたときの喜びを、教皇パウルス五世の甥であるスキピオーネ・ボルゲーゼ枢機卿に手紙で伝え、それからまもなくしてローマでも望遠鏡が披露された。望遠鏡はその発明から一年ないし二年のあいだは、もっぱら物珍しさまたは軍事利用のために販売されていた。しかし一六〇九年の晩春から初夏、光学に関心を持つパドヴァ大学の若き数学教授ガリレオ・ガリレイが、自分も独自の望遠鏡を開発したと吹聴する。そうして世界は一変することとなる。

ガリレオが科学の巨人の一人とみなされているのは正しいが、その理由として挙げられている説明の多くは間違っている。地球が動いていることを証明してもいないし、ピサの斜塔から物体を落下させてもいない。しかしガリレオは二つのきわめて重要な発見をしている。第一に、天界が地上とそっくりの姿をしていて、おそらく同じ法則に支配されていることを明らかにした。そして第二の大きな単純化は、天体の運動を正しく予測できることが明らかになっていたのと同じ数学的推論が、地上でも通用すると証明したことである。

天界を地上に下ろした男

ガリレオ・ガリレイ（一五六四―一六四二）は、ピサの音楽家で作曲家のヴィンチェンツォ・ガリレイの六人の子供の長子として生まれた。一五八〇年に医学の学位を目指してピサ大学に入学するも、数学の講義に出席したことで数学的な事柄に惹かれ、自然科学に転向した。しかし一家の経済状況が悪化し、学位取得前に退学せざるをえなくなる。それから何年かピサとフィレンツェとシエナを行き来して、家庭教師をしたりさまざまな学校で教えたりしながら、プロの数学者として身を立てようと腐心した。そしてわずか二二歳で新たなタイプの天秤に関する小論文を発表し、それが評価されて一五八九年にピサ大学の数学教授の地位に就いた。

驚くことにガリレオの講義ノートの多くはいまも残っている。本人の筆跡だが自分で一から考え出したものではなく、ローマ学院で論理学と科学的方法を教えていたパウルス・ワリウスという学者の書いたノートを盗用したものらしい。そのノートから分かるとおり、ガリレオはアリストテレスに端を発するスコラ哲学の伝統に則って数学や物理学を教える一方で、マートンの計算者たちやオッカムのウィリアムなど唯名論を唱える哲学者たちのことも何度も取り上げていて、彼らのことを意識していた。[3]

一五九二年にガリレオはさらに名高いパドヴァ大学の教授に就任し、数学や力学や天文学を教えはじめた。一五九七年には、前年に『宇宙の神秘』を世に出してコペルニクス体系に関する名声を獲得したばかりのヨハネス・ケプラーに手紙を書いている。ケプラーから『宇宙の神秘』を二冊贈られた友人がイタリアを訪れ、そのうちの一冊がパドヴァのガリレオのもとに行き着いたのだ。ガリレオはケプラーへの手紙の中で、自分も何年も前からコペルニクスを支持していて、「従来の仮説では説明できなかった多くの自然現象をこの仮説に基づいて説明できるようになった」と伝えた。しかしその「多くの自然現象」が何であるかは明かさなかった。

一五九一年、ガリレオは二七歳で父親を亡くして家長となり、弟や妹の面倒を見ることになった。さらに未婚ながら愛人のマリナ・ガンバとのあいだに子供を三人もうけた。家族が増えて経済的負担が増したため、教職と個人教師の仕事に加え、軍事工学や築城術の数学や科学に関する助言者としても身を立てようと励んだ。

そうしてガリレオの関心は、ガレー船の最適なオールの本数を計算したり、改良型の排水ポンプを設計したりすることへと移っていった。また、現代の計算尺や電卓に相当する〝尺規〟の改良型も発明した。尺規は、戦艦の艦長が大砲の最適な発射角を計算したり、測量士が建物の大きさを測ったり、商人がフロリン銀貨の価値をダカット金貨に換算したりするのに使われていた。このようにさまざまな新機軸を打ち出したことで資産家や権力者から目をかけられたガリレオは、一六〇一年、トスカーナ大公フェルディナンド一世の妻クリスティーナ・ディ・ロレーナに、息子コジモの個人教師として雇われた。

一六〇九年五月にガリレオは、同じくコペルニクスを支持する友人で学者のパオロ・サルピ（一五五二―一六二三）と会った。サルピは神学者でありながらキリスト教に懐疑的で、カトリック教会を激しく批判するとともに、教皇庁と対立するヴェネツィア共和国を強く支持していた。一六〇九年には二度暗殺されかけながらも命を取り留め、そのときの傷が本人いわく「ローマ教皇庁の手口」を物語っていた。そんなサルピもまた唯名論者で、オッカムのウィリアムを崇敬していた。そのことからも分かるとおり、ウィリアムの思想は一七世紀になってもいまだに普及していて、のちに科学革命と呼ばれる運動の学問的な土台の一部をなしていた。

ガリレオと会ったサルピは、元教え子のジャック・バドヴェーレから届いた、パリで披露された拡大眼鏡を覗いたときの驚きを伝える手紙を見せた。するとガリレオはすぐさまパドヴァに取って返し、そのわずかな説明だけをもとにたった数日で独自の望遠鏡を作り上げた。最初に製作したものは倍率がわずか三倍と、オランダの望遠鏡よりも低かったが、他人の発明品の改良に長けていたガリレオはまもなくして八倍もの倍率の望遠鏡を完成させた。おもしろいことに完全に試行錯誤だけで作り上げたらしい。望遠鏡の原理が明らかとなるのは、のちにヨハネス・ケプラーが小本『屈折光学』を世に出した一六一一年のことである。

この改良型の望遠鏡がヴェネツィアの総督に高く評価されたことで、ガリレオは一六〇九年にパドヴァ大学の終身教授に任命され、年に一〇〇〇ダカットというかなりの額の給料をもらえることになった。こうしてヴェネツィアからさらなる経済的な後ろ盾を得たおかげで、三〇倍もの倍率の望遠鏡を製作するに至った。そしてこの年の秋、その望遠鏡を夜空に向けた。その際には新たに二つの仕掛けを導入した。一つめは望遠鏡を安定に支えるための架台、二つめは、暗い背景の中で明るい天体の周囲に発生する光のにじみを抑えるために、接眼レンズのまわりに取り付けた円形の覆いである。

一日目の夜には恒星を観察した。望遠鏡で覗いても恒星は明るい点のままだったが、肉眼で見える数より何千個も多かった。天の川はぼんやりと光る巻き布から、星々に満ちた天空の帯へと一変した。次の晩、今度は望遠鏡を月へ向けた。当時、月を含めすべての天体は完全に球形で、でこぼこや穢れなどいっさいないと考えられていた。ところが月を一目見ただけでそれが完全に覆された。驚いたことに、月は穢れのない完全な姿にはほど遠く、クレーターや山が点在する起伏の激しい地形をしていたのだ。月の表面は「平らでなくでこぼこで、くぼみや突起があちこちにあり、山脈や深い谷で彩られた地球の表面に似ている」とガリレオは記している。[4] 月は地球に似たもう一つの世界であって、ガリレオが望遠鏡を設置した大地とそう大きくは違っていなかったのだ。

一六一〇年一月七日、ガリレオは望遠鏡を惑星に向けた。最初に気づいた特徴は、恒星と違って光の点でなく、宇宙に浮かんだ明るい円盤のように見えることだった。ただし土星だけは奇妙な〝耳〟が付いているように見えた。惑星は単にさまよっているだけでなく、恒星とは別の種類の天体だったのだ。さらに目を惹いたのは木星である。ガリレオの望遠鏡によって、地球でも太陽でもなく木星の周りを公転している小さな三つの星が見つかったのだ。「金星や水星が太陽の周りを回っているのと同じように、木星の周りを回っている三つの星が天界に存在することは疑いようがない」とガリレオは結論づけた。こうしてついに、アリストテレスをはじめかつての天文学の大家による見解に反して、天界のすべての天体が地球の周りを回っているのではないことが証明された。

仰天の発見であった。三〇〇年近く前にオッカムのウィリアムがにらんでいたとおり、天界は神々や天使の住処などではなく、地球とさほど違わない世界だった。ガリレオはこれらの天文観測結果をまとめて、『星界の報告』という小本を書き上げた。そして一六一〇年一月末、印刷所を探すべくヴェネツィアに急いだ。天地をひっくり返すようなそれらの発見の噂はすでに漏れ広がっていて、出版前の二月にはトスカーナ大公の秘書官から、大公がこれらの発見に「驚愕した」と伝える手紙を受け取った。そこで、新たに発見した木星の衛星の呼び名を〝メディチの月〟に変えるという賭けに出た。その賭けは功を奏した。『星界の報告』は一六一〇年三月一三日に出版され、五五〇部すべてが最初の週に売り切れた。いたく喜んだコジモ二世・デ・メディチは同年五月にガリレオをフィレンツェに呼び寄せ、大公付き数学者兼哲学者の地位に就けた。

地球は本当に動いているのか？

『星界の報告』を書きはじめたときにガリレオが目指していたのは、あくまでも数々の驚きの発見を報告することであって、それらの発見の意味するところを論じることではなかった。しかしおそらくフィレンツェからの手紙が届いて、有力なメディチ家が支援してくれそうになったことで、コペルニクスの説に結びつけても支障はないと思ったのだろう。「地球は動くことができて、月よりも明るく、宇宙の汚物や屑の塊ではないことを証明したい」と記したのだ。中世の宇宙観（P32図3）では、中心に位置する地球は地獄の罪深い魂に満ちているとされていたが、ガリレオはそのような「汚物や屑」という見方から脱しようとした。そして、地球は月と同じように輝いていてほかのどの天体とも同じくらいの価値があるという新たな見方を示した。

しかしその世界観に神学者たちは心から動揺した。太陽が宇宙の中心だとしたら、地獄はどこにあるというのか？　もっと言うなら、天国はどこにあるというのか？　中世の聖職者は空を指差しては、神の住まう天国は近いと説き、地面を指差しては、燃えさかる永遠の地獄を避けるのが大事だと力説すれば事足りていた。教会の権威は、これらの超自然的な世界のあいだで人々を教え導くことをよすがとしていた。ところがガリレオの望遠鏡によって天界には岩の塊しかないことが明らかとなり、超自然的な世界の先導者としての教会の信用は根こそぎ崩れ去ってしまったのだ。

ガリレオはおそらく論争をかわすためか、『星界の報告』の中でコペルニクスには一度しか言及していないし、太陽中心説に対しても弱い証拠しか示していない。その証拠の一つがメディチの月で、確かに驚きの発見ではあるものの、地球が動いていることの証明にはならない。第二の証拠として示したのは、地球で反射した太陽光が月の暗い面を照らす〝地球照〟の存在である。しかしこれも、地球がほかの星々と同じく一つの天体であることの証拠にはなるが、地球が動いていることの証明にはならない。

その二〇年後の一六三二年（六八歳のとき）に出版された大作『二大世界体系に関する対話』の中でも、さらに二つ断片的な証拠を示しているにすぎない。一つめは一六一〇年に望遠鏡で発見した、金星が月と同じように満ち欠けすること。これは金星が地球でなく太陽の周りを回っているとしないと解釈できず、この観測結果によってプトレマイオスの体系は否定される。しかし、宇宙の中心に位置する不動の地球の周りを太陽が回っていて、その太陽の周りを内惑星が回っているとするティコ・ブラーエの地球太陽中心体系（P177図12）を否定することはできない。ガリレオが示したもう一つの断片的証拠は、潮汐は地球が太陽の周りを回っていることで引き起こされているというもので、これは間違っていた。一七世紀にはすでに潮汐は太陽でなく月の影響を受けていることが知られており、当時ですら論拠としては弱かった。また注目すべき点として、ガリレオは楕円軌道を用いたケプラーの体系でなく、多数の周転円を含んだもっと複雑なコペルニクス体系を終生支持しつづけた。

しかしあちこちで語られているとおり、一六三二年に『二大世界体系に関する対話』を世に出したことでガリレオはカトリック教会と対立し、地球は動いているという主張を取り下げるに至った。[5] ウィリアムのオッカムが神学から科学を切り離したことをガリレオは受け入れたのかもしれないが、カトリック教会の目から見れば神学はいまだ科学の女王の座に留まっていたのだ。

現実世界のでこぼこを均す

ガリレオの数々の観測結果をよそに、一七世紀初めにはいまだ地上の物体と天体とははっきりと区別されていた。天体の運動はケプラーの法則のような数学的法則によって説明できたが、地上の物体を司る運動の法則は、一四世紀にマートンの計算者たちが導き出した平均速度の定理くらいしかなかった。

ガリレオは、「この宇宙は数学の言語で書かれている」と信じていた。この考え方は天界に関しては筋が通っていたものの、地上の物体はたいてい不規則な運動をしていて、何らかの法則に支配されているようには見えなかった。平均速度の定理ですら実際には紙の上でしか成り立たなかった。それでもガリレオは感覚的な証拠をよそに、地上の物体の運動も天体と同じく数学的な法則に支配されているが、その法則が地上の世界のでこぼこによって覆い隠されているのだと確信する。そしてさらなる画期的な一歩として、この直感を実験によって証明することにした。

実験をおこなうという発想自体はけっして新しいものではなかった。かつてアルキメデスも浮力や梃子に関する有名な実験をおこなっていた。アラブ人物理学者で天文学者、数学者でもあるイブン・アル＝ハイサム（九六五―一〇四〇）も光学の実験をおこない、その結果を著作『光学の書』に記していた。イングランド人哲学者のウィリアム・ギルバート（一五四四―一六〇三）はガリレオの何十年も前に著作『磁石論』の中で、天然磁石や琥珀を使ったさまざまな実験の結果を記している。しかしガリレオ以前の実験は、鏡で反射した光線を観察したり、天然磁石が針を引き寄せるさまを見つめたりというように、おおむね観察に基づくものだった。ガリレオの実験方法の革新的な点は、地上の物体の運動に秘められた規則性を暴き出すために、入念に計画を練って条件を整えたことである。それゆえガリレオは、現代実験科学の父と呼ばれることが多い。

一六〇四年頃、四〇歳のガリレオは、物体の落下速度を測定する実験に取りかかった。しかしそのとき、ほとんどの物体の落下速度があまりにも速くて測定できないという問題に直面する。そこでガリレオはある巧妙な解決法を思いついた。物体を空中で落下させる代わりに、テーブルに固定した斜面の上で転がり落とすことで、落下速度が遅くなるようにしたのだ。さらに地上の世界のでこぼこを均すために、金属製や木製のボールを入念に磨き上げて、できる限り球形でどれも同じ大きさになるようにした。また、ボールがまっすぐ転がるよう木の板に溝を彫り、そのくぼみに蠟紙を貼って摩擦を小さくした。時間の測定にはまず自分の脈拍を使ってみたが、その後もっと精確な水時計をこしらえ、単位時間あたりにしたたり落ちる水の量を精密な天秤を使って測定した。そして何百回も実験をおこなって平均を取ることで、一回ごとの実験に含まれる不規則性、つまり〝ノイズ〟に覆い隠されていた規則性を暴き出した。

そうしてまず分かったのが、アリストテレスは間違っているということだった。アリストテレスは軽い物体よりも重い物体のほうが速く落下すると説いていた。ガリレオがピサの斜塔から物体を落としたという証拠はないが、斜面の上で木製の軽いボールを転がり落として、もっとずっと重い鉄製のボールとまったく同じ速さで転がり落ちることを見出したのは確かである。さらにそれらのボールは、アリストテレスの主張と違って一定の速さで落下していくのではなく、重力を受けて加速することも分かった。しかもその加速度は一定で、マートンの計算者たちが発見してオッカム派学者のニコル・オレームが証明した平均速度の定理に従っていた。オレームが図を使って導き出しながらも中世の誰一人として認めていなかった平均速度の定理の証明（P118図7）を、ガリレオが事実上甦らせたのだ。

続いてガリレオは砲弾などの投射体の軌道を計算するために、垂直方向の運動と水平方向の運動を分けて考えた（図17）。そして、単位時間あたりに水平方向に運動する距離は（空気抵抗を無視したとすると）ほぼ一定で、総移動距離は時間に比例すると論じた。垂直方向の落下運動は、平均速度の定理から導き出されるとおり、時間に比例して一定の割合で加速する。そしてグラフの上でこれらを組み合わせたところ、放物線が描き出された。おもしろいことに放物線は楕円と同じく円錐曲線の一種で、地上での運動とケプラーによる天体の楕円軌道との関係性をうかがわ

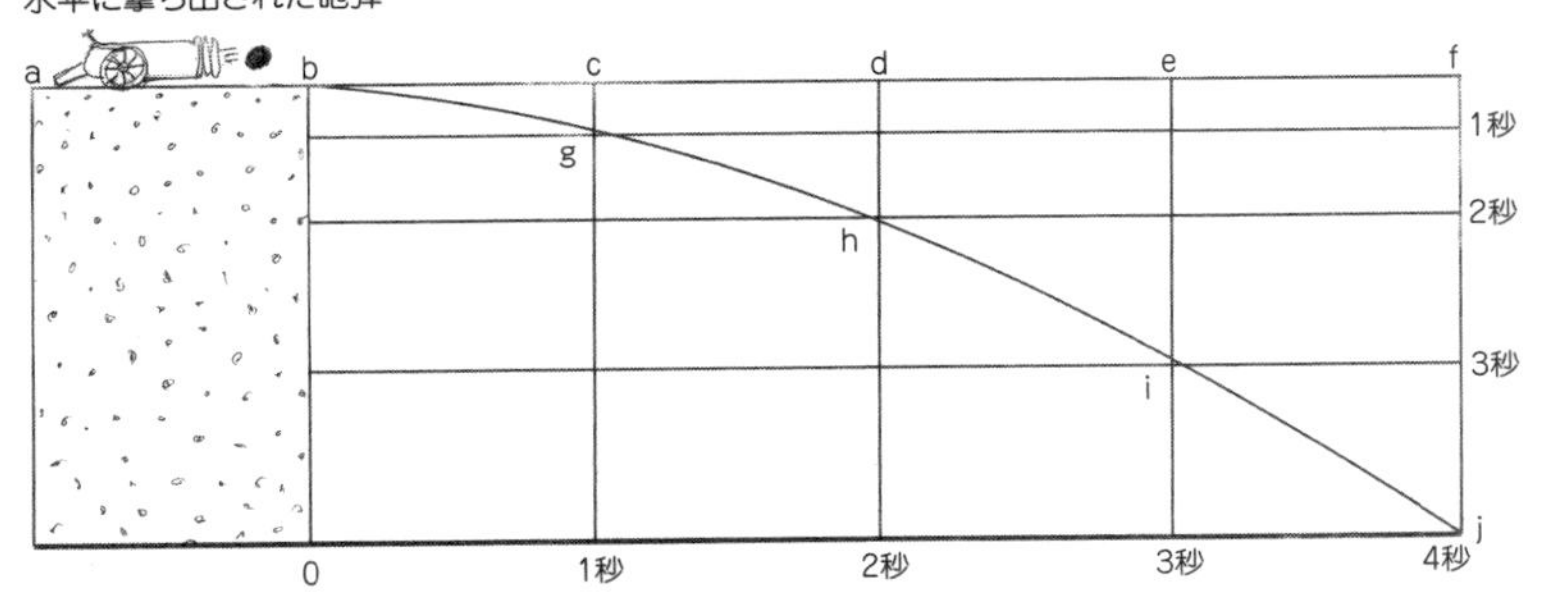

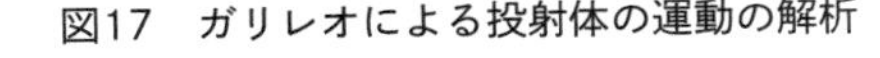
図17　ガリレオによる投射体の運動の解析

せる。しかしガリレオはケプラーの『新天文学』を、自著『二つの新しい科学に関する対話と数学的証明』が世に出る一六三八年の三〇年近く前に出版されていながらも読んでいなかったか、または無視していた。そのため知られている限り、放物線と楕円軌道との関連性には気づかなかった。

ガリレオが発見した中でもおそらくもっとも重要な法則は、科学史上屈指の明快さで書かれた文章の中で説明されている。著作『二大世界体系に関する対話』の中でガリレオはオッカムのウィリアムと同じく、船に乗っている様子を思い描いた上で運動が相対的であることを示し、今日ではガリレイ不変性と呼ばれている概念を説明している。

大きな船の甲板下の主客室に誰か友人と閉じこもって、ハエやチョウなど小型の飛翔動物を持ち込む。大きな鉢に水を満たして魚を何匹か入れ、瓶を吊るして真下の大きな器に水が一滴ずつしたたり落ちるようにする。船の停泊中に慎重に観察すると、小動物は客室のどの壁に向かっても同じ速さで飛んでいるのが分かる。魚はどの方向にも同じように泳いでいるし、水滴は真下の器の中に落ちている。友人に向かって何かを投げようとすると、距離が同じである限り、ある方向よりも別の方向のほうが強く投げる必要があるなどということはない。両脚で飛び跳ねると、どちらの方向にも同じ距離だけ飛べる。これらの事柄を慎重に観察し終えたら、……船を好きな速さで走らせて、進み方があれこれ変動せずに一定になるようにする。すると上記の結果はごくわずかすらも変化しないし、そのいずれからも船が進んでいるのか止まっているのかを言い当てられないことが分かるだろう。

ガリレオがオッカムのウィリアムを意識していたことは明らかで、初期の講義ノートでも何度となく取り上げているし、ウィリアムの言葉をそのまま拝借して「運動は〝フォルマ・フルエンス(流れる形相)〟にすぎない」とまで記している。[6] しかしガリレオはその原理をウィリアムやその後継者たちよりもはるかに拡張して、物理法則は観察者が一様に運動をしているか静止しているかにかかわらず同じであると主張した。この原理はガリレイ不変性と呼ばれている。

ガリレイ不変性の原理は、単純化の威力を発揮する数学的法則の代表例である。ガリレオの思い浮かべた船を海岸から見ると、そこに載っている物体の運動がいかに複雑で計算が難しくなるか、ちょっと考えてみてほしい。板やねじ、釘やロープがすべて運動していて、それぞれ独自の速度を持っている。しかし船に乗り込んでその単純な〝慣性座標系〟から見ると、船に載っているほぼすべての物体が静止している。運動しているのはチョウや魚、人や帆などだけで、それらの運動には必ず原因がある。何千もの運動が片手で数えられるほどの数に切り詰められることで、この世界が単純になって理解しやすくなるのだ。

かつてのビュリダンやオレームやコペルニクスと同じく、ガリレオもこの相対性の概念を天界に当てはめて、摩擦を受けない天体は永遠に運動しつづけると唱えた。そして太陽や月、惑星や恒星がすべて地球の周りを一日一回公転していると考えるよりも、地球だけが一日一回自転していると考えるほうが「はるかに単純でより自然である」と論じた。[7] さらに「誰あろうアリストテレスによる『少数の原因で十分であればそれ以上の原因は不要である』という格言によって」この主張は裏付けられると力説した。[8] 実際にはこれはアリストテレスの言葉ではなく、〝新しい道〟の時代にイタリアじゅうに広まっていた、オッカムの剃刀を言い換えた表現である。

ガリレオの著作『二つの新しい科学に関する対話と数学的証明』のタイトルにある「二つの新しい科学」とは、物質の抗張力を論じる静力学と、今日では運動学と呼ばれている運動に関する科学のことである。慣性の法則と物体の落下の法則、そして投射体の放物線運動に関する説明が収められたこの著作は、科学史上もっとも重要な著作の一つと広くみなされている。

ガリレオは裁判に掛けられてアルチェトリで自宅軟禁の身になったが、おそらくそれゆえに、晩年になってかえってますます名声が高まった。ガリレオのもとを訪ねてきた何人もの元教え子の中に、のちに気圧計を発明するエヴァンジェリスタ・トリチェリがいた。訪問したのはガリレオが高熱と動悸に苦しめられている最中のことで、一六四二年一月八日にガリレオが息を引き取るまで付き添った。その頃、売り出し中のもう一人の科学者ロバート・ボイルも、ガリレオとの面会を願ってアルチェトリに滞在していた。しかし残念ながら到着したのが一月九日、たった一日だけ手遅れだった。

第10章　原子と全知の霊魂

ホッブズ氏は神の能力（その全能性を認めるべき理由も大いにある）に頼ることで流動性をめぐる論争を引き起こし、全能の創造主に何ができるのかでなく、実際に何をやったのかを見極めようとした。

ロバート・ボイル、一六六二[1]

一六五四年、オックスフォード大学ユニヴァーシティーカレッジからそう遠くないハイ通りに面する邸宅で、二人の科学者が学識のある観衆を楽しませた。講演者の一人で二七歳のロバート・ボイル（一六二七―九一）は〝見えざる大学〟と呼ばれるグループの一員で、このグループにはほかに数学者で天文学者のクリストファー・レン、作家のジョン・イーヴリン、経済学者で哲学者のウィリアム・ペティなど数々の名士が名を連ねていた。ボイルは背が高くて男前、頬骨が張って鼻筋が通り、顎先が尖っていて、かなりどもりがちながら強いアイルランド訛りがあった。ボイルの助手で一九歳のロバート・フック（一六三五―一七〇三）はもっとずっと背が低く、痩せ形で猫背気味、やつれた顔をしていた。この時点ではほとんど名が知られていなかったが、のちに数多くの革新的な業績、たとえば顕微鏡の製作と生物の細胞の発見などによって自力で名を上げる。この二人はいずれも、のちに啓蒙運動と呼ばれる潮流の重要人物であった。

このときボイルは、見えざる大学のメンバーを招いて数々の実験を披露した。その実験のほとんどは、真空ポンプを用いて大きなガラス容器から空気をほぼ完全に取り除くというものだった。その容器の中にはろうそくが入れてあり、容器から空気を抜くとその炎は揺らいで消えた。ボイルとフックは歴史上初めて、炎に空気が必要であることを実証したのだ。次に二人は、チクタクと大きな音のする時計を容器に入れた。容器が空気で満たされているときには観衆にもチクタクという音が聞こえたが、空気を抜くとその音が小さくなっていき、最後にはいっさい聞こえなくなった。容器に再び空気を入れると音が戻ってきた。二人は、音が伝わるのにも空気が必要であることを実証したことになる。ボイルはさらに、真空容器の中に磁石と方位磁針を入れてその作用が変化しないことを示し、磁石の力は音と違って真空中でも伝わることを実証した。

いずれの実験にも観衆は仰天した。しかし次の演示実験にはますます驚かされることとなる。長さ数メートルのガラス管に鉛の錘と鳥の羽根を入れた実験である。ボイルはガラス管から空気を抜いてすばやく上下をひっくり返した。すると驚いたことに、鉛の錘と鳥の羽根は一緒に落下した。かつてガリレオが予想していたとおり、真空中ではすべての物体がまったく同じ速さで落下することが実証されたのだ。アリストテレスは確かに間違っていた。

ロバート・ボイルはアイルランドのウォーターフォード県にあるリズモアという町でたたき上

げの裕福な家に生まれたが、プロテスタントを信仰するイングランド系アイルランド人貴族の甘えた生活スタイルには馴染めなかった。初代コーク伯爵となった父親はスパルタ的な教育方針で、「粗末だが清潔な食事ときれいな空気に慣れるよう」子供たちを田舎に追いやった。しかし一四番目の子供ロバートはそんな田舎の生活に馴染めず、「悪寒、視力の低下、胆嚢の病、麻痺、中風、血尿、……そして腎臓病」を患って何度も体調を崩した。そしてそれを、「酔っ払いの未熟なガイド」が落馬して夜中に「未開の山中をさまよう」はめになったせいにした。また吃音にもなり、のちに家庭教師を務めたフランス人のイサーク・マルコムは、「どもりがひどいせいで……何を言っているのかほとんど理解できなかった」と語っている。[2] 当然ロバートは生まれ故郷のアイルランドが好きになれず、のちに「野蛮な国」と形容する。

八歳でロバートはイングランドに送り出され、バークシャー州のイートンカレッジで初等教育を受けることになった。しかしイングランドのパブリックスクールにも馴染めず、すぐに「塞ぎ込む」ようになってしまう。[3] そこで一人の兄とともに、ジュネーヴのマルコム氏に預けられて世話を受けることとなる。マルコム家ではおおむね楽しく過ごしたようだ。一家であちこち旅をするとともに、ボイル兄弟はイングランドの若き紳士にふさわしいとされる人文主義的な教育を受けた。当然その一環としてイタリアへの巡礼の旅にも出掛け、人文主義者を掻き立てた古代文明の遺跡を見学した。若きボイルはその旅でアルチェトリの町に立ち寄り、尊敬する老ガリレオとの面会を望んだが、一日だけ手遅れだった。

マルコム一家は預かった少年たちの面倒をしっかりと見たが、ボイルの苦しみが消えることはなかった。自伝（当時の流儀に則って第三者の視点で書かれており、人々に施しをしたことで聖別されたビザンティン時代の聖人に倣ってフィラレトスと名乗っている）によると、宗教に対する疑念があまりにも強まって自殺まで考えるようになったという。すると一三歳頃のある晩に激しい雷雨で目を覚まし、「ドーンという音がするたびに、その前後にあまりにもまばゆい稲妻があまりにも頻繁に光ったため、フィラレトスはその激しい炎によって世界が燃え尽きてしまうのではないかと思いはじめた」。そして、もしもこの夜を生き延びられたら「もっと誠実に神を信じる」と誓った。[4] 宗教に対するこのような猜疑心と忠誠心の葛藤に、ボイルは生涯苦しめられることとなる。死の床でも、たえず「冒瀆的な考え」に襲われていると打ち明けている。[5]

当時のイングランドは大内乱（清教徒革命）の渦中にあった。一六四一年、ロバート一四歳のときに、最初期の小競り合いの一つであるアイルランド人による反乱が起こった。するとロバートと兄のもとに父親から、居城が包囲されて収入源を断たれたので仕送りを中断すると伝える手紙が届く。誇り高き父親は状況の悪化したイングランドに息子たちが戻ることを許さず、代わりにアイルランドに帰国するか、さもなければオランダで戦っているイングランドの軍隊に加わるよう勧めた。そこで、ロバートよりも丈夫な一九歳の兄フランシスはマルコム家から旅費をもらってアイルランドに戻ったが、身体の弱いロバートはマルコム一家に付いてジュネーヴに戻る道を選んだ。

戦闘が何年も続いた末に、伯爵は七五歳で居城を明け渡し、それからまもなくして世を去った。イングランドに戻らなければ生きていけないと思ったロバートは、一六四四年、一七歳のとき、マルコム一家からもらった宝石を質に入れ、フランスを縦断してイングランド行きの船賃を払った。そしてポーツマスからロンドンのセントジェイムズ地区に向かい、金遣いの荒い夫ラネラ子爵からほぼ見捨てられていた姉キャサリンとその四人の子供の暮らす家にたどり着いた。到着したロバートを「一番愛情深い姉はうれしさのあまり優しく抱きしめ」[6]、二人の親密な関係はそれから生涯続くこととなる。

ロンドンにやって来たロバートは、自分がイングランドのドーセット州にあるストールブリッジの地所の所有者になっていることを知った。この地所には悲しい歴史があった。以前の所有者は、自分の父親を「自然の理に反する行為」（同性愛を婉曲的に表現した一七世紀当時の言い回し）で密告して、この地所を相続した。そしてその父親が絞首刑になると、屋敷をコーク伯爵に売却した。その伯爵の死によって受け継いだこの地所でロバートは、田舎の大地主として落ち着いた暮らしを始める。

しかし内戦によってこの地所は荒れ果てていた。領主の屋敷は廃墟と化し、小作人の住居もほぼ打ち捨てられていた。そこでロバートは地所の木を切り出して材木として売り、その金で人を雇って家を建てなおしたり畑を再び耕したりさせた。空いた時間には姉にたびたび手紙を書き、「カキの食べ方について」、「飼い犬に肉を与える方法について」、「ヒバリが舞い上がってさえずって地面に降りることについて」などありとあらゆるテーマの簡単な説話を書き添えた。それらの説話をキャサリンが影響力のある友人たちに読ませ、名を上げたその友人たちが『数々の話題に関する折々の格言』という本にまとめて出版した。この本は評判となり、まもなくしてジョナサン・スウィフトがその文体を真似て『ほうきの上での黙想――尊敬すべきロバート・ボイルの黙想録の文体と様式に則って』を出版した。その中に、「それをじっと見つめて私はため息をつき、『人間はきっとほうきのようなものなのだ』と独り言を言った」という一節がある。

文学作品としての価値には疑問がありながらも、この本による収入のおかげでロバートはストールブリッジの地所に実験室を作り、実験科学の中でも人文主義者が好んで研究した錬金術に没頭しはじめる。「それに取り組んでいると嬉しくて舞い上がってしまう。この実験室はまるで理想郷のようだ」と記している。今日では錬金術はほとんど無意味であることが分かっているが、それでも物質の性質を調べるための手法を生み出したことは確かで、その意味で現代の化学の先駆けと言える。蒸留、酸と塩基の区別、金属の精製法は、いずれも錬金術の実験室で最初に編み出された。とはいえ錬金術には、このように理にかなった実験科学という側面に加え、たとえば「冬と春のあいだの海と女を変えて溶かす[7]」といったような、風変わりな材料と方法を使った無意味な秘儀や奇妙な処方があふれかえっていた。

それでも若きロバート・ボイルは錬金術に心奪われ、「ソンブレロ海岸で最初に木に、続いて石に変質した虫」のことなどを夢中で書き記した。次のような驚きの話についても綴っている。フランスを旅行中のとある「外国の化学者」が宿で、剃髪した一人の修道士と出会った。その修道士は、「私は霊を自由に操ることができて、その気があれば召喚できる」という。そして、「その恐ろしい姿を見ても耐えられるかな」と煽ってきた。化学者が押し黙っていると、修道士は二言三言唱えた。すると四匹のオオカミが部屋に入ってきて、二人のついているテーブルのまわりを延々と走り回った。オオカミは怒り狂っている様子だった。髪の毛が逆立ったような感覚に襲われた化学者がオオカミを消してくれと修道士に頼むと、修道士はまた二言三言唱えてオオカミを消した。恐怖が去ると二人は、美しくて身なりの良い二人の高級娼婦をはべらせて宴会を開いた。化学者は娼婦たちに誘われても距離を詰めなかった。しかし賢者の石について尋ねてみると、娼婦の一人が紙に何かを書き留めた。それを読んだ化学者は内容を理解した。ところがお決まりの展開どおり、娼婦たちも紙も消えてしまい、紙に書かれていたことも記憶からすっかり失われてどうしても思い出せなかった。

いま読むと単なる空想小説のようだが、一六世紀や一七世紀にはヨーロッパの偉大な知識人の多くが、このような奇妙な材料や秘密の処方やほら話を何とか道理づけようとしていた。ボイルはもしも錬金術師としての活動だけを続けていたら、古風な〝科学〟の歴史に埋もれた無名の人物に留まっていたことだろう。しかし実際には、現代科学の歴史における中心人物となる。ボイルが神秘主義者から科学者に変わったように、現代科学も神秘主義や人文主義の中から芽生えたのであって、そこには無意味な要素を剃り落とすオッカムの剃刀の価値がまざまざと表れている。

神、金、原子

一七世紀、人文主義は危機に陥っていた。神秘主義の深みにはまっていった人文主義に多くの有力哲学者が失望し、人間の創造性を信じるというその理念に異議を唱えはじめたのだ。一七世紀最大の哲学者ルネ・デカルト（ロバート・ボイルより一世代前の一五九六年に生まれた）は、オッカムのウィリアムと同じく当時の哲学を最小限の基本原理にまで突き詰めた上で、次のように唱えた。「思考を進める順序としては、もっとも単純でもっとも理解しやすい事物から始めて、少しずつ、いわば一歩ずつ複雑な知識へと上がっていく」[8]。また有名なデカルト的懐疑を踏まえて、「真理を探し出すためには、人生で一度はあらゆる事柄をできる限り疑ってみることが必要だ」と訴えた。不必要な要素の存在をめぐる何百年にもおよぶ思索を切り捨てたデカルトは、たった二つの確実な事柄にたどり着いた。自分自身の存在（「我思う、ゆえに我あり」）と、物質である。

デカルトは以前の唯名論者たちと同じく、物体の見た目が何らかの物理的現実に対応しているという考え方を否定した。蠟を加熱すると見た目はすっかり変わるが、それでも同じ蠟のままだ。したがって物質の見た目は、我々の知覚が生み出す幻影にすぎない。その上でデカルトは、物質の属性としてただ一つ、空間を占めていることを意味する〝延長（広がり）〟という概念だけを認め、延長を有するのは物質だけであると主張した。「延長と運動を与えてくれたら宇宙を作ってみせよう」というデカルトの有名な言葉がある。この宇宙全体は粒子だけで満たされた〝プレヌム（充満）〟であるとデカルトは唱えた。

プレヌムの概念をさかのぼるとアリストテレスに行き着く。アリストテレスは、延長という性質を持つのは物質的物体だけなので、空っぽの空間などというものは存在しないと唱えた。今日の我々にはとても奇妙に聞こえるが、ケプラーの太陽系モデルのところで触れたように、論理的に首尾一貫していて既知の事実に合致させられるモデルが膨大な数、おそらくは無数に存在することを見事に物語っている。たとえばアリストテレスが取り上げた事実の一つが、細い管の上端を塞ぐと中から水が流れ出さないという観察結果である。この観察結果からアリストテレスは、「自然は真空を嫌う」という有名な格言を生み出した。この場合その真空とは、上端を塞いだ管から水が流れ出したとすると後に残るはずの空っぽの空間のことである。

水を入れた管が宇宙に関する理論の出発点だなんて奇妙に思えるが、アリストテレスはさらに、自然が真空を嫌っているように見えることに基づいて、古代以来もっとも先見性のある考え方の一つである原子論を否定した。アリストテレスが生まれる一〇〇年ほど前にデモクリトスが、物質はランダムに動き回る微小な粒子、すなわち原子でできていると唱えた。しかしアリストテレスは、真空の中には原子を動かせる存在などないはずなのだから、「動いているものはすべて別の存在によって動かされている」という自らの主張に原子論は矛盾していると気づいた。そうして原子論を否定し、それに代わる理論として、物質は無限に分割可能であって、空間全体に充満してプレヌムと呼ばれるものを形作っていると唱えた。そしてこの宇宙全体がプレヌムであって、その中で鳥や人、矢や魚、惑星や空気、水やエーテルといった物体や物質が、ちょうど水中を泳ぐ魚のように互いに滑り合って動いていると論じた。上端を塞いだ管の中に形成される真空に水が吸い込まれるのと同じように、たとえ隙間ができたとしても瞬時に埋まってしまうというのだ。この理論によれば、空っぽの空間なんて論理的に存在しえないことになる。

アリストテレスのこのプレヌムの概念に納得しない哲学者もいた。紀元前三〇六年頃にエピクロスがアテナイで打ち立てたエピクロス学派の哲学体系は、完全に原子論に基づいていた。ローマの詩人ルクレティウスも原子論を支持した。プレヌム説と原子論の論争は中世ヨーロッパまで続き、スコラ哲学者の多くはアリストテレス側に付いた。ジャン・ビュリダンは、口を塞いだふいごを広げることはできず、「一〇頭の馬で一方の側を、一〇頭の馬でもう一方の側を引っ張っても不可能である」という観察結果を、プレヌム説を支持する証拠ととらえた。しかし原子論の立場に近いオッカムのウィリアムは、「物質も物体も分割可能であって、それぞれ位置の異なる部分を有している」と主張した。さらに、沸騰や凝縮は水の各部分、つまり原子の並び方が変わることによって起こるのだろうとすら推測した。[9]

ルネサンスの人文主義者の多くはアリストテレスでなくその師プラトンを支持して原子論の側に付き、とくに原子どうしの相互作用に基づいて自然魔術（霊魂に頼らない魔術）を合理的に理解できると考えた。たとえば錬金術師は、原子がそれぞれ異なる形に並ぶことで土、気、火、水の四元素が作られ、この四元素が組み合わさることで水銀やスズや金が作られていると唱えた。そして卑金属（金や銀以外の金属）と金の違いは原子の並び方だけであって、適切な自然魔術を使えばその原子を並べ替えられるはずだと考えた。つまり、卑金属を金に変成させるという夢を実現できるということだ。さらにパラケルススの弟子たちは、惑星の軌道が人体の中にある原子の運動に影響を与えて病気や健康状態を生み出しており、その影響は惑星と共鳴する地上の物体によって変えられると信じていた。つまり、落ち込んでいるのは憂鬱な惑星である土星の影響を受けているからなので、陽気な太陽と共鳴する黄色いガウンと金のブレスレットを身につけたり、金の杯でワインを飲んだりすればいいというのだ。当然そのような処置は功を奏したことだろう。間違っていても筋の通ったモデルが十分に機能すると、だまされやすい人はそのモデルの方向性が正しいと信じてしまうのだ。

原子論とアリストテレスのプレヌム説との対立が二〇〇〇年以上にわたって続いたことからもはっきりと分かるとおり、たとえ同じデータが与えられても、筋の通った宇宙モデルはいくつも、おそらくは無数に構築できる。のちほど述べるとおり、オッカムの剃刀のおもな役割の一つは、この世界に関するそんな数々のモデルをふるい分けることにある。

デカルトはアリストテレスのプレヌム説を受け入れながらも、物質は粒子状の、ただし無限に分割可能な形態でできているという考え方を取り入れた。また現代科学に向けた大きな一歩として、その物質粒子が惑星や魔術と共鳴するという人文主義者の考え方を斥けた。デカルトの唯物論的な宇宙においてそれは不必要な要素となったのだ。物質は微小な粒子だけからできており、それらの粒子が運動することで作られる渦が、気、水、土、火の四元素、および植物や動物を作っている。物質粒子は神によって作られて神によって最初の一押しを受けたが、その後の運動は完全に機械論的である。人体ですら「土からできた像または機械にすぎない」とデカルトは唱えた。デカルトの著作『方法序説』は一六三七年に、同じく『哲学原理』は一六四四年に出版されたが、機械論的原子論をはじめデカルトの哲学的思想のほとんどは、ロバート・ボイルが生まれたのと同じ頃の一六三三年に出版された『世界論』に記されている。

デカルトの機械論的哲学はカトリックの人文主義者からこそ強い反発を受けたものの、プロテスタント教国で人気のあった唯名論的で経験主義的でルター主義に基づく世界観とは共鳴した。一六四九年までにデカルトの著作はほとんどが英語に翻訳され、芽生えたばかりの科学革命の指導者たちに熱心に読まれた。しかしイングランドの哲学者や神学者の多くは、デカルトの原子論的で決定論的な宇宙は無神論に限りなく近いのではないかと恐れた。その恐れに拍車を掛けたのが、「マームズベリーの怪物」との異名を持つトマス・ホッブズの哲学で、彼の悪名高き著作『リヴァイアサン』が出版されたのは一六五一年、ボイル二四歳のときだった。

唯名論者であるホッブズ（一五八八―一六七九）は、オッカムのウィリアムによる還元主義的方法論をそれまでの誰よりも先へ突き進めた。[10] 不可知の神と普遍の否定というウィリアムの思想を受け入れた上で、善悪などの概念に哲学的・論理的な根拠はないと主張した。ホッブズもデカルトと同じく、この宇宙は機械論的な粒子のみからできていると主張したが、そこからさらに大きく踏み出して、神も魂も人間と同じく物質だけでできていると唱え、自然の事柄と超自然的な事柄の区別を取り払った。

ホッブズは世界は一つしかないと唱えた。すさまじい影響力を放った著作『リヴァイアサン』では次のように論じている。全能の神について我々が知ることのできるのは、神が「すべての原因の第一原因である」ことだけであって、人間も運動する原子の一形態にすぎない。慈悲深い神が見守ってなどいないのだから、人生にはそもそも争いや暴力、「孤独や貧困、不潔や野蛮や不足」が付きまとっている。[11] ホッブズは唯名論に基づいて、善と悪も「欲求と嫌悪」に対して与えられた名前にすぎないと論じた。[12] その上で、人類は不可知で薄情な神などに祈るのをやめ、人間の創意と政治と科学によって〝共和国〟を築くことで、秩序を維持して苦しみを減らし、幸せを育むことを目指すべきだと迫った。アメリカ人哲学者で政治科学者のマイケル・アレン・ガレスピーは、「人間は科学によって、唯名論的な神による混沌とした危険な世界を生き延びて繁栄することができるのだとホッブズは考えた」と述べている。[13]

このホッブズの思想に、ケンブリッジ・プラトン学派と呼ばれるグループなどの保守的な哲学者、とくに神学者で哲学者のヘンリー・モア（一六一四―八七）は肝を潰した。モアをはじめ彼らは、デカルトやホッブズによる機械論的宇宙観の大枠こそ受け入れながらも、機械論だけでは、重力や磁気、あるいは自然が真空を嫌うことといった現象を説明するには不十分だと主張した。そして唯名論から手を引いてプラトンの実在論に戻るべきだと訴え、この宇宙全体には見えざる〝自然の魂〟が充満していて、それが神の代理として作用することで、さまざまな出来事が神の計画に従って起こるのだと唱えた。[14] 宗教はいまだに科学を解放してはくれなかったのだ。

勇ましい無

イングランド大内乱が終息したのを受けてボイル一家はアイルランドの地所に戻った。そうして再び財産を蓄えたロバート・ボイルは一六五四年、二七歳のとき、もっと知的刺激が得られる環境であるオックスフォードへ移り住むことにした。そして再び実験室を作り、ロバート・フックを雇った。

その頃ボイルは錬金術の謎めいた知識に嫌気が差していて、錬金術の理論は「クジャクの羽根のようで、見栄えはいいが中身もないし役にも立たない」と不満を口にした。錬金術への興味は生涯失わないものの、実験研究の対象は「ソンブレロ海岸の奇妙な虫」やその謎めいた同類からもっと真っ当な科学へと移っていった。その背中を押したのはラネラ子爵夫人、つまり姉のキャサリン・ジョーンズだったようだ。キャサリンは非凡な女性で科学や哲学、自然や政治に深い関心を持っており、友人には詩人のジョン・ミルトンや博学者で作家のサミュエル・ハートリブもいた。ボイルはマルコム一家に宛てた手紙の中で、ロンドンにある姉の家で何人もの文人や〝見えざる大学〟のメンバーと知り合ったと伝えている。

ボイルは科学研究の出発点としてデカルトによる完全に機械論的な宇宙観は受け入れながらも、敬虔なキリスト教徒として、ホッブズによる唯物論的な神のイメージには嫌悪感を覚えた。ケンブリッジ・プラトン学派による解決法も、その〝自然の魂〟に異教の臭いがするとして受け入れられなかった。それでもボイルは周囲で激しさを増す哲学的論争には首を突っ込まず、子供時代のヒーローであるガリレオに倣って、自ら入念に計画した実験をおこない、かの論争に決着を付けようとした。

最初に興味をほとばしらせた実験対象は、プレヌム説と原子論の論争の核心に迫るものだった。ありふれた空気銃である。ボイルは手紙の中で、「二〇歩から三〇歩離れた人間を殺せるような力で鉛の銃弾を発射できるのに、空気の圧力を込めるだけで済む」空気銃に興味を持ったと記している。空気銃が科学革命のきっかけになったなんて意外だが、ホメロスの闇の国や賢者の石と違って少なくとも実在はする。ボイルは空気銃を一丁入手して分解し、作動機構を理解して姉に説明した。何よりも重要な点として、空気銃は錬金術の証明不可能な主張と違って実際に役に立つような形で調べることができた。それから何百年ものちの二〇世紀に生物学者のピーター・メダワーが、「科学は解決可能な事柄の学問である」という言葉を残す。[15] ボイルは解決可能な問題を見つけたのだ。

ボイルの実験的な方法論にはいくつものきっかけがあった。イングランド人哲学者で政治家のフランシス・ベーコン（一五六一―一六二六）は一六二〇年出版の著作『ノヴム・オルガヌム』の中で、唯名論の観点から、科学的知識を得るための唯一の道は、数多くの観察結果を一つ一つ入念に記録して表にまとめて一般化し、今日では帰納法と呼ばれている方法によって結論に至ることであると論じていた。もちろん帰納的論証を最初に用いた人物はベーコンではない。たとえばオッカムのウィリアムもその三〇〇年前に帰納的論証を用いて、[16]「人間はみな成長し、ロバはみな成長し、ライオンもそのほかの特定の動物もみな成長するのだから、すべての動物は成長する」と記している。ウィリアムもベーコンも、唯名論者によって普遍を奪われて力を失ったアリストテレスの三段論法に代わるものとして、帰納法の論理を用いたのだ。

洞察力に秀でたボイルは、ガリレオ流の入念な計画に基づく実験とベーコンによる帰納法とを組み合わせれば、繰り返しおこなった実験の結果から理にかなった結論を導き出せると気づいた。ガリレオは実験の詳細をほとんど書き残さなかったが、ボイルは実験装置や精密な実験手法をきわめて詳細に記述し、生データや解析結果に加えて気温や天気に至るまで事細かに記録した。それゆえボイルもガリレオと並んで、実験科学の父の称号にふさわしい候補と言える。

ガリレオは物理学者や天文学者として名声を得た。それに対してボイルは錬金術の研究をきっかけに、もっと地に足の着いた化学的現象に関心を持った。空気銃から発射される投射体の軌道を調べるのでなく、その発射を引き起こす現象に目を向けたのだ。空気銃の打ち金を起こすと、ピストンによって弾倉内の空気が圧縮される。引き金を引くと内向きの圧力がなくなって、弾倉内の圧縮空気がピストンを砲身の中で押し上げ、それによって銃弾がかなりの速さで銃から発射される。ここでボイルは、「空気の圧力だけ」でどのようにして銃弾が押し出されるのかという疑問に興味を惹かれた。もっと言うと、目に見えない空気の正体は何かという疑問である。一七世紀にはこれらの疑問は謎に包まれていたが、賢者の石と違って間違いなく答えはあった。

ボイルは出発点として、ガリレオの弟子であるエヴァンジェリスタ・トリチェリ（一六〇八―四七）の手掛けた研究に目を付けた。ガリレオは死の一年前、水没した坑道から機械式ポンプで水を汲み出している坑夫たちからある興味深い話を聞いた。そのポンプは、出水場所につないだシリンダーの中でピストンを引き出すというしくみだった。ピストンを引き出すとシリンダーの中で真空が発生しようとするが、自然が真空を嫌うために水がシリンダーの中に吸い出されるのだと考えられていた。しかし坑夫たちは、どんなに頑張ってピストンを引っ張っても一〇メートル以上は水を汲み上げられないことに気づいた。坑夫たちから助言を求められたガリレオは、トリチェリに調べるよう頼んだ。

坑夫の使っていたポンプは大きくて扱いづらかった。そこでトリチェリは、入念に制御された実験装置で問題の本質的特徴を再現するというガリレオの方法論をヒントに、水を満たした細長いガラス管をひっくり返して水を張った鉢の中に立ててみた。しかし坑夫が水を汲み上げられなかった状況を再現するにはガラス管の長さを一〇メートルにもしなければならず、ピサにある自宅の屋根よりも高くなってしまう。そんなことをしたら、魔術でもやっているのではないかと勘ぐられて近所の人がうろたえてしまう。そこでトリチェリは、水の代わりにその一四倍重い水銀を使うことで、一メートルのガラス管で同じ効果が得られるようにした。そうして一六四三年、上端を封じたガラス管に水銀を満たし、水銀を張った鉢の中で逆さまに立ててみた（図18）。自然は真空を嫌うのだから水銀がガラス管から流れ出ることはないだろうと予想していたが、実際にやってみると驚いたことに、二〇〇〇年近くにわたる定説に反して水銀の液面が下がり、その上部数センチメートルに真空ができた。この実験の話を聞いたフランス人数学者・物理学者・哲学者のブレーズ・パスカル（一六二三―一六六二）は、トリチェリ管と呼ばれるようになったその装置をフランス中部のピュイ・ド・ドーム山の山頂まで担ぎ上げ、登るにつれて水銀柱の高さが下がって、山を下りるにつれて再び水銀柱が上がることに気づいた。こうしてパスカルもトリチェリも、水銀柱が持ち上がるのはガラス管の中に真空ができるのを自然が嫌うからではなく、外側にある大気の重さのせいだと論じた。標高が上がると大気が薄くなって軽くなるので、水銀柱が下がる。二人は気圧計を発明したのだ。

トリチェリとパスカルの実験にボイルは興味をそそられた。そしてそれをヒントに、ガラス管と金属製のバルブやポンプを組み合わせて巧妙な実験装置を作り上げた。中で実験をおこなえる

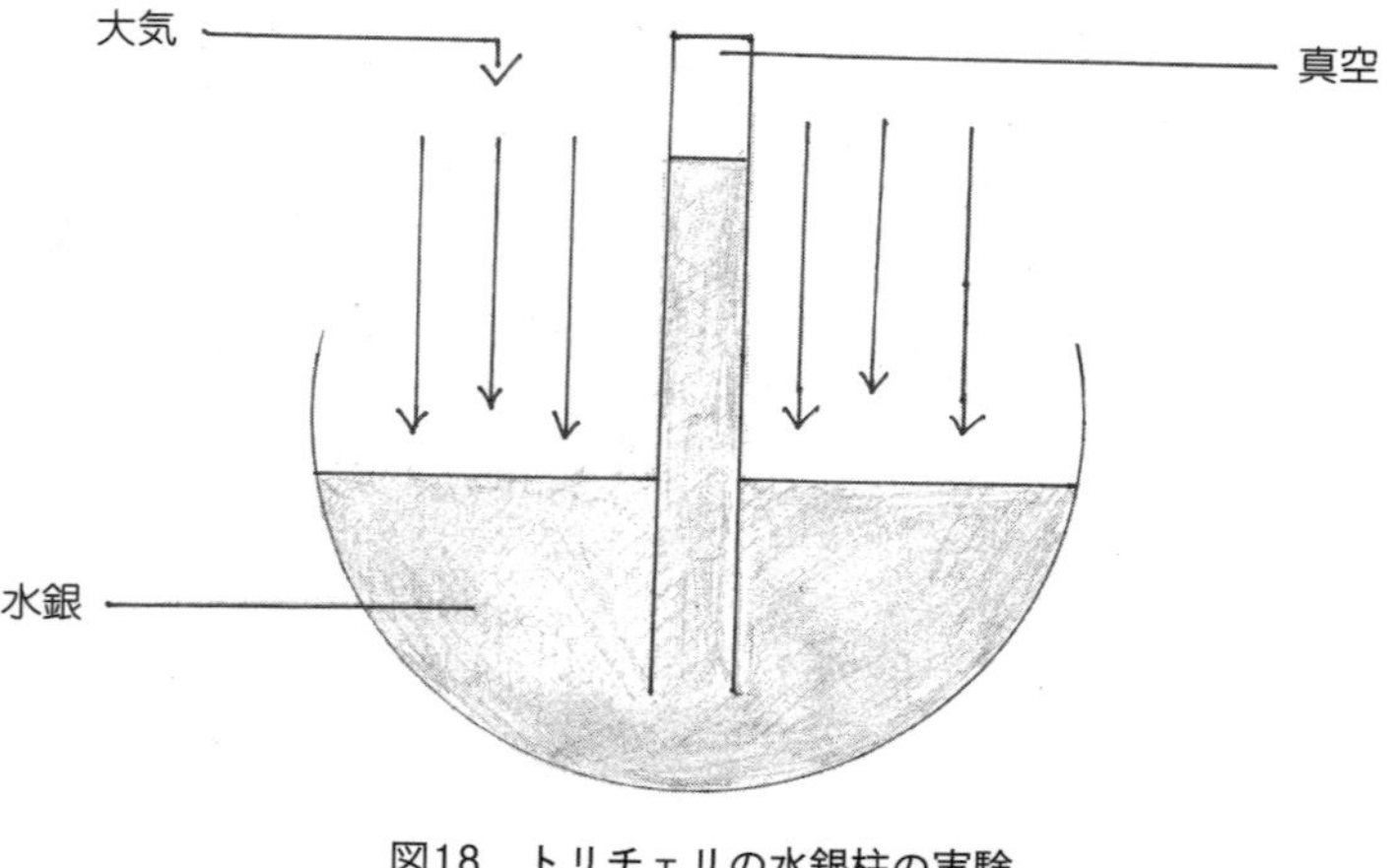

図18　トリチェリの水銀柱の実験

ような大きな容器の中から空気を抜き出すという装置である。そうして真空にした容器の中にボイルとフックがろうそくや時計、昆虫や魚や動物を入れて何が起こるかを観察したのが、一六五四年に見えざる大学で披露された先述の演示実験である。

ボイルがおこなった実験の中でももっとも有名なのは、瓶の底にバルブを介してシリンダーをつなげ、瓶からポンプで空気を抜き出すというものである。バルブを開くとピストンが真空に接し、五〇キログラムほどの錘を吊るしたピストンが空っぽの空間によって引っ張り上げられる（図19）。観衆は「あまりの驚きに」ぽかんと口を開け、「どうしてあんなに重い錘がひとりでに持ち上がるのか見当もつかなかった」。イングランド高等法院の首席裁判官マシュー・ヘイルは、ボイルが生み出したこの「勇ましい無」を褒め称えた。

この実験によってトリチェリとパスカルの実験結果は劇的に裏付けられた。自然はそもそも真空を

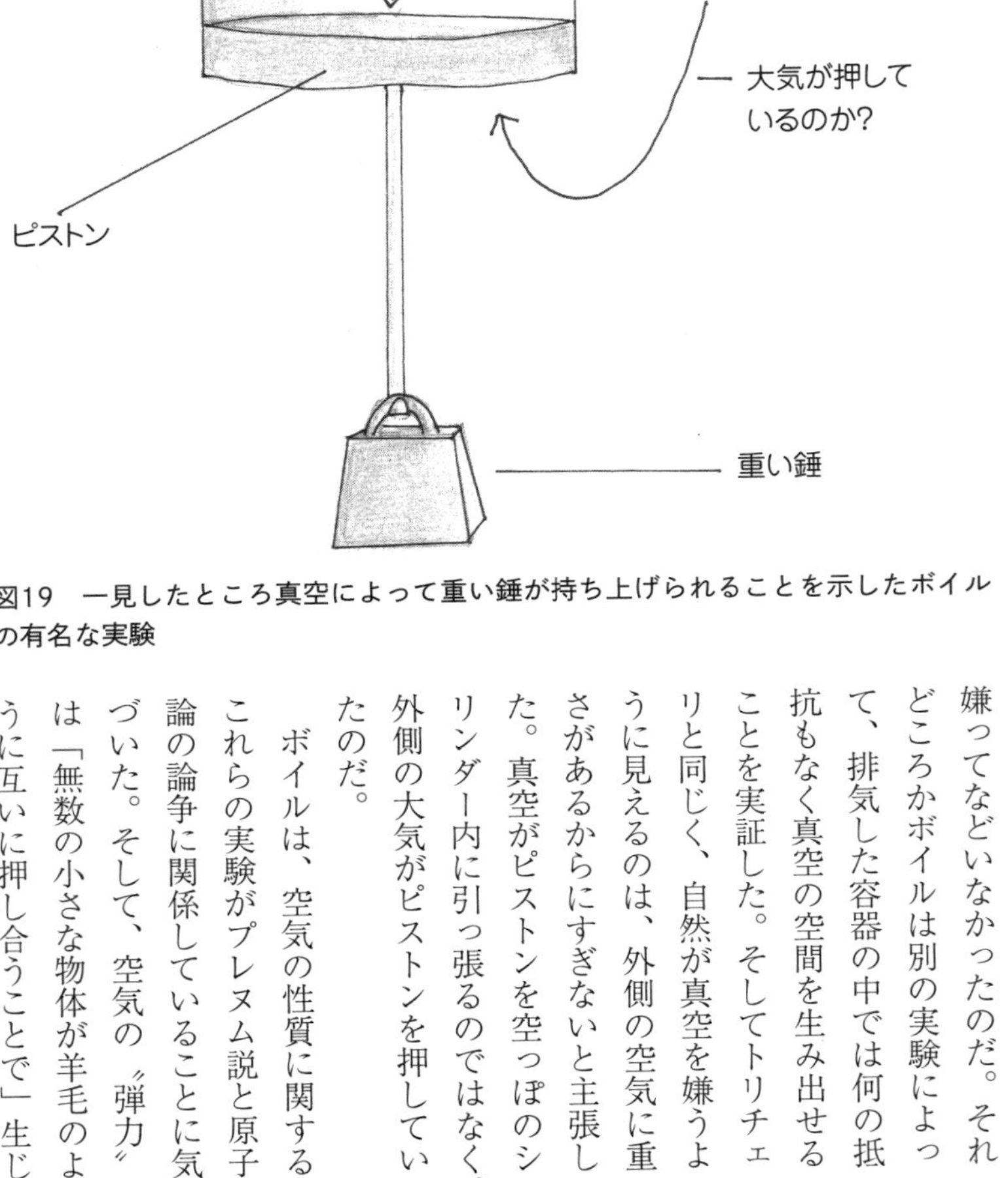

図19　一見したところ真空によって重い錘が持ち上げられることを示したボイルの有名な実験

嫌ってなどいなかったのだ。それどころかボイルは別の実験によって、排気した容器の中では何の抵抗もなく真空の空間を生み出せることを実証した。そしてトリチェリと同じく、自然が真空を嫌うように見えるのは、外側の空気に重さがあるからにすぎないと主張した。真空がピストンを空っぽのシリンダー内に引っ張るのではなく、外側の大気がピストンを押していたのだ。

ボイルは、空気の性質に関するこれらの実験がプレヌム説と原子論の論争に関係していることに気づいた。そして、空気の〝弾力〟は「無数の小さな物体が羊毛のように互いに押し合うことで」生じているのかもしれないと唱えた。静的モデルと違って空気はランダムに動き回る何兆個もの微小な粒子でできており、「動き回る一個一個の微粒子がほかのすべての微粒子をはじき飛ばそうとしている」というのだ。デカルトによる〝渦〟のモデルとかなり似ているが、微粒子どうしのあいだにはプレヌムでなく真空がある。プレヌムはもはや不必要な存在であるとボイルは主張したことになる。

ボイルは真空にしたガラス管を用いたこの実験の結果を、一六六〇年出版の革新的な書物『空気の弾力とその効果に触れた新たな物理機械的実験』の中で説明した。この書物は大評判となった。哲学者のヘンリー・パワーは次のように記している。「このような論文は生まれてこのかた一度も読んだことがない。すべてが非常に興味深く批判的に論じられているし、実験も慎重かつ精確におこなわれ、正直かつ明瞭に述べられている」[17]。ガリレオと同じくボイルも、当時のほとんどの学者が好んで使ったラテン語でなく自国の言葉、この場合は英語でこの本を書いている。また彼の科学的著作は、以前の科学的文書の足枷となっていた哲学的・神学的な思索からも解放されている。さらにボイルの説明は、ガリレオが実験の様子を素っ気なく報告したのと違って細部まで綿密で、ポンプやガラス容器やバルブなどの部品の図も添えられているし、観察結果も丹念に記載されている。このようなボイルの流儀を見えざる大学のメンバーは熱心に支持した。一六六〇年に見えざる大学は正式な組織となり、会員から週に一シリングの会費を徴収するようになった。その一週間後にイングランド王チャールズ二世がこの団体に関心を持って一六六二年に勅許を与えたことで、見えざる大学は王立協会と名を改め、ロバート・ボイルもその創設メンバーに名を連ねた。

しかし誰もがボイルの実験を歓迎したわけではない。ケンブリッジ・プラトン学派のヘンリー・モアはぞっとした。ボイルの「怪物のような」機械論的な科学は、神を否定したホッブズの哲学と同じくらい邪悪で無神論に通じるものだと思ったのだ。一六七一年出版の著作『形而上学便覧』では次のように主張している。「ピストンを引っ張っているのは間違いなく真空である。なぜなら真空には、物質と異なる存在、すなわち霊魂または無形の存在が満ちているからだ。……それは動いたり変化したり、物質を導いたりできる全知の霊魂である」。ピストンをシリンダーの中に引っ張って自然の嫌う真空を塞ごうとするのは、空気の原子でなく、この〝全知の霊魂〟の無形の手であるというのだ。ボイルの実験結果によって証明されたのは、神を排除した物質的メカニズムによってピストンが押されるということではなく、空間全体に広がっている〝自然の魂〟がピストンを引っ張っているということであるとモアは主張した[18]。

このモアの主張を受けてボイルは著作『静水学講話、学識のあるヘンリー・ムーア博士の異論を受けて』の中で、科学のその後の道筋にとってきわめて重要な指摘をおこなった。初めに、モアの言う〝全知の霊魂〟が存在しないことを証明するのは不可能だと認めた上で、次のように主張している。「私が苦労して示したとおり、この現象は機械論的に説明できる。すなわち、自然が真空を嫌うことや実体的形相や無形の生き物に頼らずに、物質の機械論的作用によって説明できる」。つまりボイルは、モアの言う「全知の霊魂」や「自然が真空を嫌うこと」を、それらの非存在を証明することで否定するのでなく、実験事実を説明するのに必要なくなったという理由で否定している。〝全知の霊魂〟は不必要な要素であって、そのため科学から排除すべきだと主張したのだ。まさにオッカムの剃刀である。

良くて優れた仮説を特定するには

ボイルはもともと実験家だったが、モアとの論争によって自説の弁護を強いられ、悪い考えの中から良い考えを選び出すための基準を打ち立てるに至る。その基準はボイルの実験手法と同じくらい大きく現代科学に寄与したと思う。ボイルは「見せかけの理論」の中から「良くて優れた仮説」を選り分ける上で鍵となる一〇の原理を示した。[19] ここではそれらを二つのグループに分けることにしよう（理由はのちほどはっきりする）*。

一つめの原理はおそらくもっとも分かりやすいものだろう。ボイルいわく、良い理論は観察結果に基づいていなければならない。これは要するにベーコンによる帰納的論証法のことを指していて、「すべての人間は死ぬ」といった理論からスタートするかつての演繹的方法とは対極をなしている。しかしボイルは帰納法に頼ったことで、データよりも理論のほうが優先されると主張する〝マームズベリーの怪物〟トマス・ホッブズと衝突する。ボイルとホッブズのこの論争については、サイモン・シェーファーとスティーヴン・シャピンの著した科学社会史の研究書『リ

* ここに挙げる順番はボイルとは異なる。

ヴァイアサンと空気ポンプ』（一九八五）の中で取り上げられている。

ボイルの示した二つめと三つめの原理は、理論は論理にかなっていなければならず、自己矛盾していてはならないというものである。これはもちろん科学の根本的特質だが、科学に限ったことではない。配管工事も調髪も、料理も籠細工も、そして哲学も、論理的であって自己矛盾してはいない。

四つめと五つめの原理は、理論は十分な証拠に基づいていなければならず、優れた理論は「将来起こる出来事をあらかじめ示すことができて、それをもとに、良くできた試験を進めることができなければならない」というものである。つまり、理論に基づいて予測をおこない（「出来事をあらかじめ示す」）、その予測を実験（「良くできた試験」）で確認できなければならないとボイルは説いている。今日ではこの基準を試金石としてほとんどの科学理論の正否が判断されている。二〇世紀の物理学者リチャード・ファインマンは、「いくら美しくて単純な理論でも、そこから正しい予測が導かれなければ間違いだ」と力説している。

以上の原理は確かに重要だが、科学に限ったものではないし、科学を定義するものでもない。法廷でも被告人は証拠に基づいて有罪か無罪かを判断される。料理人も新たな料理を試作して確かめるし、庭師や農夫も庭や畑で新たな種を蒔いて試してみる。紀元前二六〇〇年頃、メイドゥームのピラミッドを設計した古代エジプト人は、よりどころとしていた仮説の「良くできた試験」をおこなったところ、ピラミッドが崩れてしまってその仮説は反証された（図20）。しかしその後のピラミッド設計者は建設に成功して、彼らの仮説は実用的な理論となり、何千年も残

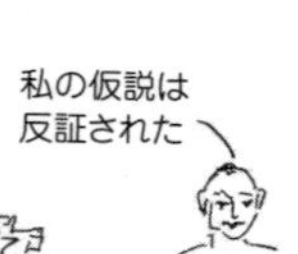
私の仮説は
反証された

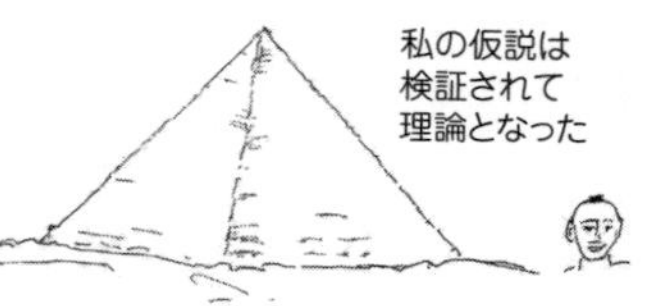
私の仮説は
検証されて
理論となった

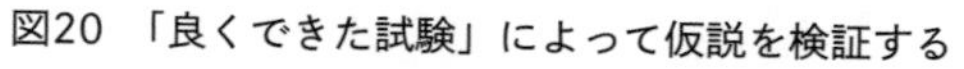
図20　「良くできた試験」によって仮説を検証する

りつづけるギザの大ピラミッドのような構造物の礎となった。農耕や冶金や建築など現代文明を支えるそのほかの営みの原理も同じように、論理と観察、理論と数えきれない「良くできた試験」を組み合わせることで導き出され、何千年もかけて改良されてきたのだ。

しかしおそらくもっとも重要な点は、上記のいずれの原理でも科学を確実に進歩させるには十分でないことである。たとえば一六〇〇年頃の天文学者が、プトレマイオス、コペルニクス、ティコ・ブラーエの太陽系モデルの中からどれか一つを選ぼうとしているとしよう。いずれのモデルも論理的で数学的な原理や理論に基づいているし、天文観測結果とかなり合致して、度重なる「良くできた試験」をかいくぐっている。ではどうやって選べばいいのか？

幸いにも、中世の世界で磨き上げられたある論証の道具がルネサンスや宗教改革をかいくぐり、一七世紀の科学革命において重要な役割を果たした。その道具とは単純さである。ボイルは良くて優れた理論の次なる判断基準である六番目の原理を示す際に、「真なる哲学者の営みの大部分は、物事の真の原理を不十分にならない最小の数にまで減らすことに充てられている」と記している。「真なる哲学者」が誰なのかは述べていないが、別の一節の中に「仮説に関して一般的に認められている規則、すなわち

『要素を不必要に増やしてはならない』」という記述がある。[20] オッカムの剃刀のことを指しているのは明らかだ。

ボイルの示した残りの判断基準はいずれも、何らかの方法で単純な答えを探すためのものだ。七番目の原理は、「仮説を組み立てる際には第一に、はっきりと理解できるものに注目しなければならない」というものである。理解可能な理論はおおむね単純であるし、逆に錬金術など複雑な理論は、できるだけ単純な言葉で説明しようとすると間違いがあらわになってくる。デカルトも同じようなことを指摘していて、「道理のみに照らして浮かび上がってきた概念は、演繹そのものよりも単純で、より確実である」と説いている。[21]

ボイルの示した八番目の原理は、独自の剃刀を備えている。良い理論は「何も前提としていない」という原理である。これは王立協会の「言葉によらず」というモットーを事実上言い換えたもので、嚙み砕くと「誰の言葉も鵜呑みにするな」となる。要するにボイルはここで、科学者は誰かの独断的な主張でなく、確立された事実のみからなるもっとも単純な根拠に基づいて理論を構築すべきだと唱えている。

ボイルが九番目に示した単純さの原理は、良い理論は「この宇宙における既知のいかなる現象とも矛盾していてはならない」というものである。ここで注目すべきは、新たな理論が既存の理論と矛盾していてはならないと主張しているのではないことである。「科学者は何も前提としてはならない」という原理がすでにあるので、新たな理論が既存の理論と矛盾してもいっこうにかまわない。矛盾していてはならないのは既存の理論でなく、「現象」つまり事実である。この原則がオッカムの剃刀の一面であることは一見しただけでは分からないが、「この宇宙ではいくつの法則群が作用しているか」という疑問を考えてみればはっきりしてくる。ほとんどの科学者は単純さを根拠に、たった一つだと言い張るだろう。しかしそのように信じられるようになったのは比較的最近のことである。たとえばアリストテレスや中世のアリストテレス信奉者のほとんどは、天体の従う法則と地上の物体を支配する法則は異なると信じていた。錬金術師も、実験室で作用する神秘的な原理はキッチンでは通用しないと信じていた。霊媒師や占星術師やホメオパシー医も、物理法則は否定しないものの、呪文を唱えたり秘薬を作ったり予言をおこなったりするときにはそれと異なる法則が働くと主張している。ボイルの示したこの九番目の原理は、自己矛盾してはいないがこの世界の何らかの事実と矛盾している膨大な代替理論をはねつける盾となっている。ボイルは、この宇宙全体にはもっとも単純なたった一つの法則群が通用すると主張しているのだ。まさにオッカムの剃刀である。

ボイルが示した最後の一〇番目の原理は、「あらゆる良い理論の中でもっとも単純なものでなければならず、少なくとも不必要な事柄をいっさい含んでいてはならない」というものである。これが神秘主義的な「見せかけの理論」から「良くて優れている科学理論」を選び出すための最後の武器で、それもまたオッカムの剃刀にほかならない。ボイルはウィリアムと同じく、科学者はデータに合致する理論の中でもっとも単純なものを選ぶべきであると主張していることになる。

ボイルの示した単純さに基づく判断基準は王立協会の推進する科学に取り入れられ、そこから現代科学の手法に組み込まれた。今日もなお通用しているが、それを提唱した人物が評価されることはめったにないし、誰が提唱したかもほとんど知られていない。誰か科学者に、「データを十分に説明できる単純な理論があってもわざわざ複雑な理論を支持するか」と問いただしたとしよう。その科学者は一瞬考えてから、「そのデータとはあらゆるデータという意味か」などと質問し返してくるかもしれない。そこで「そうだ、入手できるすべてのデータのことだ」と答えさえすれば、「すべてのデータを説明できるもっとも単純な理論を必ず選ぶ」と認めるだろう。それが科学というもので、この世界に関するそれ以外の論法はいずれもそうではない。科学はたくさんの道具箱を備えているが、剃刀は一本だけなのだ。

一六六二年にボイルはこれらの原理を駆使して現代科学初の法則を導き出した。良くて優れた仮説は信用できる観察結果に基づいていなければならないという第一の原理に従って、トリチェリの実験と同様、水銀柱の下に閉じ込めた気体（空気）の体積を測定する一連の実験をおこなってみた。すると、水銀柱の高さが高くなるほどその気体の体積が小さくなることが分かった。そうして何百回も観察をおこなった末に帰納法の原理を用いることで、良くて優れた仮説に関する一〇番目の原理、すなわち「あらゆる良い理論の中でもっとも単純なものでなければならず、少なくとも不必要なあらゆる事柄を含んでいてはならない」という原理にかなう法則を突き止めた。その気体の法則は、温度が一定であれば気体の体積は圧力に反比例するというものである。*これ以上に単純なものが考えられるだろうか？

それから一〇〇年あまりのちに気体の法則があと二つ発見された。一七八七年にフランス人の気球乗りジャック・シャルルが、圧力が一定であれば気体の体積は温度に比例することを発見した。そしてこの法則とボイルの法則を組み合わせて、気体を加熱すれば密度を下げられるはずだと考えた。それを踏まえて一七八三年八月二七日にパリで、現在エッフェル塔の立っている場所から水素気球を飛ばした。気球は市街地を抜けて郊外まで飛んでいき、馬に乗った人たちが追跡した。最終的に野原に着陸したが、驚いた小作人がナイフや三つ叉(みつまた)で破いてしまった。それから二〇年後にフランス人化学者のジョゼフ・ルイ・ゲイ＝リュサックが三つめの気体の法則を発見し、体積が一定であれば気体の圧力は温度に比例することを明らかにした。

いずれの気体の法則も退屈なくらいに単純だが、それでもそれらを組み合わせることで、ボイルの空気銃から飛び出す銃弾、気圧計の作用、ライフルの発射、やかんから跳ねる蓋、自動車のタイヤ圧、巨大ガス惑星の動的振る舞い、さらには恒星の進化や我々の太陽の運命など、無数の事実を説明できる。また水蒸気の振る舞いを説明することで、蒸気機関を動力とする産業革命の礎ともなった。

一六六八年、ロバート・ボイルは四一歳でオックスフォードからロンドンへ移り住み、それから世を去るまでパルマル街で最愛の姉キャサリンとともに暮らした。二軒隣にはイングランド王チャールズ二世の愛人ネル・グウィンが住んでいた。キャサリンは弟ロバートが実験を続けられるよう、ロバート・フックを雇って自宅の裏に実験室を建てさせた。そして一六九一年一二月二

* さらに単純化して、$P_1V_1 = P_2V_2$という等式で表現することもできる。これはつまり、気体の圧力（P）と体積（V）の積は状況1と状況2とで一定で、一方が大きくなればもう一方が小さくなるという意味である。

三日に世を去った。ボイルは「姉の死を嘆き悲しむあまり痙攣の発作を起こし」、姉の後を追うようにその約一週間後に息を引き取った。[22] 二人の暮らした家は一九五〇年に取り壊され、いまではその場所には銀行が建っている。隣家の扉には、「この場所に建っていた家にネル・グウィンが一六七一年から一六八七年まで暮らしていた」と記された青い銘板が取り付けられている。しかし、真空から霊魂を追い出してこの世界をもっと単純にした隣人を記念するものは、パルマル街にはいっさい残されていない。

ロバート・ボイルは現代の実験科学の原理が確立される上で大きな役割を果たし、オッカムの剃刀の適用範囲を物質の内部にまで押し広げた。ボイルが単純さに基づく取捨選択の必要性を訴えたことで、オッカムの剃刀は科学に欠かせない道具となった。しかしコペルニクスやケプラー、ガリレオやボイルらが単純にしたとはいうものの、一七世紀の科学的知識はいまだあまりにも複雑だった。とくに、天界と地上という二つの領域は別々の法則に支配されていた。次なる難題は、宇宙全体に通用するたった一つの法則群を見つけることである。

第11章　運動の概念

三人の科学者が喫茶店に入る

一六八四年一月二四日月曜日の晩、テムズ川北岸にあるグレシャム・カレッジで開かれた王立協会の会合を終え、ロバート・フックは同じく会員のエドムンド・ハレーとクリストファー・レンを連れて近くの喫茶店（コーヒー・ハウス）に入った。

フックとボイルがオックスフォードで見えざる大学のメンバーに画期的な真空実験を披露してから、三〇年の歳月が過ぎていた。その間にフックは王立協会の実験企画者となり、毛細管圧の存在を証明したり、独自の顕微鏡を組み立てて微生物が驚くほど多様であることを発見したりと、数多くの画期的な実験をおこなった。フックと一緒に喫茶店に入った二人の科学者も同じくらい高名である。五二歳の数学者・解剖学者・天文学者・幾何学者であるクリストファー・レンは、ボイルと同じく王立協会の創設メンバーだった。一六六六年の大火でロンドンの大部分が焼失したのを受けて測量官に任命されたロバート・フックは、子供の頃からの友人であるクリストファー・レンに、荘厳なセントポール大聖堂を含む街の再建を手伝わせた。わずか二八歳のハレーは三人の中で最年少だったが、それでもイングランド一の天才との評価をすでに得ていた。早くもオックスフォード大学の学生時代に、月や太陽黒点に関する論文を何本も発表していた。一六七六年には大学を辞めて南大西洋のセントヘレナ島に渡り、日食や月食を観測したり南天の星表を作成したりした。また一六七七年一一月七日、ケプラーの法則から予測されたとおりの日に金星の太陽面通過を初めて観察した。

このような錚々たる三人が集った喫茶店の名前は残念ながら記録に残されていないが、考えられるのは、いずれもグレシャム・カレッジに近くてロバート・フックが足繁く通っていた、タークズ・ヘッド・オン・エクスチェンジ・アレイ、またはジョーズ、またはザ・ヴァルチャーといったところである。[1] 日刊紙が登場する以前の時代で、彼らはたばこの煙と、煎ったコーヒーやチョコレートや汗の臭いが混じった店の入口をくぐりながら、「やぁみんな、今日はどんなニュースがあるかい」と大声で挨拶するのが常だった。とくにフックはロンドンじゅうの喫茶店の常連と深い付き合いで、店の中でさまざまな実験までおこなっていた。たとえばギャロウェイズという店では天井から床に銃弾を落下させて、地球が自転していることが証明されたと言い張ったりした。店に入ると、パンフレットやちらしや歌詞カード、何本かのろうそく、そしてときにはたんつぼが雑然と置かれた長方形の木製テーブルを、かつら（一六六〇年の王政復古以来流行っていた）をつけた身なりの良い男たちが何重にも取り囲んで座っているものだった。彼らは外国の最新ニュースや、ロンドンの法曹学院で最近開かれた裁判の話、あるいは、ロバート・ボイルの隣人ネル・グウィンが産んだ婚外子に国王が称号を授けたといった地元のゴシップについて、大声でにぎやかに議論しあっていた。

有名人であるフックが店に入ってくると群衆は場所を空け、王立協会でおこなわれた奇妙な実験や報告された新しい科学の話をしにきたものと胸を躍らせた。しかしこのとき三人の学者は人だかりを避け、話し合うために物静かな一角を探した。席に着くと給仕が、一人一ペンスでおかわり自由の淹れたてのホットコーヒーを運んできた。

青年時代にハレーはセントヘレナ島で天文観測をしたことがきっかけで天文学に取り憑かれ、惑星運動に関する数々の未解決の謎を解決してやろうと心に決めた。中でも最大の謎だったのが惑星軌道の形である。五四年前に世を去ったヨハネス・ケプラーは、惑星運動の三法則と楕円軌道を後世に遺していた。ケプラーの三法則は有効に機能したものの、それらを何らかのもっと深遠な法則から導き出して、惑星が太陽の周りを公転する理由や楕円軌道を描く理由を説明するという意味では、ケプラーをはじめ誰一人それらの法則を理解してはいなかった。しかもケプラーの三法則は、めったに変化が起こらない天界にしか通用しない。地上では変化は日常茶飯事だ。地上の世界を科学に取り込むには、変化の原因を組み込む必要があった。

ハレーはまた、一定の速さと方向で運動している物体がそのままの運動を続ける理由を説明する、ガリレオの慣性の法則についても深く考察した。しかしその法則では直線運動しか説明できない。方向を変えたり軌道運動をしたりするには、そこに何かが加えられる必要がある。ケプラーは、惑星は「太陽に留められている何らかの力」によって、直線上を運動するという自然の傾向から外れていくのだろうと見当だけは付けたものの、その考えを膨らませることはなかった。喫茶店での集いの二五年前にはオランダ人天文学者のクリスティアーン・ホイヘンスが、少なくとも原理的には天体を円運動させつづけられる向心力の方程式を導き出していた。そしてハレーを含む何人かの科学者は、その方程式とケプラーの第三法則を組み合わせることで、ホイヘンスの唱えた向心力の強さが太陽から惑星までの距離の二乗に反比例することに気づいていた。今日で言うところの逆二乗則である。しかしハレーは、太陽が惑星におよぼす作用に逆二乗則を当てはめることでケプラーの言う楕円軌道が実現するのかどうか、考えあぐねていた。

するとロバート・フックが、自分はすでにその答えを知っていると言う。ところが友人たちからもっと詳しく説明してくれと迫られると話をはぐらかし、まずは君たち自身で解いてみて、それがどれほど難しくて最終的な答えがどれほど巧妙かを感じ取ってみろと突っぱねる始末だった。そこでレンが片を付けようと、二人のうち納得できる証明を導き出したほうに褒美として四〇シリングもする本を贈ろうではないかと持ちかけた。

月日は過ぎていったが、二人ともその褒美をくれとは言い出さなかった。すると一六八四年三月、エドムンド・ハレーのもとに、父親がイズリントンの自宅から姿を消したという知らせが届く。そして五週間後、ロンドン東部の川辺に打ち上げられた父親の遺体が発見された。殺害されたのは間違いない。父親が遺言を残していなかったため、ハレーは何か月ものあいだ法廷闘争に関わらざるをえなくなり、一六八四年八月にしかたなくケンブリッジ近郊のアルコンベリーに移り住んだ。そうしてその近郊の町の大学を訪ね、レンの挑戦に手を貸してくれそうな一人の聡明な学者と会う機会を手にする。

法則を作る者

若きロバート・ボイルが老ガリレオに会おうとイタリアを訪れた一年後の一六四三年一月四日、リンカンシャー州のウールスソープ荘園で一人の赤ん坊が生まれた。病弱で身体が小さく、一クォート〔約一・一リットル〕のジョッキにすっぽり収まってしまうほどだったが、何とか生き延びた。

その赤ん坊アイザック・ニュートンは難産だった上に、成長してからもけっして楽な人生ではなかった。アイザックが生まれる三か月前に母親のハンナ・アスキューは夫を亡くし、その三年後に再婚してアイザックの面倒を自分の母親に任せてしまう。アイザックは母親と継父の両方とそりが合わずにひとりぼっちで育ち、周囲からは心を閉ざしていて怒りっぽい子供だと受け止められた。グランサムのキングズ・スクールでケンブリッジ・プラトン学派のヘンリー・モアから教育を受けたのち、一六六一年に一八歳でケンブリッジ大学トリニティー・カレッジに入学する。そしてルーカス記念数学教授のアイザック・バロー（一六三〇―七七）に数学の天才と認められ、かわいがられるようになる。モアと同じく新プラトン主義者で人文主義者であるバローは、ニュートンに神秘主義と錬金術に対する生涯の興味も植え付けた。一六六七年にニュートンは二四歳でトリニティー・カレッジの特別研究員に選ばれ、一六六九年にバローが教授の座を退くとその後継者に抜擢された。教授となったことで、幾何学、算術、天文学、地理学、光学、統計学、またはいくつかの数学の科目のうちのいずれかを少なくとも週に一度は講義しなければならなくなった。ニュートンは光学を教えることを選んだが、かなり退屈な講義だったようで、空っぽの席に向かって話すことも多かった。

ハレーはそんなニュートンと何時間か話をしたのちに、逆二乗則に従う太陽の力によって軌道上に留まる惑星はどんな曲線を描くと思うかと質問してみた。するとニュートンはためらいもせずに、楕円であるときっぱり答えた。あっけにとられたハレーが証明を教えてくれと頼むと、ニュートンは引き出しを少々かき回した上で、ノートが見つからないのであとで送ろうと約束した。ロンドンに戻る道すがらハレーは、きっとその証明もフックと同じくらいあいまいなのだろうと思った。しかし実はニュートンは、一六七九年一二月にロバート・フックから一通の手紙を受け取ったときにすでに、逆二乗則から楕円軌道が導き出されるのではないかと考えはじめていたらしい。[2]そして一六八四年一一月、ハレーのもとに『軌道上の天体の運動について』という全九ページの論文が届く。

それを読んだハレーは、ニュートンが書いたこの論文にまったく新たな力学の片鱗が示されていることを知って腰を抜かした。運動そのものを記述するだけでなく、運動の原因も数学的に定義されていたのだ。そこでハレーはケンブリッジに取って返し、必ず王立協会で出版するから本を書いてくれとニュートンを説きつけた。しかし残念ながら、そのニュートンの著作『自然哲学の数学的諸原理』(今日では『プリンキピア』の名で広く知られる)が書き上がった頃、王立協会は魚に関する本の売り上げが不調で印刷経費が底をついていた。そこで一六八七年にハレー自身がこの本の出版費用を負担し、科学史上もっとも重要ともいわれる書物が世に出ることとなる。『プリンキピア』の肝は数学的に記述された運動の三法則で、それらが組み合わさって古典力学の基礎をなしている。ニュートンの革新的な第一歩は、運動の変化の原因を〝力〟という包括的な概念によって数学的に表現したことである。ニュートンの第一法則によると、静止しているかまたは一定速度で運動している物体は、力を受けない限り同じ状態を取りつづける。ニュートンの法則では、力が運動の変化を引き起こす。そして何よりも重要な点として、その力は天界の物体と同じく地上の物体にも作用する。

では力とは何か? ジャン・ビュリダンがインペトゥスを〝質量と速度の積〟として定義したことを思い出してほしい。ニュートンも第二法則でそれと同様に、ただし速度を加速度(運動の変化の程度)に置き換えて力を定義した。そうして力は〝質量と加速度の積〟となった。こうすることで、物体は力を受けなくても同じ速度で運動しつづける(または静止しつづける)ことになり、ガリレオの慣性の法則と辻褄が合う。力が必要となるのは、矢が弓から離れるときなど、運動が変化するときだけだ。

注目すべき点として、ニュートンは力が実際に何であるかを説明しようとはしておらず、力がどのように作用するかを記述したにすぎない。物体の運動が変化する、たとえば加速したり減速したり運動方向が変わったりするとき、その物体には第二法則で示されたとおりの力が作用している。しかし何らかの方法でその力の強さが分かれば、第二法則の方程式を変形することで、その物体がどれだけの加速度を持つかを計算できる。その加速度は、加えられた力を物体の質量で割った値に等しくなる。

ニュートンの運動の第三法則は、すべての作用に対して、それと大きさが等しい逆向きの反作用が生じるというものである。弓の弦が矢に力を加えて矢を加速させると、矢もそれと大きさが等しい逆向きの力を弓と射手に加える。要するに反動である。

ニュートンの運動の三法則によって地上での運動の原因は力として数学的に定義されたが、そもそも『プリンキピア』は惑星の楕円軌道に関するハレーのあの疑問を受けて書かれたのだった。それに答えるためにニュートンは、自らが編み出した力学を天空に当てはめて次のように推論した。惑星は太陽の周りを公転しながら運動方向を変化させている、つまり加速度を持っているのだから、何らかの力を受けているはずだ。その力はかつてケプラーがにらんだとおり、太陽から発せられているに違いない。もしもその力が惑星の質量と太陽の質量の積に比例して、さらにホイヘンスの示した向心力と同じく、太陽から惑星までの距離の二乗に反比例するとしたら、その結果はケプラーの示した楕円軌道と合致する。[*] すなわちニュートンの万有引力の法則によれば、二つの物体のあいだに作用する重力は、万有引力定数Gと呼ばれる定数と、それらの物体の質量[†]の積とを掛け合わせて、二つの物体間の距離の二乗で割ったものに等しくなる。

もしもニュートンがここで立ち止まっていたとしても、コペルニクスやケプラーやガリレオと肩を並べる科学の巨人になっていたことだろう。しかし実際にはさらに革新的な一歩を踏み出して、史上最高の物理学者、さらには史上最高の科学者と称賛されることとなる。地上の物体、たとえばリンゴが落下すると、ガリレオが実証したとおりその物体は加速することにニュートンは着目した。そしてこの事実と自らの第一法則を組み合わせることで、落下する地上の物体には、地球とその物体とのあいだに作用する力が働いているに違いないと結論づけた。さらに注目すべきことに、もしもその力の強さが、天界に当てはめたのと同じ万有引力定数Gと二つの物体の質量の積とを掛け合わせて二つの物体間の距離の二乗で割った値に等しいとすれば、その物体の落下軌道を正確に表現できることを見出した。こうして、惑星の軌道を曲げる力である重力が地上でも作用してリンゴを木から落としているという、革新的な結論に至った。

ニュートンによってついに、地上での運動と天界での運動がたった一つの法則群のもとに統一されたのだ。リンゴを放り投げるとその軌道は、ガリレオやニュートンの法則のとおり放物線になる。ここで放物線は楕円と同じく円錐曲線の一種であることを思い出してほしい（P193図14）。ロケットの力でリンゴを打ち出したら、月のように地球の周りを回る楕円軌道に入って天界の物体になるだろう。地上と天界は一つの宇宙のそれぞれ異なる部分にすぎず、その宇宙全体

* 厳密に言うとニュートンはそう考えたのではない。実は『プリンキピア』の中でハレーの疑問とは逆の命題、つまり、楕円軌道上を運動している惑星は、太陽からの距離の二乗に反比例する強さの向心力の影響を受けていなければならないということを証明した。

† 質量は物体が加速に抵抗する程度と定義され、重力や重さとは独立した概念である。おおざっぱに言うと、物体に含まれている物質の量に相当する。

はニュートンの示したたった一つの法則群に支配されていたのだ。

数十年前のボイルと同じくニュートンも『プリンキピア』の中で、自身の革新的な科学の道しるべとなった原理について述べている。ニュートンが示した「哲学における推論規則」[3]の第一則は、「自然現象の原因として認めるべきは、真であって、かつその自然現象を説明する上で十分なものに限られる」というものである。まさにオッカムの剃刀だ。別の一節では、「自然は単純さを好み、見せかけの不必要な原因を好まない」と述べている。一三世紀に生まれたオッカムの剃刀は〝新しい道〟を通ってレオナルド、コペルニクス、ケプラー、ガリレオ、ボイルへと引き継がれていき、ここに来てニュートンの手に渡って現代科学の中心原理の一つとなったといえる。

しかしニュートンの単純な法則にも代償が伴っていた。新たな要素を三つも導入しなければならなかったのだ。第一に、重力などの力は数学的に定義することはできたものの、ビュリダンのインペトゥスと同じく真に理解できたとはいえなかった。ニュートンは力を押したり引いたりするものととらえ、押すものや引っ張るものが物体に接触することで力が伝わると考えていた。これはアリストテレスの運動の概念にかなり近いといえる。ところが重力はこの定義に真っ向から反しており、太陽から空っぽの空間を何億キロも伝わっていって惑星を公転させている。どうやって？　ニュートンには見当もつかなかった。

法則とは何か

話はビュリダンのインペトゥスへと戻ってくる。前のほうで、もしもビュリダンが〝インペトゥス〟の代わりに天使の存在を仮定していたら何か違いがあっただろうかと問いかけた。同じことがニュートンの説いた重力、あるいは力についても言えるだろう。重力や力でなく天使が惑星や投射体を押しているということはありえないのだろうか？　もしそうだとして何か違いがあるだろうか？　ある意味、何も違いはない。ただしその天使はニュートンの『プリンキピア』を一冊持っていて、惑星や投射体がニュートンの法則で定められた軌道上を運動しつづけるよう手を尽くしていなければならない。しかしその天使にルールブックが必要だとしたら、ルールブックだけを残して天使を追い出してしまってもかまわないのではないか？　ビュリダンの天使もニュートンの法則の天使も、不必要な存在であって排除すべきなのだ。

しかし天使をお払い箱に入れたとしても、そのルールブックはこの宇宙のどこに収められているのかという疑問が残ってしまう。ニュートンは、自分の発見した法則は神の筆跡で書かれていて、キリスト教に組み込まれた形相や普遍と同じくそのルールブックは天国に収められていると信じていた。ところがニュートンの四〇〇年近く前にオッカムのウィリアムは、「この宇宙に現実に存在する部分と真に異なる宇宙の階層など存在しない」と主張していた。[4] 多くの人は力や重力を、物体を押したり引いたりする目に見えない存在で、「この宇宙に現実に存在する部分とは異なる」ものだとイメージしている。しかしウィリアムは、物理的物体そのものでなく物体どうしの関係を表すそのような言葉は〝フィクタ〟、つまりいまで言うところの〝虚像〟や〝観念〟にすぎないと主張した。ニュートンの挙げた力のうちの少なくとも一つはまさにそのとおりなのだ。

ニュートンの法則では、二つの物体の質量を掛け合わせてそれらの物体間の距離の二乗で割れば、それらの物体どうしを引き寄せる重力の強さが得られるのだった。したがって、質量が大きいほど重力は強くなる。しかしそれはどこかおかしいのではないだろうか？　ガリレオは、アリストテレスの説と違って物体は質量にかかわらず同じ速さで落下することを証明したというのに。

この謎はニュートン力学の枠組みの中で解決できる。別の物体の重力を受けた物体の加速度を計算するには、ニュートンの第二法則に基づいて、作用している力の強さをその物体の質量で割ればいい。したがって、まずはその質量を掛けて力を求め、次にその同じ質量で割れば、その力による加速度が計算される。質量が乗数にも除数にもなるので、互いに打ち消し合ってしまう。すると重力による加速の計算式から質量が完全に消え、物体は質量にかかわらず同じ速さで落下するというガリレオの観察した事実と辻褄が合う。

確かにこれでうまくいくが、少々怪しいと思わないだろうか？　ウィリアムもこれを見たらきっと、「そもそも重力の方程式に質量が入ってくるのはなぜなのか」などと問い詰めてきたはずだ。しかしその方程式から質量を省いたら、重力はニュートンの言う力のようには振る舞わなくなってしまう。では重力とは何なのか？　三〇〇年後にもう一人の偉大な物理学者アルベルト・アインシュタインがまさにこの疑問について考察し、重力に対するまったく異なる解釈を思いつくこととなる。

しかしニュートンの宇宙像には、打ち消し合うことのない要素があと二つ含まれていた。絶対空間と絶対時間である。この両方がなぜ必要かは、次のような疑問を考えてみればよく分かる。もしもこの宇宙に空間や時間を測るための基準となる枠組みがなかったら、加速度という概念ははたして意味を持つだろうか？　例として、ガリレオの思い浮かべたあの船が突然嵐に遭って傾き、甲板下の調理室の鍋やフライパンがあちこちに投げ出されたとしよう。その一つ一つの物体に作用する力は、その質量と、船室の壁やほかの物体に対する加速度を測定することで計算できる。しかしここで、まわりのあらゆる物体、つまり船や海、さらには地球や太陽、月や恒星までもを取り去って、空っぽの空間の中でたった一個の鍋が加速しているとイメージしてみよう。すると基準点がないのだから、その物体が加速していて力を受けているかどうか分かるはずがない。前に述べたようにオッカムのウィリアムは、一つの部屋に二脚の椅子があっても、同じく二脚の椅子を備えた隣の部屋との壁を壊してしまえば椅子は四脚になるのだから、二という数のような量は実在物（普遍）ではありえないと論じたのだった。それと同じように力も、ガリレオの思い浮かべた船の壁を壊したら、実在物としては消えてしまうのではないだろうか？

では力とはいったい何なのか？　四〇〇年前にオッカムのウィリアムは次のように記している。

自然の科学が扱うのは、生まれたり死んだりするものでもないし、自然の存在でもないし、動き回っているのが見えるようなものでもない。……正しく言うと、自然の科学が扱うのは、そのようなものに共通していて、多くの言明においてそのようなものにぴたりと当てはまる精神の想念にほかならない。[5]

一四世紀にしては途方もない発言だが、ここでウィリアムが言わんとしたのは、科学ではモデルのみを扱うということだと思う。当時のインペトゥスや、ニュートンの時代の力などといった概念は、我々がこの世界に関する予測（「言明」）をおこなうためにモデルに組み込む心的な構成概念（「精神の想念」）にほかならない（「多くの言明においてぴたりと当てはまる」）。それらの要素がこの世界のどこかに存在することを否定しているわけではない。しかしウィリアムは、科学で扱うのはそれらの要素そのものではなく、モデルを使ってそれらの要素について述べることのできる言明だけであると主張していることになる。せいぜい望めるのは、それらの言明が、同じモデルから導き出される別の言明、たとえば実験結果を記述する言明と辻褄が合うことまでである。それらの言明が互いに辻褄が合っていれば、そのモデルはこの世界に関する首尾一貫したモデルとなる。それが科学にほかならない。しかしそのモデルが正しいとまでは言い切れず、間違っていることがいまだ証明されていないというだけだ。我々の科学モデルの存在する場所は、アリストテレスの主張と違ってこの世界の中でもなければ、プラトンの説と違ってどこか神秘的な領域でもなく、ウィリアムいわく我々の頭の中である。この世界のどこかに実際に存在する究極の現実はけっして我々の手の届かないところにあって、ウィリアムの言う全能の神と同じく不可知なのだ。

オッカムの剃刀が科学に果たす役割にとってモデルは欠かせないものなので、その本質についてはのちほど立ち返ることにしよう。ここではさしあたり、ニュートンの万有引力の法則が、宇宙のすべての物体に通用するという意味で〝普遍的〟なものとして表されていることに注目しておけば差し支えない。この言葉はニュートンの力学の法則には当てはまらず、それはのちほど述べるとおり、物質の最小のスケールになるといっさい役に立たなくなってしまうからだ。しかし惑星、リンゴ、素粒子のうち真ん中のレベルでは、オッカムの剃刀を携えたニュートンの法則がとてつもなく役に立ち、我々の世界を一変させるほとんどの技術の礎となった。

第12章　運動を利用する

伯爵と大砲

ニュートンの死からおよそ七〇年後の一七九八年一月二五日、ランフォード伯爵の著した論文『摩擦によって引き起こされた熱の源に関する実験的探究』が王立協会で読み上げられた。その論文で報告されたのは、大砲から砲弾や火薬を入れるための砲身をくりぬくという実験である。中の詰まった金属に穴を開けるには、もちろんかなりの量の力学的な力が必要だ。ランフォードはその力を与えるために荷車用の馬を二頭使った。その馬を回転盤につないで円形のコースを歩かせることで、回転盤を一分あたり三二回のスピードで回転させた。回転盤は砲身に縛りつけられていて、水槽に沈めて固定した鋼鉄製のドリルの刃に対して砲身の端が回転して削れていくようになっていた。おそらく軍服のズボンとベスト、首巻きと膝丈のコートと三角帽といういでたちのランフォードが見つめていると、くりぬかれていく大砲から大量の熱が発生して二時間もせずに水が沸騰しはじめ、伯爵を除く見物人たちは仰天した。「火もないのにこれほど大量の冷水が温まって実際に沸騰するのを目にした見物人が表情に出した驚きを形容するのは、おそらく難しいだろう」とランフォードは報告している。伯爵は熱が運動と関係していることを実証したのだ。

熱とは何か

ランフォード伯爵、本名ベンジャミン・トンプソンは一七五三年、アメリカ・マサチューセッツのボストンの北にあるウォーバーンという小さな町でつましい農家に生まれた。メイフラワー号がニューイングランドに到着してから一三〇年しか経っていなかったが、ボストンなどの入植地はすでに独立した経済的中心地へと発展していた。トンプソンは織物商人や医師に弟子入りしたが芽が出ず、学校教師の職に就いた。しかし一九歳のとき、ボストン一裕福な女性である三二歳の寡婦サラ・ロルフと結婚したことで、社会の階梯を一足飛びに登った。サラはニューハンプシャーにあるランフォードという町の土地と地所を相続していたのだ。そんなサラと結婚したことでトンプソンは豪農としての暮らしを手に入れ、まもなくしてニューハンプシャーの軍の少佐に任命される。しかし一七七五年にアメリカ独立戦争が勃発すると、妻と幼い娘を捨ててイギリスのスパイとなった。そしてボストンが陥落するとロンドンへ渡り、アメリカ独立戦争を戦うイギリス軍の新兵勧誘と装備調達を担う顧問として身を立てた。

トンプソンはイギリスのために働く中で軍事工学に関心を抱くようになり、独自の実験を考案したことが評価されて一七七九年に王立協会の正会員に選出された。しかしフランスのスパイと訴えられ、研究を中断してヨーロッパ大陸に逃亡する。そしてミュンヘンでバイエルン選帝侯の顧問の地位に就き、野外炊事用具や持ち運び式ボイラー、圧力鍋を発明した。たいそう喜んだ選帝侯はトンプソンに神聖ローマ帝国ランフォード伯爵の称号を授けた。

トンプソンが先ほど紹介したもっとも有名な実験をおこなったのは、ミュンヘンの軍需工場の監督者として雇われているときのことだった。「先日、大砲をくりぬく作業を監督していて、……くりぬかれていく真鍮製の大砲が短時間できわめて多量の熱を得ることに驚いた」とその様子を記している。穴を開ける作業で熱が発生することは、人類が木の棒を回転させて火をおこしはじめた頃からもちろん知られていたが、このプロセスに注目すべき奇妙な点があることには誰一人はっきりとは気づいていなかった。ニュートンのリンゴが落ちたという有名だが疑わしい話と同じように、ありふれた現象でも天才が観察することでときに深遠な謎が浮かび上がってくるものだ。この場合の謎とは、熱の正体である。

一八世紀、熱は激しい議論の的となっていた。古代の人々は熱を火のみと結びつけ、古代ギリシア人は火を、土、気、水と並んで四元素の一つとみなしていた。しかし一八世紀になって産業革命が勢いを増すにつれて、熱の正体と、熱を使って駆動させる蒸気機関が何よりも重要性を帯びてくる。一七世紀にはすでに、ドイツ人化学者で錬金術師のゲオルク・エルンスト・シュタール（一六五九—一七三四）とヨハン・ヨアヒム・ベッヒャー（一六三五—一六八二）が、丸太を燃やして灰にすると質量が減ると指摘して、熱の正体に関する初の手掛かりを与えた。二人は可燃物から出ていくその物質を、ギリシア語で炎を意味する〝フロックス〟にちなんで〝フロギストン〟と名付け、これこそが熱と燃焼を引き起こしていると主張した。また、呼吸にも一種の燃焼が関わっていて、その際にフロギストンが放出されることで身体が温められ、放出されたフロギストンは植物に再吸収されて木材の中に蓄えられ、丸太を燃やすとそれが再び放出されて、結果としてフロギストンは循環するのだと唱えた。

ここまでは数多くの事実と合致する理にかなった理論である。しかしフロギストン説に熱狂する人たちは、ロバート・ボイルの忠告を完全に無視していた。知られている事柄を説明するのに必要である限りもっとも単純な、「良くて優れた理論」だけに仮説を絞るべきという忠告である。ドイツ人化学者のJ・H・ポット（一六九二―一七七七）に至っては、フロギストンは「すべての非生物の本質をなす主要な根源」かつ「色の主成分」かつ「発酵の主要因」であるとまで主張した。

漠然と定義された概念は決まってそうだが、このフロギストン説も新たな事実を次々に取り込めるようにできていた。一七七四年にイングランド人科学者のジョーゼフ・プリーストリー（一七三三―一八〇四）が空気を各成分に分離して、「通常の空気の五倍ないし六倍良く」燃焼を促進させる気体を得た。そして、この新たな気体は空気からフロギストンを完全に除去したものであって、木材などの可燃物から放出されるフロギストンを吸収する器のようなものだと推論し、この気体を〝脱フロギストン空気〟と名付けた。しかしいまではそれは酸素のことだと分かっている。可燃物に含まれている炭素とこの酸素が結合して二酸化炭素が生成するのであって、フロギストン説に基づくプリーストリーの解釈とは真逆である。このように完全に間違った世界モデルでも、創意工夫と想像力を思いのままに発揮すればどんなに大量のデータや観察結果にも合致させられるのだ。

しかし多くの化学者は、フロギストン説に潜むもっと大きな問題点に気づいていた。マグネシウムなど一部の金属を燃やすと、質量が減るどころか増えるのだ。想像上のフロギストンを含め何らかの物質が金属から失われたら質量が増えるはずはないのだから、一見したところこの現象はフロギストン説の反例であるように思えるかもしれない。しかしフロギストン説の支持者たちはそう簡単にはあきらめようとしなかった。〝負の質量〟を持ったタイプのフロギストンが存在すると唱えたのだ。しかしプリーストリーの〝脱フロギストン空気〟の中で燃やしてもなお質量が増える金属が次々と見つかったことで、ますます抽象的な主張を展開せざるをえなくなり、フロギストンは何らかの非物質的な存在、すなわちプラトンのイデアやアリストテレスの普遍のような、いわば燃焼の本質であると論じるまでになった。フロギストン説の支持者は中世のスコラ哲学者や神秘主義者と同じく、自分たちの理論が事実と合致するようういくらでも要素を付け加えるという手に甘んじたのだ。

フロギストン説の息の根がようやく止められたのは一七七五年九月五日、フランス人化学者のアントワーヌ・ラヴォアジェ（一七四三―一九四）がフランス科学アカデミーで、プリーストリーの〝脱フロギストン空気〟について独自に調べた結果を発表したときのことだった。ラヴォアジェはプリーストリーによる金属の燃焼実験を追試した。そして燃焼前後での空気または酸素の質量を慎重に測定して、金属の質量の増加分とまったく同じだけその質量が減少することを実証した。燃焼する金属から何らかの物質が放出されるのではなく、金属が空気の一成分である酸素と結合していたのだ。

ラヴォアジェはさらに次のように論じている。

> 化学者たちはフロギストンを漠然とした精に仕立て上げ、……結果としてこのフロギストンは、求められるあらゆる説明と合致するようになった。この精はときには重さを持ち、ときには持たない。ときには自由な火であって、ときには土と結合する火である。……まさにころころと姿を変えるプロテウスである。[1]

注目すべき点として、ラヴォアジェはフロギストン説を反証したと主張しているのではなく、ロバート・ボイルの言う「見せかけの理論」のようにあまりに複雑になってしまっていて反証しようがないと論じている。そのようなフロギストン説とは対照的に、ラヴォアジェの酸素燃焼説は単純でありながらすべての事実を説明できた。「燃焼という現象を説明する上で、我々が可燃物と呼ぶあらゆる物体に計り知れない量の固定された火［フロギストン］が含まれているなどと仮定する必要はもはやない」とラヴォアジェは述べた上で、「正しい論理の原理に基づけば……フロギストンは存在しない」と論じている。[2] この頃にはすでにオッカムの剃刀は科学の「正しい論理」として広く受け入れられていて、いちいち言及する必要すらなくなっていた。それでもラヴォアジェは何か疑念を持たれた場合に備えて、「不必要に要素を増やすべきではない」と念を押している。

このようにラヴォアジェがフロギストンに引導を渡したことから分かるとおり、一八世紀にはオッカムの剃刀はすでに科学の枠組みに深く組み込まれていて、それ以降は意識されることすらほぼなくなった。ところがラヴォアジェはフロギストンという一つの存在の息の根を絶っておきながら、別のある存在を考え出した。問題は、フロギストンが燃焼と熱の両方の源であるとされていたことだった。燃焼の源としてフロギストンを酸素に置き換えたところで、熱の問題が残ってしまう。熱とは何なのか？　ラヴォアジェは一七八三年に発表した論文『フロギストンに関する考察』の中で、熱は高温の物体から低温の物体へ流れる何らかの「とらえどころのない流体」であると唱え、その流体を〝熱素〟と命名した。

ここで話はあのランフォード伯爵の実験に戻ってくる。覚えておられるだろうが、ランフォードは「真鍮製の大砲がきわめて多量の熱を得ることに驚いた」。熱素説によれば熱は高温の物体から低温の物体に流れるはずなのに、この実験ではドリルも刃も周囲の水も最初はすべて同じ温度だった。ならば熱素はどこからやって来たというのか？　もう一つの謎として、この実験では熱源は一見して無尽蔵だったが、熱素説では有限で一定量の物質、つまりとらえどころのない流体が高温の物体から低温の物体に流れるとされていて、この実験結果と矛盾していた。

謎を解く手掛かりとなったのは、このプロセスの出発点が馬の運動であることだった。ランフォードは次のように考えた。馬の運動がドリルの刃に運動を与え、そのドリルの刃の運動が砲身に運動を与え、その砲身の運動が水の微小粒子に運動を与えて水の粒子を加熱するのだと。「実体を持った物体の熱、すなわち温度に相当するのは……それら「微小粒子」の運動である」と唱えたのだ。[3] こうして、物質を構成する粒子の運動の尺度こそが熱であるとする熱運動論が生まれた。熱素もフロギストンと同じく不必要な存在となり、熱自体は運動の尺度として解釈されるようになったのだ。

火の原動力に関する考察

金属が燃えると質量が増えることが明らかになってもすぐにはフロギストン説が潰えなかったのと同じように、ランフォードが熱素はあたかも無尽蔵であることを実証しても、ただちに熱素説が葬り去られることはなかった。ランフォードの測定結果は不正確だと言及する科学者がいる一方で、ランフォードは実際に熱素が無尽蔵であることを証明していないではないかと指摘する科学者もいた。砲身に開けた穴が貫通したりドリルの刃が壊れたりしたら、そこで熱素は使い果たされてしまうというのだ。

もう一つの問題が、熱運動論の前提である原子論を多くの科学者がいまだ受け入れずに、物質は際限なく分割できるとするアリストテレスのプレヌム説を信じていることだった。大砲の穿孔実験に関するランフォードの論文から二六年後の一八二四年、フランス人工学者のサディ・カルノー（一七九六―一八三二）が、すさまじい影響をおよぼす著作『火の原動力に関する考察』を世に出す。その中でカルノーは、熱機関は高温の熱源から低温の熱源に熱素が移動することで作動するという基本的な数学的枠組みを示して、熱力学という科学を打ち立てた。プトレマイオスの地球中心説やフロギストン説と同じく、間違った理論でも聡明な科学者の手にかかれば正しい結論を数多く導き出せるのだ。

熱は運動の一形態であるというランフォードの理論はひらめきとしては見事だったが、それが具体的な形を取りはじめたのは彼による大砲の穿孔実験からおよそ五〇年後のことだった。一八四五年六月、イングランド人物理学者のジェイムズ・プレスコット・ジュール（一八一八―一八八九）がランフォードに倣ってもっと精確な実験をおこない、運動する物体の持つエネルギー、すなわちニュートン力学で言う〝運動エネルギー〟*が熱に比例することを実証した。その二五年ほどのちの一八七〇年頃には、スコットランド人物理学者のジェイムズ・クラーク・マクスウェル（一八三一―七九）とルートヴィヒ・ボルツマン（一八四四―一九〇六）がそれぞれ独自に、熱運動論とカルノーの熱力学とを原子論を介して融合させ、統計力学という現代的な熱力学を打ち立てた。この二人は、原子はロバート・ボイルの言った〝微粒子〟と同じように「動き回ってほかのすべての微粒子をはじき飛ばそうとして」おり、そのような原子の平均運動エネルギーこそが温度にほかならないと主張した。物体を加熱するとそれを構成する原子の運動が速くなり、そのため運動エネルギーが増えて温度が高くなる。冷却すると原子の運動が遅くなり、運動エネルギーが減って温度が低くなる。温度と運動が同じ現象の表と裏であると認識されたことで、それまで別々の現象だと考えられていた熱と運動が一つにまとめられた。こうして熱素もまた不必要な存在となり、ニュートンの単純な法則は熱力学を介して天界から、大砲やリンゴのある地上の世界へ、さらには原子が運動する微小の世界へとその適用範囲を広げたのだ。

単純さを当てはめる

ボイルが演示実験で用いた真空箱装置をいま一度見てみよう（P234図19）。見たところ空っぽの空間が五〇キログラムもの錘を持ち上げて、観衆が「あまりの驚きに」ぽかんと口を開けたあの装置である。これを見て何か気づいたことはないだろうか？　あなたの自動車（電気自動車を除く）を駆動している内燃エンジンのシリンダーとそっくりだ。

ボイルの作り出した真空が重いものを持ち上げられることに感銘を受けた科学者や発明家や工学者は、その原動力を何とか利用しようと研究を始めた。そして一六七九年にフランス人ユグノー教徒のドニ・パパン（一六四七―一七一三）が、シリンダーの中で水蒸気を凝縮させることで真空を作り出し、それによってピストンを引き込むというアイデアを思いつく。いわゆる単気筒エンジンである。一六九八年にはイングランド人軍事工学者のトマス・セイヴァリ（一六五〇―一七一五）が、シリンダー内で水蒸気を凝縮させることで駆動する水ポンプの特許を取得し

＊　運動エネルギーは、運動している物体の質量の半分とその速さの二乗との積で与えられる。

た。その一〇年後には金物商でバプテスト派の信徒伝道者であるトマス・ニューコメン（一六六四―一七二九）が、水没した鉱坑（台頭しつつある炭鉱業にとって重大な問題だった）を排水するために、それに似た〝坑夫の友〟という名のポンプを設計した。

そのポンプはボイルの実験装置と同じく大気の重さに頼ってピストンを動かす、いわゆる大気圧機関だった。一七六四年にはスコットランド人発明家・機械工学者・化学者のジェイムズ・ワット（一七三六―一八一九）が、動力シリンダーと凝縮シリンダーを別々にすることではるかにエネルギー効率の良い熱機関を開発した。またシリンダーの両端を密閉した上で、熱によって水蒸気を膨張させることでピストンを押し出し、冷却液によって水蒸気を凝縮させることでピストンを引き込むという革新的なアイデアを思いついた。蒸気機関の発明である。

ニューコメンの機関はビーム（棹）を左右に反復運動させるだけでポンプとしての使い道しかなかったが、ワットは蒸気機関によって上下運動するレバーから一連の歯車を介してはずみ車を回転させるという機構を取り入れ、いわゆる回転式発動機を開発した。この機構はあっという間に工業国イギリスの工場経営者たち、たとえば綿織物工場を経営するリチャード・アークライトによって取り入れられ、綿産業は水力からもっと強力な蒸気動力へと移行した。コーンウォールの鉱山技術者リチャード・トレヴィシック（一七七一―一八三三）は可搬式の蒸気機関を台車に搭載するという素晴らしいアイデアを思いつき、パフィング・デビルという名の自動車を開発した。一八〇一年のクリスマスイブ、パフィング・デビルは六人の乗客を乗せてカンボーンの町のフォア通りを走行し、そのまま近郊の村ビーコンまで走りつづけた。こうして産業革命は勢いづ

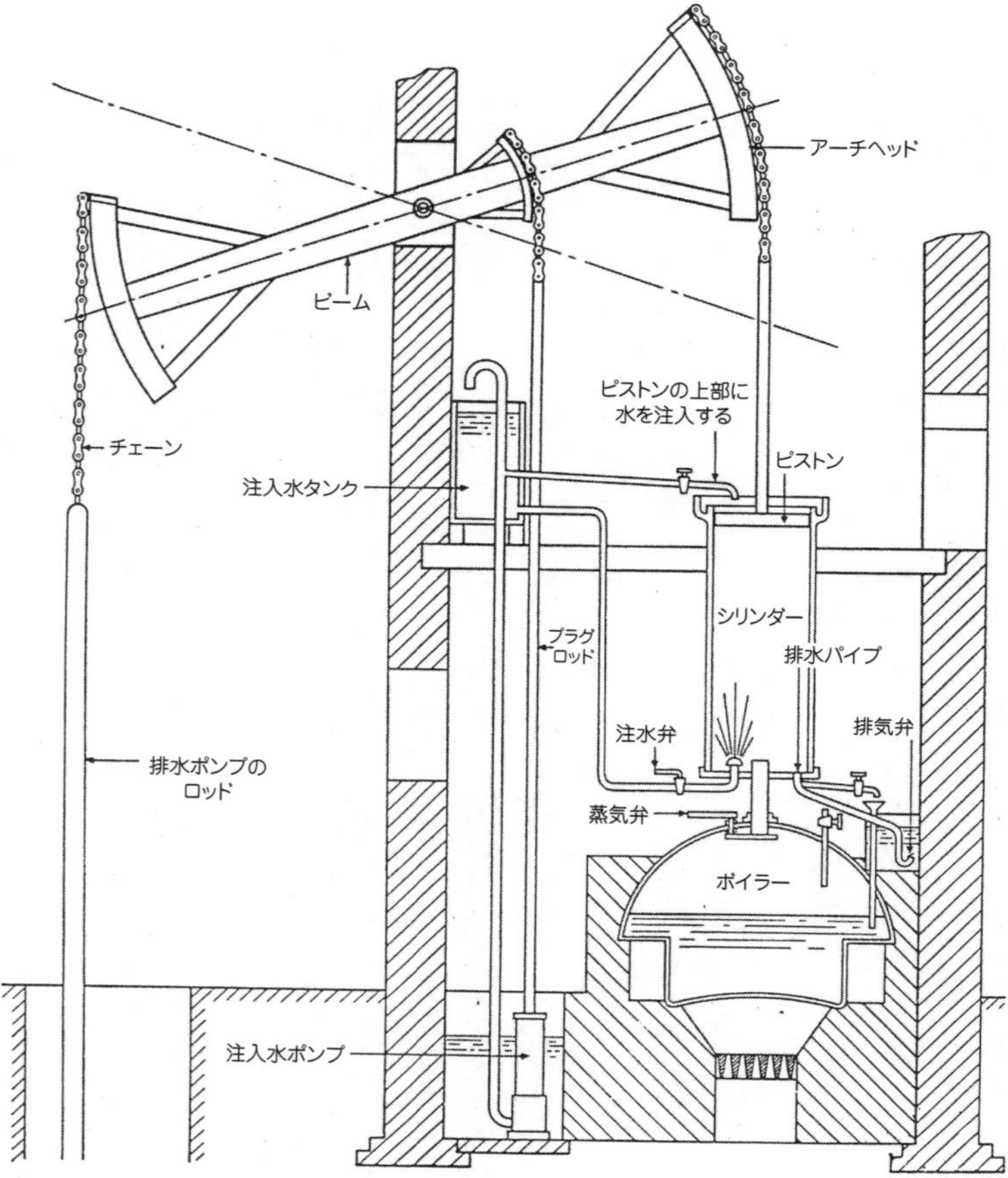

図21　ニューコメンの大気圧機関

いた。

トレヴィシックの蒸気機関はジョージ・スティーヴンソン（一七八一―一八四八）とロバート・スティーヴンソン（一八〇三―五九）の親子など何人もの工学者によってさらに改良され、産業革命の原動力として工業生産力をかつてないほど大きく引き上げた。イギリスだけで石炭生産量は一八二〇年の年間約二〇〇〇万トンから、その一〇〇年後には約三億トンに増えた。何百年ものあいだ停滞していた穀物生産量も、農業の機械化が進むにつれて急増した。産業革命の間、技術の進歩と生産性の向上は指数関数的に進んだ。*もちろんルネサンスや宗教改革と同じくこの急激な変化にも明らかに複数の要因があって、たとえば資本主義と帝国主義が台頭したことや、石炭と安価な労働力の調達が容易になったこと、遠くは中国など外国からさまざまな技術が持ち込まれたこと、市場が拡大したこと、奴隷貿易によって容易に利益を上げられるようになったことなどが挙げられる。それでも各種の蒸気機関の発明がきわめて大きな役割を果たしたのは間違いないが、その出力が指数関数的に向上したのは、ボイルやニュートン、カルノーやボルツマンらが導き出した単純な法則から紙とインクを使って具体化させたモデルを活用したからこそだった。

モデルは知識を具体化させたものにほかならない。機械の構造、動作、機能をおもに幾何学や数学の言語を使ってモデル化したものであって、ここに挙げた蒸気機関の図のように単純である。一七一二年に開発されたニューコメンの蒸気機関の図には、ボイルが指摘したように「空気の重さ」によってピストンが運動することが示されている。モデルがこれほど有用なのは、改良点をモデルにフィードバックさせて性能を指数関数的に高められるからだ。とはいえモデルもオッカムの剃刀がなければ役に立たない。

仮にモアの言う〝全知の霊魂〟によって蒸気機関が動作するというモデルを考え、それをもとにして装置を組み立てたとしよう。どのようにして改良すればいいだろうか？ その霊魂に祈ったりしたらいいだろうか？ もしもその方法が失敗したら、生命の進化など地球が誕生して以来起こってきたほとんどの革新的変化と同じように、地質学的に長い歳月のかかるゆっくりとした試行錯誤のプロセスに頼るしかないだろう。そんな状況が一変したのは、科学者や工学者が自分たちの知識と科学法則を具体化したモデル、しかもボイルが訴えたように「あらゆる良い理論の中でもっとも単純で、少なくとも不必要な事柄をいっさい含んでいない」モデルを用いるようになったからだった。オッカムの剃刀を手にした科学者や工学者は、性能の向上につながるような改良のしかたを前もって予測することができた。その予測が正しければ、工学者は自分のモデルが優れていたと判断する。間違っていたら、予測が成り立って望みどおり性能が向上するまでモデルを修正する。そして改良されたそのモデルを出発点にしてさらに進歩する。このように正のフィードバックループが回りはじめたことで、技術発展は試行錯誤による線形的な進歩から、現代を特徴づける指数関数的進歩へとスピードを速めたのだ。

話を進める前に、ランフォード伯爵の有名な実験についてもう一度振り返っておこう。馬から

＊ 複利預金のように増加分がフィードバックして増加率自体が上昇していくこと。

牽き具を介してドリル、砲身、水へという運動と熱の伝達は、ニュートンの示した力学的な力によって説明できる。しかしニュートン力学に基づく因果関係では説明できない重要な要素が一つある。馬だ。馬はそもそもどのようにしてこの運動プロセスを引き起こすのか？　馬の脚はどのようにして動き出すのか？　馬などの動物、あるいは植物や微生物もニュートン流の科学で説明できるのか？　デカルトは動物も単なる機械であると唱えたが、一八世紀のほとんどの生物学者はその考えを疑って、生命の自発的な運動はニュートン力学でいう力だけでは説明できないと主張した。そしてその代わりに、生命はニュートンの法則に従わない〝生気〟によって生きていると唱えた。その理由を知るために、馬を連れて魚釣りに出掛けることとしよう。

パート3　生命の剃刀

第13章　生気

魂の研究はすさまじく重要なものの一つである。しかしその研究は、真理全般、とりわけ自然の研究にとっても重要であろう。魂は動物の命の根源であるからだ。

アリストテレス『動物誌』

科学の役割は「目に見える複雑さを目に見えない単純さに置き換えること」である。

ジャン・バプティスト・ペラン

ベネズエラ中部の大草原リャノに朝日が昇ると、何人かの地元民と二人の白人のグループが馬にまたがり、ウナギを探しにラストロ・デ・アバクソの村を出発した。一八〇〇年三月九日朝、新世紀の夜明けは社会の激動と科学革命に明け暮れることになるが、ベネズエラはそんな世界から取り残されていた。地元のガイドたちは、アンデス山脈北部の峰々の東に広がるリャノと呼ばれる大草原に暮らす、グアイーボ族の数多い氏族の一つに属していたと思われる。彼らの名前は記録に残されていないが、二人の白人の名はエメ・ボンプラン（一七七三―一八五八）とアレクサンダー・フォン・フンボルト（一七六九―一八五九）。ボンプランは恰幅が良くて冷静沈着なフランス人植物学者、フンボルトはほっそりしていて男前のプロイセン人探検家で科学者、生命と電気の正体に深い関心を抱いていた。哀れなことにリャノの先住民はいまではほぼ姿を消しているが、彼らの伝統・神話・伝説に関する見事な説明が、彼らに会って記録を残した最後の西洋人探検家であるヘルマン・フォン・ヴァルデ＝ヴァルデク男爵によって書き残されている。[1]

フンボルトの探検の様子を収めた彼の著作『新大陸赤道地方紀行』[2]は、のちにチャールズ・ダーウィンとアルフレッド・ラッセル・ウォレスの心を掻き立てることとなる。ガイドたちに案内されて二人の白人が向かった小川は乾期のために干上がって泥だらけの水たまりになっており、そのまわりを「かぐわしい花をつけたクルシアやアミリスやミモザの美しい木々が取り囲んでいた」。到着するとガイドたちが、この泥水の中には〝テンブラドーレ（震えを起こさせるもの）〟という大ウナギがうじゃうじゃしていて、うっかり触れると、痛みを伴うそのショックに大人でも麻痺したり死んだりすることがあると説明した。テンブラドーレはきわめて危険であるのに加え、泥の中に身を潜めていて捕まえるのがとても難しいという。それでも地元民はある巧みな捕まえ方を知っていて、それを「馬で釣る」と表現した。

探検家たちがその言葉に面食らいつつも器具を揃えて解剖と観察の準備を整える一方、ガイドたちは周囲の森に馬で走り去っていった。長く待たされることはなかった。太陽が一番高いところまで昇りきらないうちに、森のざわめきを破るように、近づいてくる蹄（ひづめ）の轟きが聞こえてきた。

それもたくさんだ。馬に乗ったガイドたちは、三〇頭ほどの野生の馬とラバの群れを駆りながら空き地に駆け込んできた。そして銛で突いたり葦の棒で叩いたりして馬を水たまりの中へ追い立てると、馬はパニックになって暴れ、水面に「大きなウミヘビのような黄色と鉛色のウナギ」が湧き立ちはじめた。ちょっかいを出されたウナギが侵入者の馬に腹をくっつけて次々にショックを与え、馬は激しく暴れ回った。「これほどまでに異なる形態をした動物どうしの戦いの様子は非常に壮観だった」

五分もしないうちに二頭の馬が溺れ死んだ。何頭かはショックでよろめきながらも何とか川岸に上がったが、残りはウナギからの攻撃に見舞われつづけた。しばらくすると餌になった馬は水中の墓場に沈んでいくかに思われたが、ウナギが疲れたらしく静かになって水たまりの端に集まると、ショックは徐々に弱まっていった。ここからが本当の釣りの始まりだ。ガイドたちは乾いたひもに結わえた短い銛を手にして、生きたウナギを五匹釣り上げた。フンボルトとボンプランは大喜びした。その五匹のウナギはまさに科学的なお宝で、一八世紀でもっとも激しい科学的論争に決着をつける手掛かりとなる。生命の正体をめぐる論争である。

一七世紀にルネ・デカルトは、何百年にもおよぶ神秘主義的な思索と決別して画期的な機械論を唱え、生物も非生物も含めこの宇宙に存在するすべての物質は命を持たない微粒子の生み出す渦だけから作られていると主張した。とはいえおおかたの学者は、生命を機械論に基づいて解釈するという考え方には納得できなかった。デカルトは生命を時計仕掛けにたとえたが、時計とカッコウが同じメカニズムで動いているなどという考え方を真に受ける科学者はほとんどいな

図22　馬でデンキウナギを釣る

かった。生物と非生物の活動性と複雑さの違いは肉眼で見ただけでも大きいが、顕微鏡によって生物の体内の複雑さがあらわになるとその違いはますます顕著になった。一九世紀初めになってもいまだ、生命は〝生気〟によって生きていて、ウナギなどの動物がその生気を体外にほとばしらせて馬などの動物を気絶させることすらあるという考え方が支配的だった。この考え方が生まれたのはその数千年前、何百キロも離れた地でのことである。

生命とは何か？

かのポッター・スチュアート判事は、ポルノが何であるかは定義できなくてもポルノかどうかは「見れば分かる」[3]と言った。それと同じように生命も、見分けるのは簡単だが定義するのは難しい。繁殖することが生命を定義していると言われることが多いが、血液細胞や神経細胞、さらには（ほとんどの）仏僧やカトリックの司祭は繁殖しないのにもかかわらず生きている。代謝も生命を定義する特徴の一つだといわれているが、栄養分を廃棄物に変える怒濤のような化学変換と、たとえば丸太を燃焼させる化学反応とを区別するのは難しい。生命の驚くべき多様性を生み出した進化ですら、少なくとも短期間だけ生き延びる上では必要ない。何らかの原因でたとえば一〇〇万年のあいだ進化が止まったとしても、大激変でも起こらない限り生物圏はほとんど影響を受けないだろう。

それでも古代のほとんどの人は、身の回りにある物体が大きく二つの種類に分けられることに気づいていた。第一の種類には、岩や流木、砂や小石など、押したり引いたりしない限り動かないという意味で不活発な物体が含まれる。古代の人々はそれらの物体を「死んでいる」と形容した。第二の種類は、岩の上を這うカニや海の中を泳ぐ魚、頭上を飛ぶ鳥や砂丘をかき分けて生えてくる草などからなる。これらは、自ら動き出すことができるという意味で活発である。古代の人々はそれらを「生きている」と形容した。

自ら動き出すことが生命の証しであると判断した古代の哲学者たちは次に、「生命の運動が何者かによって引き起こされたのでないことは明らかだが、ではその運動は何によって生じているのか」と問いかけた。そしてほぼ決まって、自ら動き出す生物は超自然的で神秘的な〝魂〟というものによって生きているという答えを思いついた。さらにはその信念を押し通すあまり、天体ですらも、それを動かしている者が見えないのに運動しているという理由から、天界の魂によって生きている生命として分類した。風や川、嵐や波ですら、霊魂や妖精、悪魔や神といった、魂を

図23　シビレエイ

持った主体によって生きているとみなした。三世紀のギリシア人年代記編者ディオゲネス・ラエルティオスは、「(古代の) 世界は生気に満ちていて神々にあふれていた」と述べている。[4]

魔法と神秘とデンキウナギ

自ら動き出すものが生命であるという仮説、すなわちモデルは、かなりうまく通用した。しかし例外もいくつもあった。その一つが、一見したところ何の変哲もない石だが、釘などの小さな鉄片を生かす (動かす) という、あたかも生命のような性質を持った石、天然磁石である。今日では磁鉄鉱 (酸化鉄) という鉱物が自然に磁化したものであることが分かっているが、古代の世界では天然磁石は生きていて、離れた物体を押したり引いたりできる神秘的な魂を持っていると信じられていた。紀元前六二四年頃に現在のトルコで生まれた哲学者のタレスは、「天然磁石は鉄を動かすことができるので、生命すなわち魂を持っている」と論じている。同じく神秘的な物質の一つが、地中海に面した砂浜にたびたび打ち上げられる半透明な黄褐色の塊で、布でこすると細かい繊維や乾燥した藁を引き寄せる。古代ギリシア人はものを引き寄せるこの物質を〝エレクトラム〟と名付けたが、今日では琥珀と呼ばれている。

古代の人々はまた、離れた場所に作用をおよぼす神秘的な性質を持っているらしき動物がいることも知っていた。その一つが地中海に棲むシビレエイで、これはアカエイと同じく棘を使って捕食者から身を守ったり、獲物を取ったり、腹を空かせた漁師を失神させたりする。しかしアカエイと違ってシビレエイの棘は、漁師に直接触れなくても釣り糸や網、銛ややすを介して漁師にショックを与えることができる。多くの人はそれを、非物質的な魂が物質的な身体から外に出てこられる証拠だと信じていた。ローマの詩人コリコスのオッピアヌスは一七〇年頃、シビレエイは「魔法の力を発揮してまじないの力を封じ込める」と記している。[5]

このような神秘的な物体や動物は、自然界の至るところで魔力すなわち生気が働いている証拠としても引き合いに出された。大プリニウス（二三―七九）は、「やはり海の生き物であるシビレエイの例を取り上げるだけで、自然の並外れた力の表れとしてはまったく十分ではないだろうか」と論じている。[6] 二〇〇年頃にアテナイで教えていたアフロディシアスのアレクサンドロス（一五〇頃―二一五頃）も次のように言っている。

天然磁石はなぜ鉄だけを引き寄せるのか？　〝琥珀〟と呼ばれる物質はなぜもみ殻や乾いた藁だけを引き寄せてくっつけるのか？　……海に棲むシビレエイを知らない人はいない。シビレエイはどのようにして棘で人を麻痺させるのか？　……経験を通じてしか知られておらず、医者が「名状しがたい性質」と呼んでいるそのような事例のリストを作ってあげようか。[7]

彼らが生命は魔法の一種であると説いたことで、多くの人は病気や健康も自然魔術の影響を受けているのだろうと信じるようになった。

現在のトルコにあった町ペルガモンで生まれたクラウディウス・ガレヌス（一二九―二一六頃、ガレノスと呼ばれる）は、ローマ世界でもっとも有名な医師だった。地元の剣闘士学校で外科医を何年か務めたことで人体の解剖学的構造に詳しくなり、その後ローマへ移った。医学に興味を持ったきっかけは、かつてギリシアのヒポクラテス（医師になるときの宣誓で知られる）が唱えた、健康状態は血液、黄胆汁、黒胆汁、粘液という四体液の微妙なバランスで決まるという説だった。ガレノスはこの説に一ひねりを加えて、四体液は宇宙全体に広がっている生気（〝プネウマ〟）によってバランスが保たれていると論じた。そして東洋医学でいう〝気〟やインド医学でいう〝ヴァーユ〟に相当するこの生気は、琥珀やシビレエイの棘の神秘的な力の源でもあると考えた。つまり生き物の魂の物質的実体であるということだ。

ガレノスは、病気は体液のバランスが崩れることで起こり、神秘的な物体を適切に使えばそのバランスを回復させられると信じていた。そこで、てんかん患者にはシビレエイの肉を食べるよう、重い頭痛の人には頭の上に生きたシビレエイを載せるよう勧めた。大プリニウスも難産の妊婦にはシビレエイの肉を使った食事を取るよう指示したが、ただしそのエイは「月がてんびん座にあるときに捕まえて、屋外に三日間放置した」ものでなければならなかった。また、「生きたシビレエイの胆嚢を性器に当てれば……性欲を抑えられる」とも説いている。[8]

もちろん間違った説でもときには効果を発揮する。大プリニウスが処方したように生きたシビレエイの胆嚢なんかを性器に当てられたら、いくら色欲盛んな若者でもきっと萎えてしまったはずだ。現在では電気療法によって慢性の偏頭痛がある程度緩和することが実証されているので、生きたシビレエイを頭の上に載せるという治療法もときには有効だったことだろう。[9] しかし病気の人がシビレエイの肉を食べても、栄養分に富んだほかの肉を食べるのとたいして変わらなかったはずだ。

具体的な処方こそいかがわしいものだったとはいえ、ガレノスによる医学の研究方法は時代を大きく先取りしていた。またガレノスは残酷な動物実験を熱心におこなった（現代の目から見ればの話だが）。あるとき生きたブタを解剖している最中に、喉頭と脳底をつなぐ喉頭神経をうっかり切ってしまった。するとブタはもがきつづけながら突然鳴き止んだ。そこでガレノスは、〝動物の魂〟、つまり生物を生かしていると考えられていた生気は神経の中を流れていると結論づけた。知られている限り、神経と動物の運動とが史上初めて関連づけられたのだ。

神秘の魚を戦争に使う

二一六年頃のガレノスの死によって彼の合理的な医学研究法はほぼ失われたが、その魔術的な処方やいかがわしい治療法は古代の文書を通じてアラブへ、さらにそこから西洋世界へと忠実に受け継がれた。そして異教やキリスト教の神秘的な概念と混ざり合って、神秘的で風変わりな薬が次々と生まれた。

中でもとりわけ変わっていたのが、〝エケネイス〟というやはり神秘の魚である。大プリニウスはエケネイスについて、「身体を押しつけもせずにただくっつくだけで、何の労力も使わずに」船に取りついてじっとしていられる小さな魚と記している。アクティウムの海戦でマルクス・アントニウスの旗艦が進めなくなってオクタヴィアヌスの軍勢に狙い撃ちされたのも、エケネイスのせいだったとされた。中世に入るとエケネイスは、シビレエイとともに秘薬の有効成分の仲間入りをする。トマス・アクィナスの師であるアルベルトゥス・マグヌスも、魔術師は惚れ薬を作るためにこの「船に取りつく魚」を探し回っていると記している。しかし誰一人エケネイスを見たことがなかった。それもそのはず、エケネイスは実在していなかったのだから。

ルネサンスの人文主義者たちは、天然磁石や琥珀や神秘の魚といった古代の神秘的な品々を薬として使うだけでなく、自然界に神秘の力が存在する証拠としても積極的に取り上げた。たとえばフィレンツェで『ヘルメス文書』を翻訳したマルシリオ・フィチーノは、「海に棲むシビレエ

図24　神秘の魚エケネイス

イは棒を介して触れた手でも一瞬にして麻痺させる」と記している。ジュール・セザール・スカリジェ（一四八四―一五五八）は一五五七年の著作『神秘に関する公教的演習』第一五巻で、「手を麻痺させる」シビレエイの力を魔力の証拠として取り上げた上で、「あらゆるものを不変の明確な性質に還元できると考える」人たちを批判している。

こうして神秘主義者たちは、「自ら動くものが生命である」という完全に合理的で単純な方程式に、ありとあらゆる神秘的な物体や性質を付け加えていった。この風潮は科学のほかの分野、たとえば天文学（周転円）や化学（フロギストン）において見てきたのと何ら変わらない。モデルが事実と合致しなかったら、複雑な要素を付け足せばいいという風潮である。しかし、このように空想に逃避するという風潮に抗う人たちもちらほら出てきた。ウィリアム・シェイクスピアと同時代に生きたフランス・ルネサンスの人文主義者ミシェル・ド・モンテーニュ（一五三三—九二）は次のように嘆いている。

人間の理性という道具はどこまで奔放で当てにならないのか。事実を突きつけられてもその真理を掘り下げずに、自分なりの理屈に問いかけることに終始してしまう人をたびたび見かける。……そのような人はたいてい一言目に「これはどのようにして起こっているのか」と問いかける。しかし本当に問いかけるべきは、「これは確かに起こっているのか」である。人間の理性は一〇〇もの異世界を生み出して、その原理や構造を探り出すことができる。……我々はけっして存在しない一〇〇〇もの事物の根拠や原因を思いつくものだ。[10]

「けっして存在しない一〇〇〇もの事物」は、もちろん不必要な要素にほかならない。ミシェル・ド・モンテーニュも〝新しい道〟を進む唯名論者であって、[11]単純なモデルを探す上でオッカムの剃刀が役立つことを知っていたのだ。

ゴーストバスターズ

アレクサンダー・フォン・フンボルトが大草原リャノで釣りをする五四年前の一七四六年四月のある日、白衣をまとったカルトジオ会修道士二〇〇人が、パリにある修道院の敷地全体を使って全長二キロ近くにおよぶ曲がりくねった列を作った。互いの身体は長さ八メートルほどの針金でつながれていた。最後尾は修道院長のジャン＝アントワーヌ・ノレ。すべて準備が整うと、ノレは先頭の修道士に一本のガラス瓶を近づけた。するとその瞬間に火花が飛び、二〇〇人の修道士がいっせいに飛び跳ねた。

ノレは〝王室付き電気師〟だった。一八世紀半ばの大修道院長にしてはかなり変わった役職に聞こえるし、もちろん王宮で電球や電気機器を取り替える仕事を任されていたのでもない。そもそもそんなものはまだ発明されていなかった。扱っていたのはただ一つ、ライデン瓶である。パリの修道士二〇〇人が飛び跳ねた見世物の真の主役は、シビレエイのように本体（瓶）から離れたものにショックを与えることのできるこのライデン瓶だった。数十年前にオランダのライデンで魔力を捕らえる容器として発明されたもので、ノレがこの地名にちなんでライデン瓶と命名した。

ライデン瓶の話はロンドンの医師ウィリアム・ギルバート（一五四四－一六〇三）から始まる。ギルバートは、天然磁石は鉄だけを引き寄せたり遠ざけたりするが、こすった琥珀はもみ殻や羊毛、羽根や藁などさまざまな物質を引き寄せるだけであることに気づいた。また、ガラスや宝石、エボナイトや松やにや封蠟といった物質を絹や羊毛でこすると〝帯電〟して、琥珀と同じく離れた物体を動かす魔力を獲得することを発見した。そして帯電したそれらの物質はときに火花を放つという、天然磁石ではけっして起こらない現象を引き起こすことに気づいた。ギルバートはこれらの物質を、〝琥珀に似た〟という意味の〝エレクトリクス〟（ラテン語で琥珀を意味する〝エレクトルム〟に由来）と名付け、のちにここから〝エレクトリック〟（〝電気の〟の意）という言葉が生まれた。

電気的物体の魔力が移動することが明らかになったのを受けて、その魔力は何らかの超自然的な「とらえどころのない流体」であると考えられるようになった。一七世紀の機械論者たちはその神秘の流体を捕まえようと、摩擦機械と呼ばれる装置を開発した。たとえば、回転している硫黄の球体に琥珀やガラス棒をこすりつけるとその流体が大量に溜まって、羽根を引き寄せたり、ガラス棒を近づけると火花が発生したりする装置である。

どこからともなく明るい火花が飛び散るこの現象に人々は魅了され、この謎めいた〝電気〟は魔術師の実験室から飛び出して余興や出し物の一つとなった。カンタベリー出身の絹染物師スティーヴン・グレイ（一六六六―一七三六）は、電気の〝流体〟が長さ数百メートルの絹糸を伝わることを発見した。そして電気を使った曲芸師に転身して、〝吊り下げた養育院の少年〟のトリックで名を馳せた。少年を細い糸で吊り下げて足から〝帯電〟させると、身体に羽根や真鍮の切れ端がくっつくというトリックである。ショーの山場では、部屋を暗くして少年の足にガラス

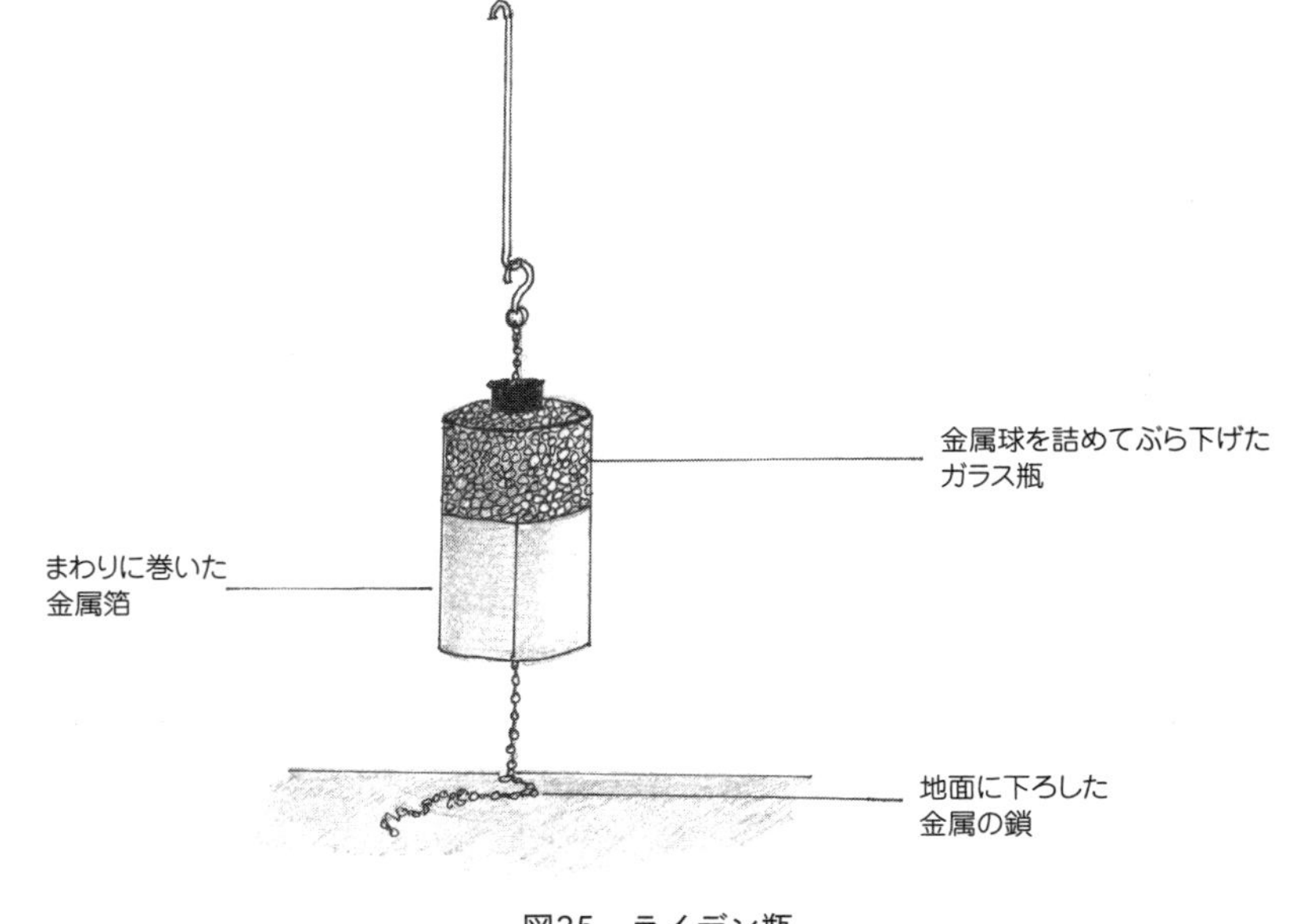

図25　ライデン瓶

棒を近づけると、バチバチという音とともに火花がほとばしる。

いずれも人々を喜ばせるための余興にすぎなかったが、やがて神秘の闇の中からこの〝電気流体〟の機械論的で予測可能な性質が徐々に浮かび上がってきた。たとえばグレイは、電気は絹糸や針金は伝わるものの、魔法の杖と称するものを含め木の棒は伝わらないことを見出した。一七四五年頃にはライデン出身のピーテル（ペトルス）・ファン・ミュッセンブルーク（一六九二—一七六一）が、こすったガラス棒から、水を入れて絶縁したガラス瓶に〝電気流体〟を移動させて蓄えられることを発見した。ある日、弁護士の友人が帯電しているその瓶を手に持ったところ、激しいショックを受けた。数日後にミュッセンブルーク自身も同じことを試し、そのショックの強さをのちに次のように記している。「あまりのショックに、まるで雷に打たれたかのように身体が震えた。手足も胴体もえも言われぬひどい目に遭った」

またミュッセンブルークは、この瓶の内側と外側に金属箔を貼ると電気流体の貯蔵容量が増えることを発見した。さらに水の代わりに鉛の散弾を瓶の中に詰め、蓋に真鍮の棒を刺した。そうしてできたのが、ノレがライデン瓶と命名して一列に並んだ修道士にショックを与えたあの有名な電気機械である。容易に製造できた上に何本もつなげられることが分かり、ますます強力な〝バッテリー〟（軍隊の砲列（バッテリー）から名付けられた）を作ってウシや屈強なレスラーや兵士、そしてもちろん修道士を一列に並べて気絶させられるまでになった。曲芸師がそれを使いこなして容易に実演できるようになると、マジックショーを観ていた一人の観客が、自然界ではそれよりもはるかに強力な火花が飛び散っていることに気づく。

雷を瓶に捕らえる

一七四三年、ボストンを訪れていた三七歳の新聞発行者で印刷業者のベンジャミン・フランクリン（一七〇六―九〇）が、エディンバラの〝電気師〟アダム・スペンサーによる「水平に吊り下げた少年の顔や手から火花を出す」ショーを観た。のちにアメリカ随一の政治家として名を上げることとなるフランクリンは、この火花を放つ少年のトリックをきっかけに電気に取り憑かれ、その秘密を暴いてやろうと心に決める。

そして自宅で何年も実験をおこなった末の一七五〇年、ロンドンの王立協会に宛てた手紙の中で、電気的物体は電気流体を過剰に持っている（正に帯電している）場合と、不足している（負に帯電している）場合、そして中性になっている場合があると唱えた。その上で、吊り下げた少年の場合のようにそのバランスが偏ると電気が流れて、ときに火花が出るのだと論じた。さらに驚くことに、稲妻も電気の一種であって、雲と地上のあいだで電気のバランスが偏ることで引き起こされる巨大な火花であると主張した。

フランクリンはこの説を実証するために、一七五二年六月の嵐の晩にフィラデルフィアの野原に出掛け、息子と一緒に凧を揚げた。凧には鍵を介して糸がつながれていて、糸の反対端はライデン瓶の端子につながっていた。親子は稲妻の電気がライデン瓶の中におびき寄せられるよう、凧糸を引っ張って凧を嵐雲の中へ導いた。しかし幸いなことに不成功に終わった。というのも、もしも成功していたら親子とも焼け死んで、アメリカの歴史はまったく違っていたかもしれないからだ。フランクリンは稲妻を捕まえることはできなかったものの、「［凧の］麻糸からほつれた何本かの繊維が、まるで通常の電導体の上に垂らしたかのように逆立って互いに反発し合うのを目にした」。そして、雲の電気によって凧と麻糸が十分に電気を帯びたことで、その繊維がちょうどライデン瓶で帯電させたときのように反発しあったのだと考えた。何千年ものあいだ神々の飛び道具と考えられてきた稲妻が単なる電気の一種であることを実証したのだ。ドイツ人哲学者のイマニュエル・カントはフランクリンのことを「新たなプロメテウス」と評した。イングランド人化学者のジョーゼフ・プリーストリーはこの凧の実験を「サー・アイザック・ニュートンの時代以降に哲学全体でおこなわれてきた中でおそらくもっとも偉大な実験」と形容し、フランクリンは「現代の電気の父」であると力説した。[12]

生命も電気なのか

その数年前の一七四六年、昔ながらの生気論に染まりきったイングランド人博物学者のロバート・ターナーが著作『電気学——電気に関する論説、エーテルの原理に基づくその正体、原因、性質、効果に関する探究』を世に出した。種々の神秘的な説をとりとめもなく挙げた本だが、従来の考え方から逸脱した説として、シビレエイの与えるショックは電気であると唱えている。電気は魔力の一種であると信じていたターナーは、けっして生命の神秘性を奪おうとしたわけではないが、動物の魔力もライデン瓶の中に捕まえられるのではないかと提唱した。

イングランドの軍人で科学者、インドに駐在する外交官だったジョン・ウォルシュ大佐（一七二六—九五）は、〝動物電気〟と呼ばれるようになったこの現象をさらに詳しく研究した。一七七二年に王立協会の会員に選ばれるとベンジャミン・フランクリンに引き合わされ、二人でとある研究計画を立てた。フランクリンはその計画を、「シビレエイに触ったときのショックを与える力が電気的か否かを解き明かすための方法」と書き留めている。その年のうちにウォルシュはフランスのラ・ロシェルに渡り、地中海のシビレエイを何匹か獲ってきてくれと現地の漁師に頼んだ。また彼らにライデン瓶のショックを受けてもらったところ、「シビレエイとまったく同じ感じがする」という感想が返ってきた。さらに、ノレを意識したであろう公開実験で、シビレエイのショックもライデン瓶の電気と同じく人間の鎖を伝わることを実証した。そしてフランクリンに手紙で、「シビレエイの効果は完全に電気的であるらしく」、〝動物電気〟の一種であると伝えた。

ウォルシュのこの実験によって、シビレエイのショックが電気の一種であることがほぼ実証された。しかしはたして電気はロバート・ターナーが唱えたように、すべての生物に生命を与える生気としてもっと根本的な役割を担っているのか？　一七八六年四月二六日午後八時半、ボローニャ大学の解剖学者で医師のルイージ・ガルヴァーニ（一七三七―九八）が、解剖して真鍮製のフックに吊るした何体ものカエルの脚や脊髄を大学構内のポッジ宮殿の庭に運び込んだ。そして庭を取り囲む鉄製の手すりにフックを掛けていき、三〇年前のベンジャミン・フランクリンと同じく嵐が近づくのを待った。嵐がやって来ると、切り離されたカエルの脚があたかも生き返ったかのように庭の塀を背にして伸びたり縮んだりするという気味の悪い光景が広がり、それを目にしたガルヴァーニは飛び上がって喜んだ。

このガルヴァーニの実験はもちろんメアリー・シェリーが名作怪奇小説『フランケンシュタイン』を書くきっかけとなったが、実験自体のきっかけは一〇年ほど前、ガルヴァーニがカエルを解剖している最中に助手が電気火花を発生させる手回し式装置をたまたま動作させたことだった。解剖中のカエルにその助手がメスを近づけたところ、メスの刃からカエルの座骨神経に火花が飛び、驚いたことにカエルの脚がぴくりと動いたのだ。ガルヴァーニはその脚が死んでいるかどうか確かめようとメスを刺したが、まったく動かなかった。かつてガレノスは、神経には生気が流れていると唱えた。そこでガルヴァーニは、その生気の正体は電気なのではないかと考えるようになったのだ。

プロイセンの電気師

アレクサンダー・フォン・フンボルトは一七六九年にベルリンでプロイセン人の裕福な一家に生まれた。九歳のときに父親を亡くし、兄のヴィルヘルムとともに冷ややかで高圧的な母親マリア・エリーザベトに育てられることになった。

子供時代にアレクサンダーは自然の事物に心奪われて、小動物や貝殻、植物や化石や岩石を採集しては観察し、その熱心さに「小さな薬剤師」と呼ばれるようになった。成長すると、生気は霊的なものか機械論的なものかという重大な科学的疑問に興味を持ちはじめる。自然科学の研究者になるのが夢だったが、母親は二人の息子にもっと地に足の着いた人生を望み、プロイセンの官公庁で高い地位に就かせようとした。そうしてアレクサンダーは経営学を学ぶためにフランクフルトに送り出されたものの、その学問に強い嫌悪感を覚える。そして最終的に母親を説得し、地質学への興味に従ってフライベルク鉱山学校で学んで、公務員と同じくらい地位の高い鉱山技師を目指しはじめた。

図26　アレクサンダー・フォン・フンボルトの肖像画

鉱山技師となったアレクサンダーはあっという間に出世していった。そしてライン川沿いの鉱山をめぐりながら、その地域の地質に関する書物や、薄暗く湿った岩の裂け目の中で発見した奇妙なカビやスポンジ状の植物に関する書物を著した。坑夫の生活環境や労働環境も気に掛けて、安全性を高めるためのマスクやランプを考案した。また坑夫のための地質学の教科書を書き、坑夫の子供たちのための学校を設立した。

一七九二年の秋、ウィーン滞在中にフンボルトはガルヴァーニの実験のことを知り、生気の正体は電気であるという説に心奪われた。そしてカエルの筋肉を使ったガルヴァーニの実験を再現したり、ライデン瓶でカエルやトカゲや昆虫を感電死させて解剖したりした。さらには自分の腕を切開して酸をこすりつけたり、帯電した針金を突き刺したりもした。もっと無謀な実験もおこなった。口の中に亜鉛の電極を、直腸に銀の電極を差し込んでそれらを針金でつないだところ腹痛に襲われ、「銀の電極をさらに深く直腸に差し込むと両目の前に明るい光が現れた」[13]

幸いにも自分の身体を使った過酷な実験で命を落とさずに済んだフンボルトは、一七九四年、イェーナの町で妻カロリーネと暮らす兄ヴィルヘルムを訪ねた。当時イェーナはザクセン＝ヴァイマル公国の文化的中心地で、兄の自宅はドイツ文化の巨人ヨハン・ヴォルフガング・フォン・ゲーテの家の近所にあった。ゲーテと親交のあったヴィルヘルムとカロリーネはアレクサンダーをゲーテに紹介した。

その頃ゲーテはすでに、大勢の女性の心を奪っては砕いてきた美少年の風貌ではなくなっていた。中年になって肥え、気難しくなっていた。しかし自然の事物に熱中する若きプロイセン人が訪ねてきたことで、若い頃の情熱、とりわけ自然科学に対する情熱が再び燃え上がった。フンボルトとゲーテは、生命の本質をめぐる生気論者と機械論者の対立など、当時のさまざまな論争について何時間も話し合った。そして二人で実験をおこない、解剖したカエルの脚に針金を突き刺してぴくりと動く様を観察した。[14] また、雷に打たれた夫婦の遺体の解剖もおこなった。ゲーテのロマン主義は基本的にキリスト教の人文主義の焼き直しではあったものの、人間を賛美するのでなく自然を愛するというその姿勢は、生命に関するフンボルトの科学と哲学に長く続く影響を与えた。

一七九〇年にフンボルトはロンドンに渡り、南太平洋を〝発見〟したクック船長の航海に随行した植物学者のジョーゼフ・バンクスと相まみえた。そしてバンクスから話を聞いた上に動植物の標本を見せてもらったことで、探検家になろうという決心を固める。地に足の着いた人生を望む母親のせいでその念願はなかなか叶わなかったが、その母親が一七九六年にがんで世を去る。兄弟とも母親の葬儀には参列しなかった。それから一か月もせずにアレクサンダーは鉱山監督官を辞め、博物学者、地理学者、地質学者、探検家としての新たな道を歩みはじめる。

一七九九年にフンボルトはスペイン国王から〝スペイン領アメリカ〟の探検の許可を得た。そして一七九九年六月五日にフランス人植物学者のエメ・ボンプランとともに、何台もの気圧計を含む膨大な科学機器を携えてピサロ号で出航し、七月一六日にベネズエラのクマナに到着した。それから何か月もかけて沿岸地方を探検したのち、オリノコ川とアマゾン川がつながっているという噂の真相を確かめるべく内陸へ向かった。そして茫漠とした平地やリャノの「焼け付く平原」を何週間もかけて苦労して横断した末に、カラボソという小さな町に到着した。するとそこで、「大きな金属板と電気盆（静電気を発生させる部品）、電池と電位計を備えた電気機械をヨーロッパの最初の科学者たちとほぼ同じくらいまで完成させた」人物と思いがけず出会って意気投合する。その「独創的で尊敬すべき男」カルロス・デル・ポソは、おもにベンジャミン・フランクリンの論文を参考にしてその装置を作り上げていた。そのため、世界一精巧な電気機器を携えるフンボルトとボンプランに出会えたことを心から喜んだ。「自分がまだ完成させていない機器や、あたかも自分の装置から真似したような機器を初めて目にして喜びを抑えきれなかった」という。

しかしフンボルトとボンプランがカラボソにやって来た目的は電気師と出会うことではなく（確かに嬉しい出会いではあったが）、電気魚を探すことだった。本章の冒頭で紹介した、馬を使った地元の漁法で二人は生きたデンキウナギを五匹捕まえたが、けっして無事で済んだわけではない。フンボルトの記述によると、生きたウナギをうっかり踏んでしまったところ「そのショックで痛みが走って麻痺し、……そのあまりの激しさに……膝を含む関節という関節がその日一日ひどく痛んだ」という。

フンボルトとボンプランは、そのウナギのショックも電気と同じく金属の中は通るが封蠟の中は通らないことを確かめた。また、互いに手をつなぐと両者の身体を通過することも分かった。さらに興味深い発見として、そのウナギはショックをコントロールして特定の方向に向けられることも分かった。たとえば一人がウナギの頭を持ってもう一人が尾を持つと、ショックを受けるのはたいていどちらか一方で、しかもどちらがショックを受けるかはそのたびに違っていた。このような実験からフンボルトは、動物電気も「ライデン瓶やヴォルタの電堆によって電導体を流れる電気」と本質的に同じものだが、ただしウナギはそれをコントロールできると結論づけた。

フンボルトはさらに四年間にわたってラテンアメリカを旅した。中でも有名なのが、アンデス山脈にそびえる巨大なチンボラソ山*に登ってボンプランとともに初の体系的な生物地理学調査を

* チンボラソ山は死火山である。

おこない、この山の植物を麓の熱帯雨林から岩峰にへばりつく地衣類に至るまで記録したことである。フンボルトは定期的に報告書を送ってヨーロッパの学術誌で発表するとともに、科学者にとって目新しい何千点もの動植物の標本をベルリンの同僚やロンドンのジョーゼフ・バンクスに送ったことで、ヨーロッパに帰国する頃には当時もっとも有名な科学者となっていた。

フンボルトがデンキウナギの観察結果を発表したのは一八〇八年になってからのことで、それまでに議論の焦点はこのウナギのショックが電気であるかどうかという疑問から、動物電気のもっと全般的な役割へと移っていた。後年もっと重要な意味を帯びてくるのが、一八一一年にアレクサンダーと兄のヴィルヘルムが、のちにベルリン・フンボルト大学と呼ばれるようになる大学を創設したことである。この大学に一八三六年、若くて聡明な医師で生理学者のエミール・デュ・ボア＝レーモン（一八一八―九六）が着任する。デュ・ボア＝レーモンは、神経を流れる微弱な電気信号を検知できる検流計と呼ばれる高感度の装置を開発した。そしてスティーヴン・グレイも観たら感心したはずの芝居がかった演示実験において、自分の腕を曲げただけで検流計の針が大きく振れることを実証した[15]。神経を伝わって動物の運動を引き起こしているとガレノスが考えた生気、いわゆる〝動物の魂〟が、シビレエイの与えるショック、ものを引き寄せる琥珀の性質、そして稲妻の破壊的な力と同じものであることがついに示されたのだ。こうして生気もまた、少なくとも動物の運動を引き起こすものとしては不必要な存在となった。

体内の電気

生気の正体と呼べるものがあるとしたらそれは、ほぼあらゆる生命現象に何らかの形で関わっている電気である。神経信号を伝えたり筋肉を動かしたりするだけでなく、一個一個の細胞内でも欠かせない役割を担っている。電気力によって生体分子が特定の形に折りたたまれることで、たんぱく質や酵素、細胞膜やDNA、糖や脂質が作られ、それらの物質によって細胞分裂、運動や修復、光合成や代謝、視覚や聴覚、味覚や嗅覚に関わる化学反応が進行している。神経信号は神経細胞に出入りする荷電粒子の波として伝わっていく。細胞内にあるミトコンドリアと呼ばれる小器官の膜に埋め込まれたナノスケールの電気モーターが、すべての細胞を働かせるエネルギーを生み出している。細菌はナノワイヤーを伝わる電気信号を介して情報交換をしているし、[16]胚の発生も生体電気信号によって進んでいく。[17]

フンボルトは一八五九年に世を去った。フンボルトの最後の著作は完成までに二七年を要し、その全五巻の大作『コスモス』は索引だけで一〇〇〇ページにもおよぶ。地理学、人類学、生物学、地質学、天文学、化学、物理学を一つにまとめようとした、とりとめがないが包括的であちこちに目を見張るところのある書物である。アリストテレス以来、人類の知識がこれほどまでにまとめ上げられたことはなかった。この著作の中でフンボルトは、「この宇宙の生気を支配する統一的な法則と原理の解明を目指す」よう訴えている。生気の概念はいまだ存在していたものの、数々の学問をまとめ上げようとしたフンボルトの遺作によってそれは神秘主義的概念として片付けられ、代わりに物理学では統一理論が望まれるようになった。それについてはのちほど掘り下げていこう。

「この宇宙の生気を支配する統一的な法則と原理」によって生命のからくりまでも説明できるかもしれないという考え方を、多くの科学者は受け入れたものの、すさまじく多様で複雑な生命をその同じ「法則と原理」でどうしたら説明できるのか、誰一人見当がつかなかった。どんなに徹底的な機械論者でも、フンボルトのような博物学者が毎年のように発見する何千もの生物種はおろか、たった一つの生物種の起源ですら機械論的に説明することはできなかった。アメリカの詩人ジョイス・キルマー（一八八六―一九一八）は次のように嘆いている。

詩は私のような愚か者によって作られるが
一本の木を作れるのは神だけである。

このような主張を覆すことが、単純さを追い求める科学の次なる挑戦となる。

第14章　生命の導き

［自然選択の］理論そのものは非常に単純で、その前提となる事実も、個々に数えればきわめて膨大で生物界全体におよぶものの、容易に理解できる少数の単純な種類に分けられる。

アルフレッド・ラッセル・ウォレス、一八八九[1]

自然界の必然性ゆえ、一部の動物の各部位はその身体全体の健康にとって都合の良いように配置されている。たとえば前歯は鋭くて食べ物を嚙み切るのに適しており、奥歯は平たくて食べ物をすり潰すのに適している。……これらの各部位は、そのように利用されるがゆえに存在するのではない。そのような部位が生じることでその動物は生き延びられるのだ。なぜなら……それらの部位は偶然によって、その動物の維持に適するようなものになるからだ。

オッカムのウィリアム、一三二〇頃[2]

一八五八年六月一八日、イングランド・ケント州のダウン村から一キロほど離れたところに建つダウンハウスという邸宅に一通の手紙が届けられた。宛名は四九歳の高名な博物学者チャールズ・ダーウィン。ダーウィンの名声は、いまでは『ビーグル号航海記』として広く知られる一九年前の著作が大評判になったことによるところが大きかった。その中でダーウィンは、かの有名な船での航海の様子だけでなく、五年間におよぶ南大西洋や太平洋やインド洋の探検の最中に出合った驚くほど多様な動植物についても記している。若い頃のダーウィンが目を見張ると同時に頭を抱えたのが、訪れた島々にそれぞれ異なる生物種からなる独自の生物群が棲んでいることだった。

まず完全に興味を掻き立てられたのが、マネシツグミを互いに比較すると、驚いたことにチャールズ島に棲んでいるのがすべて一つの種（ミムス・トリファスキアトゥス）、アルベマール島ではすべてミムス・パルウルス、ジェイムズ島とチャタム島ではすべてミムス・メラノティスに属していたことである。

互いに隣り合った島々になぜそれぞれ独自の生物種が棲んでいるのか？

創造説を信じる人たちならもちろんその答えを知っていた。神がそのようにこの世界を作ったからだ。しかし一九世紀には多くの生物学者が、神を引き合いに出すこのような説明には徐々に満足できなくなっていた。二〇〇年近く前にニュートンは、「神は時計職人のようにこの宇宙に手を突っ込んで、正しい秩序で動きつづけるよう時折その機構をいじり回さなければならなかった」と論じた。しかし一つの諸島に属するちっぽけな島一つ一つに棲むツグミやフィンチをいじり回すなんて、まるで偏執狂ではないだろうか？

チャールズ・ダーウィンはビーグル号での航海を終えて以降ずっと、生物種の起源の謎についてあれこれ考えをめぐらせていた。一六年前には自説の〝概略〟の草稿まで書き上げていた。しかしもっと証拠を集めるのが先決だと思って、自らの考えをいっさい公表していなかった。そこで二〇年前から、蠕虫や蔓脚類など海岸に棲む生物の研究および、動植物採集者の広範なネットワークを駆使して収集した標本の調査に没頭していた。〝フライマン〟と呼ばれた彼ら採集者は、世界中の森林やジャングル、湿地やサバンナや砂漠を駆けめぐっては風変わりで珍しい動植物を発見・収集し、博物館や裕福な博物学者に送って買い取ってもらっていた。

一八五八年六月にダウンハウスに届いた問題の手紙は、そんなフライマンの一人であるアルフレッド・ラッセル・ウォレスからのものだった。ダーウィンもよく知っている名前である。数年前にウォレスがロンドンの代理人サミュエル・スティーヴンズに送った貨物の目録の中に、「家禽のアヒルの変種はダーウィン氏に」という記載がある。[3] しかも一八五五年にウォレスは、フライマンにしてはかなり珍しいことに、『新たな種の導入を司る法則について』というタイトルの科学論文を書いていた。[4] そしてこの論文に記した説についてダーウィンに手紙で意見を求めたが、返事はなかった。それでもこの論文とその後の手紙によって、この無名のフライマンも生物種の起源について考察しているという事実がダーウィンに突きつけられたのは確かである。

一八五八年にダーウィンの自宅の玄関先に届けられた問題の手紙には、それまでの手紙と違って論文の原稿が同封されていた。それを読みはじめたダーウィンは雷に打たれたような衝撃を受けた。その冒頭には、人口増加が資源の増加量を必ず上回ると指摘するマルサスの一七九八年の著作『人口論』が引用されていて、それに続き次のように論じられている。「野生動物の生活は生存を懸けた競争であって」、生まれた個体のうち生き延びて繁殖できるのはごく一部である。「死ぬのは決まってもっとも弱い個体で、……長く生きられるのは健康と活力の面でもっとも完璧な個体である」。一方、家畜動物を繁殖させる人たちは、おとなしさやふくよかさといった望ましい特徴を人工的に選ぶことで、オオカミをイヌに、イノシシをブタに変えてきた。野生の動物種の自然な変種にもそれと同じように「生存を懸けた競争」が働き、「もっとも弱くて身体のつくりが完璧な状態からもっとも遠い個体が決まって死ぬはずだ」。何百万年もかかるこのプロセスによって進化的変化が起こり、それぞれの土地の環境に適応した新たな生物種が生まれる。以上がウォレスの主張である。

ウォレスは生物種の起源の謎を解き明かしていたのだ。手紙の末尾ではダーウィンに、もしもこの論文に何らかの価値があると思ったなら、イングランドでもっとも著名な地質学者でダーウィンの親友であるチャールズ・ライエルに渡してくれないかと頼んでいる。

ウォレスの原稿をめくるにつれてチャールズ・ダーウィンの長く伸びた眉毛が歪み、きれいに剃った顎がだらりと垂れ下がっていったのは想像に難くない。我に返ったダーウィンは友人ライエルに、次のような手紙を添えてウォレスの論文を送った。

機先を制するべきだという君の言葉がまさしく現実になった。……これ以上の偶然の一致にはお目にかかったことがない。私が一八四二年に書き上げた生物種の謎に関する概略をもしもウォレスが読んでいたとしても、これ以上優れた短い要約を書くことはできなかったはずだ！　彼の使っている用語の一つ一つが私の概略の各章のタイトルとして通用するほどだ。……だから私の独創性がいくばくのものであったとしても、これで台無しになってしまう。

その上でダーウィンは、「ウォレスのこの概略を評価してくれたなら、君の言葉を彼に伝えよう」と記している。また、この論文を学術誌に投稿することをウォレスに手紙で伝えるとも約束した。

チョウと甲虫

アルフレッド・ラッセル・ウォレスは一八二三年、幼児期を生き延びた九人きょうだいの一人として生まれた。母親のメアリー・アンはハートフォードの裕福な家の出だった。しかしアルフレッドによると、父親は「かなり便々とした生き方で」、投機的な事業を次々と手掛けては失敗を繰り返し、一家の資産をほとんど失ってしまう。貧しくなった一家は一八一六年にロンドンの大きな家から、ウェールズとイングランドの境に近いモンマスシャー州の安い家に引っ越さざるをえなくなり、その家でアルフレッドは生まれた。

アルフレッドが五歳のとき、親戚の死によって遺産が転がり込んで先行きが明るくなり、一家は母親の出身地ハートフォードに移り住んだ。しかしまたもや投機的な事業で失敗して再び財産を失い、ウォレス夫妻は唯一増えつづける資源である我が子を利用せざるをえなくなる。アルフレッドの兄たちはしかるべき歳になると一人ずつ奉公に出て、測量士や大工やトランク職人になっていった。一家は次々に小さい家に引っ越さざるをえなくなり、ついには狭すぎて子供全員が収まりきらないほどになってしまう。そこでしかたなくアルフレッドは私立学校の寮に入れられ、下級生を教えることで学費を稼いだ。

しかし一家の経済状況がますます悪化し、一四歳で退学せざるをえなくなる。そして当時ロンドンの建設会社で見習いをしていた兄のジョンの下宿に住むことになり、日給六ペンスで便利屋の仕事をした。だが幸いにもロンドンには、金を使わずに自ら勉学を進める機会がたっぷりとあった。ウォレスは大英図書館や動物園に加え、裕福な慈善家が労働者階級に科学を普及させるために設立した七〇〇校ほどある職工学校の一つで、トテナム宮殿通りに面する〝科学の殿堂〟（現在のバークベック・カレッジ）にも足を運んだ。そしてこの学校で、協同組合運動の創始者の一人であるウェールズ人社会主義者のロバート・オーウェンの話を聴き、のちに直接顔を合わせた。このオーウェンの空想的社会主義と、既成の宗教に対する猜疑心が、ウォレス自身の思考形成に大きな役割を果たすこととなる。のちにウォレスは、「宗教として有益だったのは、人間性を植え付けて人類愛を唯一の教義とするものだけである」と記している。

図27　チョウの標本板

一八三七年に測量士の見習いを始めたアルフレッドは、その後の六年間でイギリスじゅうをめぐりながら、土地囲い込み一般法に関する主張をたびたび展開した。それまで小作人は放牧のための土地を共有していたが、この法律によって共有地から締め出されたことで貧困にあえいでいた。アルフレッドはこれを、「法律に基づく貧乏人からの略奪である」ととらえた。その一方、測量士の仕事で郊外をかなり歩き回ったことで、動物学や鳥類学、植物学や昆虫学、とくに甲虫に対する終生の興味を植え付けられた。

一八四三年、アルフレッドは二〇歳で父親を亡くして測量士の見習いを辞めざるをえなくなり、見つけられる限りの建設関係の仕事に就いた。そして臨時雇いの労務者として何か月も働いた末に、自分の興味にもっとふさわしい職を見つける。イングランド中部の町レスターでの教師の仕事である。余暇には町の図書館に足を運んで、アレクサンダー・フォン・フンボルト『新大陸赤道地方紀行』やチャールズ・ダーウィン『ビーグル号航海記』、トマス・マルサス『人口論』を読んだ。また、同じく独学で学んでやはり甲虫に興味を抱いた若者、ヘンリー・ウォルター・ベイツ（一八二五—九二）と出会って生涯の友となる。アルフレッドとヘンリーはレスターシャー州の郊外にたびたび小旅行に出掛けては、甲虫やチョウなどの昆虫を網いっぱいに捕まえて帰ってきた。そしてベイツ家の物置小屋の壁に釘止めした木の板に、標本を一つずつ慎重に留めていった。それに続き、一つ一つの標本に種の名前のラベルを貼っていくという難題が待っていた。二人は翅の色や模様や大きさなどの特徴を丹念に記録していって、一つの種の中に自然に見られる特徴の違いと、種どうしを分け隔てる特徴の違いとを峻別する術を身につけた。この作業を通じてアルフレッドは、一九世紀の生物学における最大の疑問に対する関心をほとばしらせる。それは、生物種はどのように生まれるのかという疑問である。

棒と石と種の起源

ヴィクトリア朝時代、そもそもこの疑問に考えをめぐらすほとんどの人は、地球上のすべての生物種はおよそ六〇〇〇年前に一週間以内で創造されたと信じていた。そのため一般の人にとって、動植物が多様であることはけっして謎ではなかった。オッカムのウィリアムの時代に考えられていた天体の運動と同じく、ウシや獣や這う生き物は人間が「支配するために」神によって作られたとすることで、自然界の姿は説明されていた。そもそもこの世界を無数の多様な動植物で満たすことのできる力を持った存在なんて、神以外には考えられなかった。

六〇〇年前にオッカムのウィリアムが剃刀を当てたトマス・アクィナスの神学的科学の中でも、聖書に基づく創世説はさまざまな面で最後まで残りつづけたといえる。トマスは創世記をアリストテレス哲学の枠組みの中で解釈し、ネコやイヌやオークの目的因を、神の計画によってそれらに与えられた役割と同一視した。また、神はそれぞれの生物種に〝イヌ性〟、〝ネコ性〟、〝オーク性〟といったそれぞれ固有の普遍を与えたと唱えた。つまりそれぞれの生物種は、二重の意味で不変であるということになる。しかしオッカムのウィリアムが目的因と普遍を切り捨てたことで、生物種は不変であるという実在論者トマスの主張は根拠を失った。さらに、この章の冒頭に挙げた引用文から読み取れるとおりウィリアムは、歯などの特徴の自然な多様性は偶然によって生じ、「その動物が生き延びる」ことで維持されるのではないかと考えていた。自然選択説を先取りしたような驚きの発想だが、ほかの数々の発想と同じく、啓蒙運動の際に中世の思想がことごとく忌み嫌われたせいで見捨てられてしまう。権威づけられた定説が幅を利かせたことで、一八世紀には現代の分類学の父であるスウェーデン人のカール・リンネ（一七〇七―七八）も「新たな種などというものは存在しない」と主張した。[5]

種の起源を創造説に基づいて考えざるをえなくなったきっかけは、イングランド人聖職者・博物学者・哲学者のウィリアム・ペイリー（一七四三—一八〇五）が唱えた、かの有名な時計職人の議論である。ニュートンやガリレオ、ボイルやファラデーの示した機械論的な法則では、たとえばヒトの眼のような複雑に組織化された器官を作り出すのは不可能であるという主張だ。ペイリーはそれを次のようなたとえで説明した。荒野を歩いていてたまたま「地面に時計が一個落ちていたら、どうしてそんな場所に時計があるのかと考えてみるはずだ。どこかにいつかある目的で［その時計］を作った職人がいて、その目的は我々が実際にその時計を見つけることで果たされる」と主張した。この〝知的設計論〟をきっかけに、既知の自然法則では説明できない現象を神の存在に基づいて説明する、〝隙間の神〟と呼ばれる考え方が生まれた。

しかし一八世紀初めになると、新たな発見の数々によって隙間の神は隅へ隅へと追い詰められていった。たとえば神はウィリアム・ペイリーが思い浮かべた時計に加えて、動植物とそっくりな石を荒野にばら撒いたのかもしれない。ときに〝形象石〟と呼ばれたそのような石が、農民の犂（すき）によってたびたび掘り起こされたり砂浜で見つかったりしていた。中には木の枝や葉や種子、骨の破片に似たものもあった。さらに不可解だったのが、未知の海洋生物のような形をした石である。いくつもの小部屋に分かれる海洋軟体動物の殻に似た、美しい渦巻き模様があしらわれた円盤形の巨大な石がドーセット州の農民によってたびたび掘り起こされていて、それらはスネークストーンと呼ばれていた（図28）。そのほかに、五つの部分に対称的に分かれた、チェドワースのパンと呼ばれるウニそっくりの石も見つかっていた。[6] 既知や未知の海洋生物の遺骸が石になったものを、いったい誰が海から遠く離れた畑なんかに埋めたのだろうか？

図28　ロバート・フックによる形象石のスケッチ。スネークストーンと呼ばれていたもので、いまではアンモナイトの化石であることが分かっている。

一七世紀の一般的な説明では、形象石は神が一個一個作ったものとされていた。それを地上に置いた理由は謎だが、おそらく血の通った生身の生き物を作る前のいわば習作か、または人々に神の全能性を思い起こさせるためだったのだろうという。しかしその分布のしかたは依然として謎だった。オックスフォードシャー州やドーセット州には大量に存在するのに、なぜダートムア高原やウェールズの丘陵地帯ではほとんど見つからないのか？　どうして神は石に刻んだ教えをドーセット州の人々には授けたのに、北ウェールズの人々には授けなかったのか？[7]

科学者の中にはそんな定説からかけ離れた考え方を取る者も何人かいた。ロバート・フックは一六六五年出版の著作『顕微鏡図譜』の中で、生物の標本だけでなくいくつかの形象石の微細構造についても説明し、形象石が肉眼だけでなく顕微鏡で見ても生物の標本にそっくりであることに驚きを表した。その上で、形象石はその見た目どおり動植物の遺骸が石化したものであると唱えた。この説は当初こそかなりの疑念をもって受け取られたものの、徐々に支持を集めていった。押しつぶされたりばらばらになったりしたことがはっきりと分かる標本が多数見つかり、お節介な神が自らの全能性を必死で人間に印象づけるために置いたという説とは辻褄が合わなくなってきたからだ。

創造説論者にとってもう一つ問題となったのが、科学界に知られていたどんな生物とも異なる形象石が発見されたことだった。一八一一年にアマチュアの形象石収集家メアリー・アニング[8]がドーセット州の断崖で、長さ五メートルのまったく未知の海洋生物の石化した骨格を発掘したのだ。神はいったいどんなつもりでこんな石の魚竜を作ったのか？　イギリス海峡を隔てたフランスの動物学者ジョルジュ・キュヴィエ（一七六九―一八三二）も、マストドンやマンモス、巨大な地上性ナマケモノや翼竜といった未知の陸棲生物の石化した骨としか思えない石を発掘し、それらは絶滅した生物の遺骸であると主張した。そうして一九世紀初めにはおおかたの博物学者が、ロバート・フックの説は正しかったと確信するようになる。偉大なイングランド人地質学者でダーウィンの友人であるチャールズ・ライエル（一七九七―一八七五）も、すさまじい影響を与えた一八三〇年出版の著作『地質学原理』の中で、化石は絶滅した動植物の遺骸であるという説を受け入れている。

生物が絶滅するという考え方は、人間を中心に描かれた創世記に大問題をもたらした。なぜ神は、人間に〝支配〟させたのちに消し去るためだけに数々の動物を作ったのか？　創造説論者の中には、化石と同じ種に属する血の通った生きた生物が遠く離れた無人の地でいまも繁栄しているのだと唱える人もいた。しかし魚竜のような海洋生物がいまだ人間に見つかっていないというのはありえなくはないが、翼竜が現在の地球の空を飛び回っているのに誰一人気づいていないというのは信じがたい話だ。若きアルフレッド・ウォレスも創世記に従って動植物を分類した論文を読んで、「科学と聖書を両立させようとすると、たとえ科学者であってもこれほどまでにばかげた説を唱えるものなのだ」と述べている。[9]

化石の正体をめぐる議論が進むにつれて、創造説のもう一つの柱である、生物種はけっして変化しないという定説にも疑念が示されるようになった。フランス人貴族で解剖学者のビュフォン伯ジョルジュ＝ルイ・ルクレール（一七〇七―一七八八）は、たとえば何の役にも立たないブタの側指骨など、一部の動物に痕跡的な器官があることに気づいた。そして、なぜ神は無用な部位なんかを動物に備え付けたのかと問いかけた。その上で痕跡器官を持った動物は、その無用な器官が機能を果たしていたがいまでは絶滅している生物種の子孫であるというほうが、可能性が高いのではないかと考えた。

ビュフォンはパリの王立植物園で園長を務め、フランス人博物学者のジャン＝バプティスト・ラマルク（一七四四―一八二九）を部下として指導していた。そのラマルクが、ダウンハウスにウォレスの手紙が届く約五〇年前の一八〇九年に世に出した著作『動物哲学』の中で、すべての生物種は後天的な特徴が継承されることで進化すると唱えた。そこに挙げられている有名な例が次のようなものである。レイヨウが木のてっぺんの葉を食べようと首を伸ばし、そうして獲得した長い首という特徴が子に受け継がれ、その子も口の届かない葉を食べようと頑張り、その特徴がさらにその子に受け継がれて、最終的にキリンが生まれたというのだ。

しかし生まれてから獲得した特徴が子に受け継がれるようには思えなかったため、ほとんどの科学者は信じようとしなかった。有名な反例が鍛冶屋である。鍛冶屋は金鎚を持つ腕のほうがもう一方の腕よりもはるかに筋肉が発達して、左右の腕がかなり非対称になることが多い。しかし鍛冶屋の子供は、自分が鍛冶屋にならない限りその非対称な特徴を受け継ぐことはない。それでも一九世紀中頃まで、生物種の起源に関する説としてこれよりも優れたものは誰一人考えつくことができなかった。イングランド人天文学者で哲学者のジョン・ハーシェルは一八三六年にチャールズ・ライエルに手紙で、「絶滅した生物種が別の生物種に取って代わられるという謎の中の謎」についてどう考えるか尋ねた。するとライエルは、神はそれぞれの生物種を環境に完全に適応する形に作ったが、その連続的な創造のプロセスは地質学的な歳月をかけて進んだのだ、と答えた。[10] いわば漸進創造説を唱えようとしたのだ。

こうして生物種の起源をめぐる疑問は、ウォレスの暮らすレスターシャー州という、科学から比較的取り残された地でも注目の話題になった。一八四〇年代にはウォレスとベイツも甲虫の標本をピン留めする手を休めては、ビュフォンやラマルク、フンボルトやライエルやダーウィンの発見や学説についてたびたび話し合ったのだろう。そうして、生物種の起源の問題の答えを見つけてやろうという決意を高めていった。

アマゾンでの災難

一八四五年、兄ウィリアムが肺炎で死んだという知らせを受け、アルフレッド・ウォレスは野望など後回しにせざるをえなくなる。きょうだいを五人も亡くしたことで、家長と稼ぎ頭の役割を負わなければならなくなったのだ。そこで教師の職を辞め、もっと稼ぎの良い測量士の仕事に戻った。

それから二年にわたって技術者や鉄道建設作業員とともに働き、郊外で鉄道建設にふさわしい土地を見つけるべく測量をおこなった。それでもベイツとの文通は続け、自然史に関する最新の発見や博物学者になるという野望について話し合った。そうして一八四七年には一〇〇ポンドの蓄えが貯まり、これで一財産を築いたと思った。偶然にもその同じ年にチャールズ・ダーウィンは、一族の地所の一部として四万ポンド相当の資産を相続している。一八四七年秋にウォレスはベイツにとある計画を打ち明ける。フライマンとして生活費を稼ぎながら、フンボルトやチャールズ・ダーウィンの足跡をたどって一緒に世界一周をしようというのだ。それとともに、「（動植物の）いずれか一つの科をおもに種の起源に関する理論の観点から徹底的に研究する」という自身の野心も伝えた。[11]

二人は準備を進めるべくロンドンで落ち合った。しかしフンボルトと違って自腹で探検費用をまかなうことはできなかったし、ダーウィンやハレーと違って英国海軍の戦艦に無償で乗船させてもらえるような強いコネもなかった。そこで大英博物館を訪れてチョウを担当する学芸員のエドワード・ダブルデイに相談すると、ほぼ未探検のブラジル北部なら希少で価値のある標本を採集できるだろうというアドバイスを受けた。そこでその足でキュー王立植物園に向かい、園長のジョーゼフ・ダルトン・フッカーから紹介状と、所望する希少なヤシのリストを受け取った。さらに、二人と同じく自然史に熱中していて〝ナチュラル・ヒストリー・エージェンシー（自然史商会）〟という会社を立ち上げたばかりのサミュエル・スティーヴンズを代理人に立てた。最後に金を出し合って貨物帆船ミスチーフ号の船室チケットを手に入れ、尊敬するアレクサンダー・フォン・フンボルトに倣って南アメリカに向け旅立った。

ウォレスは熱帯に対する当初のイメージをけっして忘れないままブラジルのサリナスに到着し、アマゾン盆地の入口にある港町パラへ向かう船に乗り換えた。その周囲の光景を、「水中から立ち上がったように見える森が延々と連なっている」と記している。ウォレスとベイツが一八四八年五月二六日に下船したその町の人たちは、「肌の色が白から黄色、褐色、黒人、インド人、ブラジル人、ヨーロッパ人や、そのあらゆる中間の色と千差万別だった」。二人が朝食にサルの肉を焼いたものを食べ、徒歩で町を外れて森に入ると、「細い木質のつる植物が木の枝から花綱飾りのように、あるいはリボンの付いたひものように垂れ下がり、頭上ではよく茂った匍匐植物が木や幹、屋根や壁をびっしりと覆い、おびただしい葉で杭を倒していた」。上流にあるグアリバスの早瀬への探検にすぐさま出発してさらに森に分け入ると、ワニやチスイコウモリ、スズメバチなど嚙む昆虫に大量に出くわし、縁の広い帽子から垂れ下がった網で顔を覆うしかなかった。最初のジャングル探検では、その多くが科学界に知られていなかった昆虫や鳥や植物の標本三六三五点を捕獲・採集し、保管・梱包してイングランドのスティーヴンズに送った。

ウォレスとベイツは九か月にわたって行動をともにしたところで、別々になったほうがもっと得るところが大きいだろうと判断した。ウォレスはアマゾン川支流のネグロ川をさかのぼって、フンボルトがベネズエラ探検の際に到達したもっとも南の地点まで進み、一方のベイツはソリモンエス川を探検することになった。ウォレスは標本採集を続けるとともに、測量士としての研鑽を生かしてアマゾン盆地の中でもほぼ未探検だったこの地域の地図を作成した。カヌーで川をさかのぼるとアマゾンの先住民から、ジャガーやピューマ、獰猛なイノシシや尾を生やした野蛮人、そしてクルプリという恐ろしい森の悪魔の登場する民話を聞かされた。そして現地の人たちと出会ったことで、土着の文化や風習に終生深い関心と敬意を抱くようになった。また「文明生活に

図29　ヘンリー・ウォルター・ベイツ『アマゾン河の博物学者』（1863）の口絵「ニジチュウハシとの冒険」

対する激しい憤り」も湧き上がってきた。

一八四九年にウォレスは家族に宛てた手紙の中で、弟のハーバートに一緒に探検しようと提案する。そこでハーバートは若い探検家で植物学者のリチャード・スプルースを連れてウォレスに合流し、三人でそれから二年間にわたりアマゾンの多様な動植物を採集した。しかし不幸にもハーバートは一八五一年にパラの町で黄熱病により命を落とし、アルフレッドもおそらくマラリアによる発熱と悪寒に何度も苦しめられた。回復はしたものの、衰弱して気持ちも落ち込んだ。ベイツはさらに六年間アマゾンに滞在することになるが、ウォレスはそろそろイングランドに戻る潮時だと判断した。

そこで一八五二年七月にパラへ戻って最後の標本を箱に詰め、生きた鳥やサルや野生のイヌとともにイングランド行きの帆船ヘレン号に積み込んだ。すると出港から三日後、ちょうど朝食を終えたところで船長がウォレスの船室に駆け込んできた。「火災が発生したかもしれない。一緒に来て確かめてくれ」。ウォレスは日記とアマゾン川の魚を描いた数枚の鉛筆画だけを抱え、乗客乗員全員とともに船を見捨てて小型のボートに乗り移るしかなかった。収集した貴重な標本の数々が火に包まれ、怯えた動物や植物が炎に焼かれたり、沈み行く船とともに溺れていったりするさまを、ボートの上から茫然と見つめた。一羽のオウムだけが何とか逃げ出して海の上に落ち、救命ボートに乗っていた船員に拾い上げられた。

漂流も一〇日間におよんでウォレスの顔や手は日焼けで火ぶくれし、食料と水も底をつきかけた（オウムがどうなったかは述べられていない）。すると幸いにも、イングランドへ向けてのろのろと航行する帆船ジョーデソン号の乗組員に発見される。平均二ないし三ノットというスピードだったが、八〇日間にわたって海上を進んだ末にようやくイングランド・ケント州のディールに到着し、ウォレスは二人の船長と大いに食事を楽しんだ。さらに嬉しいことに、スティーヴンズが貨物に二〇〇ポンドの保険を掛けてくれていた。しかも頼もしい代理人スティーヴンズは、観察記録を収めたウォレスの手紙の何通かを発表する手はずを整えるとともに、以前の船便で送った標本の多くを展示してすでに売却してくれていた。ロンドンに到着するとウォレスは、スティーヴンズのおかげで自分が無名の人物からある程度名の知れた採集者で立派な博物学者へとのし上がっていることを知り、嬉しい驚きを感じた。

二〇〇ポンドを手にしたウォレスは時間を無駄にすることなく、新たな探検の計画を立てはじめる。今度は行き先を東方に定めた。そして一八五四年三月にマレー諸島に向けて出発し、四月にシンガポールに到着した。ダーウィンにあの有名な手紙を送る四年前のことだった。

生命の歴史に条件を課す——サラワクの法則

ウォレスは三か月にわたりシンガポール島内を探検して動植物の標本を収集したのち、一八五四年一一月一日にボルネオ島のサラワク州にあるクチンの港に到着してそこに拠点を築いた。そしてアリという名前の一五歳のマレー人を雇って食事を作らせ、マレー語を教わった。アリは猟銃の扱いに長け、鳥の皮を剝ぐのも上手で、ウォレスは八年におよぶマレー諸島の探検中ずっとアリを同行させた。

二人はクチンの拠点からカヌーでサラワク川やサントゥボン川を上った。川岸に上陸すると、日中は鳥を撃ったりトカゲを罠にかけたり昆虫を網で捕まえたりして過ごし、夜は近くのダヤク村に泊まった。屋根の端に人の頭部のミイラを飾った草葺きの木造長屋で眠ることが多かった。その装飾にはぞっとしたものの、長屋での共同生活が気に入り、最大で二〇〇人の村人と一緒に過ごすこともあった。何よりも、ダヤク村を取り囲む森はアマゾンに似ていながら、アマゾンの生育種とはまったく異なる驚くほど多様な鳥や昆虫にあふれていた。ウォレスは徐々に一つのパターンに気づきはじめ、ある単純な考えが心の中に芽生えてきた。そして一八五五年にその考えを、『新たな種の導入を司る法則について』というタイトルの科学論文にまとめた。その原稿を受け取ったスティーヴンズは大衆向けの科学雑誌『自然史紀要雑誌』に投稿し、論文は年内に掲載された。

その論文は自然選択説の誕生の鍵になったものとしてもっと広く知られるべきだと思う。この冒頭でウォレスは、「地球の表面は未知の計り知れない歳月にわたって何度も変化してきた」と主張している。ライエルも『地質学原理』の中で、地球は「計り知れない歳月」にわたって存在してきたと主張した上で議論を展開させており、ウォレスはそれを基本的になぞったのだといえる。続いてウォレスは化石記録の証拠に基づいて、「生物界の現在の状態が生物種の漸進的な絶滅と創造という自然のプロセスによって築かれたのは明らかである」と主張している。ここで注意すべきが、ウォレスは「創造」という言葉を使いながらも、「絶滅と創造」のプロセスは「自然」のものだと述べている点である。生物種は機械論的に創造されたという考え方を明確に支持しているのだ。さらにウォレスは自然史に関する九つの「主要な事実」を列挙して、生物種の起源に関する理論はそれらの事実を説明できるものでなければならないと唱えている。

その事実のうちの四つは地理的なものである。最初の二つが意味するのは、チョウや哺乳類などの大きな分類群は科や種などのもっと小さい分類群に比べてはるかに広く分布するという点である。たとえばチョウは世界中に見られるが、長くて美しい尾を持つタテハチョウ科の分布は南北アメリカに限られ、その中のどれか特定の種はおもに森林のある一地域にしか棲息しない。ウォレスが示した三つめの事実は、互いに近縁な種や種群は隣り合った領域に棲んでいることが多いというものである。最後の四番目の地理的な事実は、「広い海や大きな山脈で隔てられて」互いに似たような気候の地域が広がっていると、その海や山脈の一方の側に棲む科や属や種と、もう一方の側に棲む科や属や種とがかなりよく対応するというものだ。この事実は以前にダーウィンも書き留めていたが、ウォレスはその実例として、狭くて浅い海で互いに隔てられているにすぎないマラッカ島、ジャワ島、スマトラ島、ボルネオ島で自身が観察した事柄を挙げている。

これに続いてウォレスは同様の事実をさらに四つ挙げているが、それらは空間的でなく時間的な距離に関するもので、完全に目新しくて何よりも注目すべき事柄である。アンモナイトなどの小さな分類群は軟体動物などのもっと大きな分類群と比べて、化石記録の中での時間的な分布が狭いことが多いというのだ。また、「一つの属の中で同じ時代に棲息していた種や、一つの科の中で同じ時代に棲息していた属は、異なる時代に棲息していたものよりも互いに近縁である」。

たとえばアンモナイトの中でも互いに近縁の種は隣り合った地層に密集しているが、互いに遠縁の種は大きく隔たった地層に分かれている。ウォレスが九番目と最後の一〇番目に挙げた〝事実〟は、地質学的記録の中に同じ種や種群が二回以上現れることはけっしてないというものである。要するに、「二度創造された種群や種は存在しない」ということだ。

続いてウォレスは生物学をさらに覆すかのように、以上の事実のうちの九つをたった一つの単純な主張、すなわち〝法則〟にまとめた。現代生物学にとって初の法則の一つである。のちに〝サラワクの法則〟と呼ばれるようになるその法則とは、「すべての種はそれに近縁の種と空間的にも時間的にも同じところに出現した」というものである。今日の我々にとっては当たり前に思えるだけに、一九世紀当時それがどれほど独創的だったかを感じ取るのはなかなか難しい。我々はたとえば、ヒトとチンパンジーは〝近縁種〟で、比較的最近になってアフリカで出現したと当たり前のように考えている。ヒトとチョウはもっと遠縁で、これらの共通祖先とは時間的にも空間的にももっとずっと離れている。しかし一八五五年当時ほとんどの博物学者は、チンパンジーやチョウなど地球上に棲むすべての生物が六〇〇〇年ほど前に同じ場所で一週間以内に創造されたと信じていたため、ウォレスの示したサラワクの法則には衝撃を受けたに違いない。

法則がいかに重要であるかについては、ビュリダンやケプラー、ボイルやニュートンの法則に即してすでに説明した。法則は幅広い現象をできるだけ単純な形で表現していて、予測をおこなうための道具として使える。サラワクの法則もその例外ではない。第一に単純で簡潔である。ウォレスの挙げた九つの事実と自然史に関する無数の観察結果がたった一文に凝縮されているのだ。単純化された以前の法則、たとえば太陽中心説などと同じように、それまでとりとめのなかった多数の観察結果をこの一つの法則から導き出せるようになった。ウォレスは次のように論じている。

この法則［サラワクの法則］は、事実を単に説明するだけでなく必然的に導き出すものであるという理由から、従来の仮説よりも優れている。この法則を認めるならば、ほかの仮説では説明できなかった自然界におけるきわめて重要な事実の多くは、惑星の楕円軌道が重力の法則から導き出されるのと同じように、この法則からほぼ必然的に導出される。

このサラワクの法則によってオッカムの剃刀は生物学にもその刃を当て、自然界は何段階も単純になったのだった。

ところがそれに気づいた人はほとんどいなかった。

くだらないこと

サラワクで書き上げた論文を代理人スティーヴンズに送ったウォレスは、さらに中身の濃い本を書く計画を立てた。ヘンリー・ベイツに宛てた手紙の中でそれを次のように明かしている。

「当然あの論文はこの説を発表しただけであって、発展させてはいない。論文では示しただけにすぎない事柄を証明するために、関係するあらゆるテーマを取り入れた本格的な本を計画してその一部を書き上げた」[12]

のちに理由は明らかになるが、この「本格的な本」は結局完成せず、サラワクで書かれた論文もほぼ無視された。代理人のスティーヴンズからも、理論を立てるのは専門家に任せてフライマンに専念すべきだという何人もの顧客の声を伝えられて釘を刺された。しかしイングランドでもっとも名高い地質学者のチャールズ・ライエルはウォレスのサラワク論文を読んで、自分の信じる連続創造説を覆そうとするものだと判断した。そこでそれに対する反論として、「現在または近い過去に存在していた種と似た新たな種が出現する原因は、過去と未来、そして現在にも無数に存在する」と論じた。[13] もちろんこの「無数の原因」は複雑さを増やすことにつながる。ライエルはさらに、神は未来を見据えた上で新たな種を創造するのであって、その計画にはたとえば一つの島がのちに二つに分かれることも織り込み済みなのかもしれないと唱えた。

それでもライエルは、ウォレスの結論に賛成かどうかは別としてその論文に間違いなく感心し、友人にも読むよう勧めた。ダーウィンはそこまで関心を示さなかったようで、ウォレスが「生物種の漸進的な絶滅と創造という自然のプロセス」と明言しているのを完全に見落として、論文の余白に「彼の言うことは創造説にすぎない」と書き込んでいる。その上で、この論文に「とくに新しい事柄は何も含まれていない」と判断した。ただしウォレスの「同じ時代に見つかる化石種どうしは時代の離れた化石種どうしよりも似ている」という主張のそばには、この否定的な評価と矛盾するように、「それは本当だろうか?」と書き込んでいる。[14]

その一年後の一八五六年四月、チャールズ・ライエルが妻を連れてダウンハウスにダーウィン一家を訪ねてきた。そしてウォレスのサラワク論文について話し合っていると、ダーウィンがあることを打ち明けてきた。実はウォレスから直々に手紙(いまでは失われてしまっている)でサラワク論文への感想を求められた上に、いっさい反響がないことにがっかりしていると伝えられたというのだ。それを聞いてライエルは友人が出し抜かれてしまうのではないかと心配し、すぐさま自分の説を発表するようダーウィンをせき立てた。のちの記述によると、ライエルはダーウィンと「新たな種の導入に関するウォレス氏の説について議論した。[ウォレスの主張によると、]新たな種のほとんどは直前の時代の種にもっとも近縁で、決まって直前の時代の地層にもっとも近い地質時代[地層]に見られるという。[もしもそれが正しければ、]自然選択説によって説明できるだろう」[15]

ライエルが関心を示しているのを知ったダーウィンは、ウォレスがサラワクで書いた手紙に返事を書き、自分も論文を読んだしライエルをはじめ重要人物も感心したと伝えた。自身の感想については、「君の論文はほぼ一言一句真実だと思う」と伝えた上で、次のように述べた。

種や変種どうしがどのように、またどのような方法で互いに違っているのかという疑問について、私が一冊目のノートを開いてからこの夏で二〇年目(!)になる。いまちょうど出版に向けた準備を進めているが、あまりにも大きいテーマなので、多くの章は書き上げたものの、あと二年は印刷に回せないと思う。

はたしてダーウィンは、「俺にちょっかいを出すな」という警告を礼儀正しい言い回しで伝えようとしたのだろうか？　もしそうだとしたら、ウォレスはその警告を無視したか、または理解できなかったのだろう（こちらのほうが可能性が高い）。ダーウィンは手紙の末尾でウォレスに、「見つかるかもしれない」家禽の標本を採集してほしいと依頼している。

その頃、マレー諸島に戻ってきたウォレスはボルネオ島から南のバリ島へ渡り、そこから強い海流と突然現れる渦潮で名高い危険なロンボク海峡を東へ渡ってロンボク島に向かった。帆船を操るジャワ人船員が、「この海は年中腹を空かせていて、捕まえられるものを片っ端から食っちまうんだ」と言う。幸いにもこの日はさほど腹を空かせていなかったようで、ウォレスははらはらするような航海の末にロンボク島の海岸に上陸し、探検に出発した。すると驚いたことに、バリ島から東へわずか三〇キロと、海岸から見えるほどの近さにもかかわらず、この島にはまったく異なる生態系が広がっていて、ミツスイやキバタン、ハチクイやワライカワセミなど、オーストラリアではよく見られるがマレー諸島西部では見つかっていない鳥が棲息していた。どちらを向いても、オーストラリアとその近くの島々の固有種か、またはその近縁の種が目に飛び込んできた。アジアの動植物を北西に、オーストラリアの動植物を南東に分け隔てる不連続線がマレー諸島を横切っていることを思いがけず発見したのだ。今日ではその不連続線はウォレス線と呼ばれている。もちろんこの発見は、ウォレスが挙げた自然史に関する四番目の事実、すなわち「広い海や大きな山脈で隔てられた」地域ではそれぞれ異なる動植物相が発達するという事実を、何よりも衝撃的な形で裏付けていた。

ウォレスはロンボク島から中国のジャンク船に似たプラフという帆船に乗り込み、トビウオやイルカを従えてそれまでにもっとも危険な航海を進め、およそ二四〇〇キロ離れたニューギニア島に近いアルー諸島を目指した。到着すると、ヒクイドリの羽根をあしらった頭飾りを着けた地元ポリネシア人が精巧なカヌーを彫り上げているのを見て感銘を受けた。そして銃と網を手にすぐさま出発し、それまでにもっとも貴重な標本である美しいヒヨクドリの捕獲に成功した。すると、希少だが派手な色合いをしたこの鳥が人里離れた森の奥深くにしか棲んでいないことに気づき、これは「すべての生き物が人間のために作られたのではないことを確実に物語る」証拠であると主張した。

ウォレスはアルー諸島の自然史に関して論じた一本目の科学論文を郵送したのちに、スラウェシ島のマカッサルを経由してさらに北のモルッカ諸島（香料諸島として名高い）へ向かった。そして一八五八年一月にテルナテ島に到着し、煙を噴く火山の陰に広がる砂浜の近くに一軒の家を借りた。それから三年間、ここがウォレスの住居兼拠点となる。

ウォレスはすぐさま小さな船を借りて乗組員を雇い、周辺の探検に出発して、近くに浮かぶマルク島を南北に分けるドディンガ湾の海岸に上陸した。そして小さな小屋を借り、少し歩き回っただけで未知の昆虫を何匹も捕獲した。ところがまもなくして、おそらくマラリアによる高熱に倒れ、小屋に籠もって何週間も過ごす羽目になる。そこで、ベイツとともに甲虫を採集していた頃からずっと頭に引っかかっていた疑問についてじっくりと考えはじめた。生物種のめくるめく多様性はどうやって生まれたのか、という疑問である。互いに近縁の種は時間的にも空間的にも近くに現れるというサラワクの法則はそれを解く一つの手掛かりにはなるが、メカニズムについては何も教えてくれない。その意味では、ニュートンによる因果論的な法則よりもケプラーによる運動学的な法則に近いといえる。パズルを解く上で欠けているのは、同じ場所で同じ時代になぜどのようにして近縁種が出現するのかだった。

自分に似た熱病で弟を亡くしてから七年しか経っていなかっただけに、おそらく自らの死を意識したのか、ウォレスの思考はトマス・マルサスの『人口論』とその残酷な結論へと移っていった。人口増加が資源の増加量を必ず上回って必然的に頭打ちになるという結論である。ウォレスはこの結論と、自身を含む何人もがさまざまな生物種に見出した幅広い多様性とを結びつけた。しかしウォレスは決定的な点として、森の中で実際におこなった注目すべき実験から、一つの生物種の中に見られる自然の差異が親から子へ継承されることを知っていた。熱にうなされる中でついにパズルが解けたのだ。同じ場所で同じ時代に互いに近縁の種が出現するのは、今日では自然選択と呼ばれているプロセスによって同じ祖先から生まれるからであって、サラワクの法則が成り立つのはそのためだ。こうしてついにウォレスは、ニュートンによる因果論的な運動の法則に相当する生物学の法則を発見した。

ウォレスは熱が下がるのを待ってテルナテ島の家に戻った。そして三日でこの考えを書き留め、『種が変種を生み出す傾向について、および自然の選択の手段によって変種と種が永続することについて』というタイトルの論文にまとめた。では誰に送ろうか？　おそらく真っ先に思い浮かんだのは、きっとふさわしい学術誌に投稿してくれるはずの代理人スティーヴンズだろう。しかしダーウィンから、チャールズ・ライエルがサラワク論文に興味を持ってくれたと聞いている。そこでウォレスは望みを高く持って、テルナテで書いたこの論文をダーウィンに送り、イギリス科学界の巨人ライエルに渡してくれるよう頼むことにした。そうして一八五八年六月一八日にダウンハウスに届けられる問題の手紙を投函し、さらに標本を採集すべくニューギニア島に向けて出発した。

ウォレスがニューギニア島に到着したちょうどその頃ダーウィンは、自分が一〇年以上かけて育んできたのと同じ考えに、マレー諸島を拠点とするこの無名のフライマンが独自にたどり着いたことを知ったショックをいまだ引きずっていた。同年同月にライエルにウォレスのテルナテ論文を郵送したときの添え状では、この論文を学術誌に投稿しようとウォレスに知らせると約束していた。しかし結局ダーウィンはウォレス宛の手紙は書かず、その週のうちにライエルへの次の手紙の中で、自然選択説の先取権は自分にあると念を押した上で次のように伝えた。

私の全般的な考えを一〇ページほどの概略にまとめて発表できたらきっと大変嬉しい。しかしそれが見上げた行為だなんてけっして納得できない。……くだらないことで君を煩わせて申し訳ないが、アドバイスをもらえたらどんなにありがたいことか。

これ以降の話は何度も語られているので、[16] ここで繰り返す必要はないだろう。ライエルはフッカーおよび、著名な生物学者で解剖学者のトマス・ハクスリーとともに、リンネ協会の一八五八年七月一日の会合で自然選択に関するウォレスのテルナテ論文を代読するよう手配した。ただし、自然選択説の先取権がダーウィンにあることの〝証明〟を二件読み上げた後にである。一つめの〝証明〟は、ダーウィンが一〇年ほど前に書いたが発表していなかった彼の説の〝概略〟。二つめは、一八五七年にダーウィンがアメリカ人植物学者のエイサ・グレイに自説の骨子を説明した手紙の写しである。

以上三本の論文は読み上げられたのと同じ順番で、同年九月のリンネ協会会報に掲載された。その頃ウォレスは、自分の書いた手紙が学界に嵐を巻き起こしていることなどつゆ知らず、フライマンとしての活動を続けていた。チャールズ・ダーウィンは〝大著〟の執筆をあきらめて自説の〝要約〟を書き上げ、翌年一一月に出版されたその本が代表作『種の起源』となる。ウォレスもダーウィンの『種の起源』の出版後にライエルらの「気の利いた手配」のことを知り、種の起源に関する自身の「本格的な本」を書き上げる計画をあきらめた。

ウォレスはさらに四年間にわたってマレー諸島で標本採集を続け、この旅でもっとも貴重な戦利品として、それまで知られていなかったゴクラクチョウの一種を発見した。いまではそれは〝ウォレスのフウチョウ〟（和名シロハタフウチョウ）と呼ばれている。実際にこの鳥を最初に見つけたのは、「見てください、おもしろい鳥がいます」と叫んだ助手のアリである。ウォレスは一八六二年四月、二羽の生きたゴクラクチョウをかばんに入れてイングランドに帰国した。その様子は『イラストレイテッド・ロンドン・ニューズ』紙にも取り上げられた。帰国してまもなくウォレスは動物学会の正会員に選ばれ、チャールズ・ダーウィン、トマス・ハクスリー、チャールズ・ライエルの歓待を受けた。また採集仲間だったヘンリー・ベイツと友情を新たにした。一八六二年夏にはケント州に建つダーウィン家のダウンハウスを訪れた。二人の博物学者はその後も手紙をやり取りし、生涯にわたって親密な関係を続けた。

一八六九年にウォレスは代表作『マレー諸島』を出版する。この地域の自然史について記すとともに伝統文化の美点を褒めそやし、それに比べて西洋文明では「少数の者の富や知識や文化が文明をなしておらず、……彼らの道徳性は未開状態に留まっている」と主張している。ウォレスは生涯にわたって社会主義を支持し、土地の国有化と女性の権利拡大を一貫して訴えた。また多くの博物学者と違って優生学に強く反対した。

ダーウィンは一八八二年に世を去り、ウェストミンスター寺院に埋葬された。その棺を担いだ一人であるウォレスは、七〇歳にしてようやく王立協会の正会員に選ばれた。ダーウィンが同じく選出されたときの年齢より四〇歳も上である。会合に出席できるだけの体力がまだあるときに選ばれていれば、会員としての立場をもっと享受できたのに、とウォレスはぼやいている。一九〇八年、リンネ協会でウォレスとダーウィンの論文が読み上げられてから五〇周年を記念する式典が開かれ、その席でウォレスは、自然選択説は「突然のひらめきで」思いついたのだと説明した。それに続いてフッカーが、テルナテ論文をめぐるやり取りの最中にダーウィンが受け取った手紙の「証拠書類」はもはやいっさい残っていないと指摘して、自然選択説にもう一つの謎を添えた。ダーウィンは届いた手紙をほぼすべて保管しておく習慣だったが、肝心の一八五八年にウォレスやフッカー、ハクスリーやライエルから受け取った手紙は、ウォレスのテルナテ論文の元原稿を含めすべて失われてしまっているのだ。

アルフレッド・ラッセル・ウォレスは科学や社会のさまざまなテーマに関する論文を書きつづけた。一九〇三年出版の著作『宇宙における人類の立場』では、地球上の生態系の生命にとって必要な物理的条件について考察して、太陽系の中で生命が暮らせるのは地球だけであると結論づけ、宇宙生物学の概念を打ち立てた。一九〇六年には『火星は居住可能か』というタイトルの論文の中で、天文学者パーシヴァル・ローウェルによる「火星には高度な知性体の種族が住んでいる」という主張を一刀両断にした。[17]

ウォレスは一九一三年一一月七日に静かに世を去った。そして晩年を過ごしたドーセット州のブロードストーン墓地に埋葬された。のちにその墓石は、ドーセット州の海岸で発見された木の幹の化石をかたどったものに作り替えられた。しかし、「これまでに人類が思いついた中でまさに最高のアイデア」[18]と哲学者のダニエル・デネットが評する理論を導き出した、この世界屈指の博物学者の記憶をもっとも心温まる言葉で伝えているのは、一九〇七年にテルナテでの標本採集の最中にウォレスと出会ったアメリカ人生物学者トマス・バーバーだろう。そのときバーバーは「色褪せた青いトルコ帽をかぶった……年老いたしわくちゃのマレー人」と出くわした。するとその老人は完璧な英語で「私はアリ・ウォレスだ」と名乗ったという。[19]

誰が考えついたにせよ自然選択説は、とりとめのない多数の事実を一つの単純な法則に還元す

図30　ドーセット州ブロードストーンにあるアルフレッド・ラッセル・ウォレスの墓石

るというオッカム的な取り組みの中でも最たるものだろう。この理論は考えられる限りもっとも単純なメカニズムに基づいている。継承可能な多様性が尽きることなくもたらされることと、生存や繁殖に違いがあることとを組み合わせたメカニズムである。ダーウィンもウォレスも、個体ごとに生存や繁殖に違いがあることを示す証拠のほうは数多く示したが、『種の起源』の出版から一〇年も経たないうちに、政治家で科学者で作家の第八代アーガイル公ジョージ・ジョン・ダグラス・キャンベル（一八二三―一九〇〇）が、もう一つの要素である継承可能な多様性に関する問題を明らかにする。

一八六七年出版の著作『法の支配』の中で、「ダーウィン氏の説はその高尚な著作のタイトルに反して種の起源の理論ではけっしてなく、この世界に生まれうるそのような新たな形態の相対的な成功と失敗を引き起こす原因に関する理論にすぎない」と指摘した。確かにダーウィンの大著には、フィンチのくちばしやチョウの翅の色など、すでに存在している多様性に自然選択が作用することについては論じられている。しかしそのプロセスは新しいものを生み出すことはなく、集団の中にすでに存在している変種を選ぶことしかできない。それだけでは新たな変種を作ることもできないし、新たな種を生み出すこともできないのだ。

生物学最大の謎を解き明かすための次なる一歩は、新たな多様性を生み出す単純な原因を見つけることだった。

第15章　エンドウマメ、マツヨイグサ、ショウジョウバエ、盲目のネズミ

ある理論の正しさを示す証拠として何よりも説得力が強いのは、その理論が新たな事実を取り込んでそれを正しい場所に収める力を持っていることにほかならない。

アルフレッド・ラッセル・ウォレス、一八六七[1]

ジョージ・キャンベルが自然選択説には多様性を生み出す手段が欠けていることを浮き彫りにしたちょうどその頃、エディンバラ大学で工学を教える欽定教授でケーブルカーの発明者であるフリーミング・ジェンキンが、さらなる深刻さをはらんだもう一つの問題点を見つけ出す。ダーウィン著『種の起源』の書評の中で、親から子へ継承される際に特徴が混じり合ってしまうはずだと指摘したのだ。いわく、背の高い母親と背の低い父親からは中くらいの身長の子がおもに生まれるはずだ。そのように平均に向かって集まっていくと、自然選択説の前提である多様性が失

われてしまうではないか。それだけでなく、稀に生まれる変種の〝利点〟は「数で劣っているせいで完全に圧倒されてしまう」。その点を強調するためにジェンキンは、一九世紀後半には多くの人が抱いていた何気ない人種差別を踏まえて、「好ましい白人が黒人の国を白くすることはできない」という例を挙げている。[2]

キャンベルやジェンキンが浮き彫りにした問題のおおもとをたどると、子供がたびたび問いかけてくるのに一九世紀当時の誰一人として答えられなかったある疑問に行き着く。

どうして僕はパパに似てるの

チャールズ・ダーウィンとアルフレッド・ラッセル・ウォレスは合わせて一〇人の子供を遺した。ウォレスの子供の写真は見つけられなかったが、ダーウィンの子供の写真は数多く残されていて、チャールズと妻のエンマの両方に似ているのがよく分かる。

この世界を理解しようとして直面する数々の難題の中でももっとも難しいのは、もちろん遺伝の問題である。似たものが似たものを生む。ドングリが育つとナラの木になり、卵からはニワトリが生まれる。ドングリも卵もナラの木やニワトリにはちっとも似ていないが、どちらの中にもナラの木やニワトリになるための何らかの秘密が隠されている。その秘密は卵や種子の中にどのような形で書き込まれているのか？　そのメッセージはどのようにしてひもとかれてナラの木やニワトリを作り出すのか？　一九世紀のほとんどの科学者は神の介在というお決まりの解決策に頼って、遺伝だけには生気論が当てはまるという立場に甘んじていた。切羽詰まったダーウィンも、後天的な性質が遺伝するという、すでに信用を失っていたラマルクの説にすがって、それを汎生説（パンゲネシス）と呼んだ。一八六八年の著作『飼養下での動植物の多様性』では、個体が生きているうちに獲得した特徴が身体から粒子によって配偶子（卵子および精子）に伝えられると唱え、その粒子を〝ジェミュール〟と名付けた。しかしこの説もラマルク説と同じ批判にさらされ（鍛冶屋の金鎚を握るほうの腕を思い出してほしい）、批判する人たちを納得させるには至らなかった。ウォレスですら最終的には立場をひるがえした。一九世紀後半に自然選択説は、それ自体が指し示す多くの生き物の運命と同じ道をたどって姿を消しかねなかったのだ。

ところがジェンキンが自然選択説に対する反論を発表する二年前、遺伝によって特徴が混じり合ってしまうという問題の解決策がすでに、無名のアウグスチノ会修道士によって明らかとなっていた。

エンドウマメのさやに秘められたメッセージ

その人ヨハン・メンデル（一八二二―八四）は、現在のチェコ共和国スレスコ地方にあるヒンチチェという小村で小作農の家に生まれた。当時、農民の子は農民になるのが常だったが、地元の学校教師がヨハンの才能に気づいて家族にとりなし、汗水流して稼いだ金で近くの町トロッパウ（チェコ語名オパヴァ）の高校に入れるよう説きつけた。ヨハンは六年後に卒業するまでに、今日で言うところの臨床的鬱病の発作にたびたび襲われ、それは生涯続くこととなる。[3]

続いてヨハンはモラヴィア地方のオロモウツ大学に入学し、哲学と物理学を学んだ。妹のテレジアが結婚持参金の中から学費を出してくれ、ヨハン自身も下級生を教えることで食費や家賃をまかなった。自然科学部長ヨハン・ネストラーが動植物の品種改良の実験をおこなっていることから見て、ヨハンが遺伝に興味を持ちはじめたのはこの大学でのことだったと思われる。しかしテレジアの結婚持参金が底をつき、メンデルは勉強を続けるために一八四三年、ブルノにある聖トマス修道院に修練士として入ってグレゴールという修道名を授かった。「環境が職業選択を決めた」とのちに自身で記している。

グレゴール・メンデルは司祭としての研鑽を積んで教区も与えられたが、一八四九年に修道院長シリル・ナップ宛の手紙の中で、「自分は科学の勉強にはかなり精を出しているが、教区司祭としての仕事にはまったく向いていない」と打ち明ける。そこで院長は科学に熱心なメンデルをウィーン大学に送り、ドップラー効果の発見者として名高いクリスティアン・ドップラーのもとで物理学を学ばせた。またメンデルは、ダーウィン以前に独自の進化論を構築しようとしていた顕微鏡学者のフランツ・ウンガーから植物学を教わった。そして一八五三年にブルノへ戻ってきた。

メンデルがエンドウマメを研究しようと思い立った理由ははっきりとは分かっていない。しかしその選択は、ガリレオやボイルなどが確立させた「実験系はできる限り単純にすべし」という実験科学の原則にかなっていた。エンドウマメは簡単に育つし、一世代が短いし、遺伝して容易に見分けられる多様性をいくつも示す。たとえば豆はすべすべまたはしわしわ、緑色または黄色だし、丈の高さもそれぞれ異なるし、花の色も白色や紫色になる。ガリレオが鉄球を完璧な球形に磨き上げて滑らかに転がるようにしたのと同じように、メンデルもエンドウマメという実験モデルをさらに磨き上げるために、それぞれの変種を何世代にもわたって同系交配させて、最終的にその変種の特徴が変化しないようにした。さらに余計な変動要素が紛れ込まないようにするために、一株一株を手作業で交配させてどの親とどの親が交配したかが分かるようにした。「豆の特徴に着目する実験によって、もっとも単純かつ確実な形で結果が得られる」と記している。[4]この頃にはすでに、わざわざアリストテレスやオッカムのウィリアムの言葉を引き合いに出さなくても、単純さを追求するのは当然のことだと受け止められるようになっていた。ほとんどの科学者にはその態度が深く染みついていて、自分がそのように研究を進めていることにすら気づかなくなっていたのだ。

一八六五年頃に書いた論文の中でメンデルは実験の目的を、「観賞植物の人工受粉によって新たな色の変種が作られる」プロセスを解明することであると説明している。[5]オロモウツ大学やウィーン大学で学んだおかげで、一九世紀を通じて自然史の学界では進化をめぐる論争が続いていることを知っていた。ダーウィン著『種の起源』のドイツ語訳を一冊所有して間違いなく読んでいたこともあって、この革新的な論文の中では、遺伝について調べたこの実験が、「生物の進化史との関係でその重要性を過大評価しようのないある問題の答えにたどり着くための唯一正しい道」であると記している。

メンデルは、しわしわの豆や紫色の花といったエンドウマメの特徴がどのようにして遺伝するかを明らかにするために、たとえば白色の花を付ける株と紫色の花を付ける株というように、互いに異なる特徴を持った株どうしを交配させてみた。そして、次の世代はきっと薄紫色の花を付けるだろうと予想した。ところが実際にはすべての株が紫色の花を付け、白色の花という特徴は姿を消してしまった。そこでその第一世代の株を自家受粉させてその種子を植え、第二世代を育ててみた。そしてその花を調べたところ、驚いたことに白色の花という特徴が復活したが、ただしそれはすべての株のうち四分の一に限られていた。予想では特徴が混じり合ってしまうはずだったのに、実際には紫色の花を付ける株と白色の花を付ける株がほぼ三対一という整数比で生まれたのだ。

メンデルは八年をかけてさまざまな特徴の組み合わせで一万五〇〇〇回ほど交配をおこない、何世代にもわたる子の特徴を丹念に観察・記録していった。すると驚いたことに、対をなすどの特徴についても、それぞれの特徴を持った子の数はほぼ整数比になった。たとえばすべすべの豆を付ける株の数がしわしわの豆を付ける株の数の三倍（3：1）になったり、等しい数（1：1）になったり、すべすべの豆を付ける株だけ（1：0）になったりした。また、対をなす特徴（豆がすべすべかしわしわか、花が紫色か白色か）のどちらか一方、たとえばすべすべの豆という特徴が交配後の第一世代では支配的（優性、顕性）になり、しわしわの豆というもう一方の〝潜在的〟な（劣性、潜性）特徴は第二世代になって初めて表れることにも気づいた。

メンデルのこの実験から導き出された結論のうち、進化論の観点から見てもっとも重要なのは、一九世紀の定説に反して生物の特徴は混じり合わないということである。エンドウマメの各性質は、顕性か潜性かの違いはあれど、損なわれることなく何世代にもわたって受け継がれる。メンデルが実験を終えた一八六三年にさやを開いて出てきたしわしわの豆は、一八五五年に初めて交配させた第一世代の豆と同じくしわしわで、その性質はすべての豆を付けた何世代もの株によって受け継がれていた。遺伝によって特徴は混じり合うのでなく、選り分けられるだけなのかもしれない。世代を通じて変化せずに受け継がれる特徴を決定づける存在を、メンデルは〝因子〟と名付けた。今日で言うところの遺伝子である。

メンデルも定説に大きく矛盾するデータを何とか理屈づけようとしてひどく悩んだことだろうが、ケプラーと違ってその苦悩をいっさい語ってはいない。メンデルが第一にたどり着いた結論は、遺伝のパターンに見られる整数比の規則性から見て、遺伝性は連続的でなく離散的であるという仰天の事実が成り立っているとしか考えられないことである。いまで言えばアナログでなくデジタルであるということだ。物理科学の素養があったメンデルはこの性質に驚いたに違いない。遺伝性は速さや質量、運動量や圧力、温度や加速度など連続的に変化する物理量とは別物であって、それどころか遺伝子は一、二、三というごく限られた整数にしか従わないのだ。

遺伝性について論じたメンデルの論文は一八六五年二月八日にブルノ自然史学会の会合で読み上げられ、その翌年に同学会の会報に掲載された。ダーウィン著『種の起源』の出版からわずか七年後のことで、自然選択説の支持者と批判者のあいだでは激しい論争が繰り広げられていた。メンデルのこの論文は、少なくとも一部の批判者に一泡吹かせられるはずだった。ベンジャミン・デイドン・ジャクソンの著した『植物学文献便覧』にメンデルの論文が参考文献として取り上げられ、自然選択説が初めて発表された場であるリンネ協会の図書室の書架にもこの本は収められた。しかし論争に関わる者の中でこの論文を読んだ人は一人もいなかったようだ。

一八六七年にシリル・ナップが世を去ると、メンデルが後継の修道院長に選ばれた。その後、温室は見捨てて修道院の運営に専心する。そして一八八四年一月六日、自分がまもなく遺伝学の父になることもつゆ知らずにこの世を去った。温室は解体され、メンデルの書き遺した文書は修道院の庭で残らず燃やされた。

特徴が混じり合ってしまうから自然選択説は成り立たないとするフリーミング・ジェンキンの批判は、このようにメンデルの実験によって斥けられた。しかしキャンベルの指摘した、新たな変種はどのように生まれるのかという問題には答えが出なかった。新たな種の起源はいまだ謎のままだった。

マツヨイグサとショウジョウバエ

一八四八年にオランダのハールレムでフーホー・ド・フリース（一九三五没）は生を受けた。緑豊かな地で育ったこともあり、一八六六年にライデン大学で植物学を学びはじめる。そこでダーウィン著『種の起源』を読んだものの、すでに挙げたような理由で納得はできなかった。メンデルの死から二年後の一八八六年、ヒルヴェルスム近郊の休耕地を歩いていると、周囲に咲き誇るマツヨイグサの中に文献に記載のない特異な変種がいくつもあることに気づいた。そこで種子を実験室に持ち帰り、それらの特異な特徴が遺伝するだけでなく、顕性（優性）の特徴を持つ子の数と潜性（劣性）の特徴を持つ子の数が整数比になることを明らかにした。ド・フリースはそれらの新たな特徴の違いを〝変異〟と名付け、それが新たな種の誕生に必要な多様性をもたらすのだと主張した。そして文献を当たって同様の研究を探したところ、メンデルのあの研究が見つかった。その上で一九〇一年、新たな種を生み出す多様性の源は変異であるとする説を発表した。

その数年後の一九〇七年にアメリカ人科学者のトマス・ハント・モーガン（一八六六―一九四五）が、ありふれたショウジョウバエを大規模に繁殖させる研究を始めた。眼の赤いハエ数千匹を繁殖させたところ、その中に眼の白いハエが数匹だけいることに気づいた。そして、その白い眼の特徴、すなわち変異が、整数比のパターンに従って遺伝することを明らかにした。モーガンもメンデルのあの研究を見つけた上で、変異によって一つの種の通常の多様性から外れた個体が生まれることを示した。こうして自然選択説とメンデル遺伝学が融合した理論は〝総合説〟や〝新ダーウィン説〟と呼ばれるようになり、いまだに遺伝学どころか生物学全体の土台となっている。進化生物学者のテオドシウス・ドブシャンスキーは、「進化の光がなければ生物学は何ら意味をなさない」と力説している。[6]

しかし二〇世紀前半のあいだは、遺伝子が遺伝の単位として進化を促すことは受け入れられながらも、遺伝子が何でできていてどのように作用するかは誰にも分からなかった。その謎は生気論、さらには神の手にとって最後のよすがとなった。たとえばフランス人哲学者のアンリ・ベルクソン（一八五九―一九四一）は一九〇七年の著作『創造的進化』の中で、遺伝と進化は生命に特有の〝エラン・ヴィタール（生命の飛躍）〟によって引き起こされると唱えた。[7] しかしその後、現代科学から科学的神学の最後の痕跡を拭い去る営みによって、既知の宇宙でもっとも驚くべき分子の秘密が解き明かされることとなる。

暗号解読者

ここから先の話でも、多くの重要な発見の直接的な意義については割愛して、生物学における単純化の役割を理解する上で重要となる事柄に絞って説明していきたい。遺伝子から生気を悪魔祓いするための第一歩は、遺伝子が通常の化学物質でできていると証明することだった。実はそれが成し遂げられたのは、メンデルが遺伝子を発見したのと同じ頃の一八六八年、スイス人化学者のフリードリヒ・ミーシャー（一八四四―九五）の手による。かつてケプラーも学んだテュービンゲン大学に勤めていたミーシャーは、白血球からある生化学物質を単離してそれを〝核酸〟と命名し、それが炭素、水素、酸素、窒素、リンからできていることを明らかにした。この新たな生化学物質の役割は解明できなかったが、一九四四年にカナダ生まれのアメリカ人科学者オズワルド・エイヴリー（一八七七―一九五五）が、遺伝子はデオキシリボ核酸（ＤＮＡ）でできていることを証明する。

しかしエイヴリーによって遺伝子の化学的素性が特定されたとはいっても、エンドウマメの形

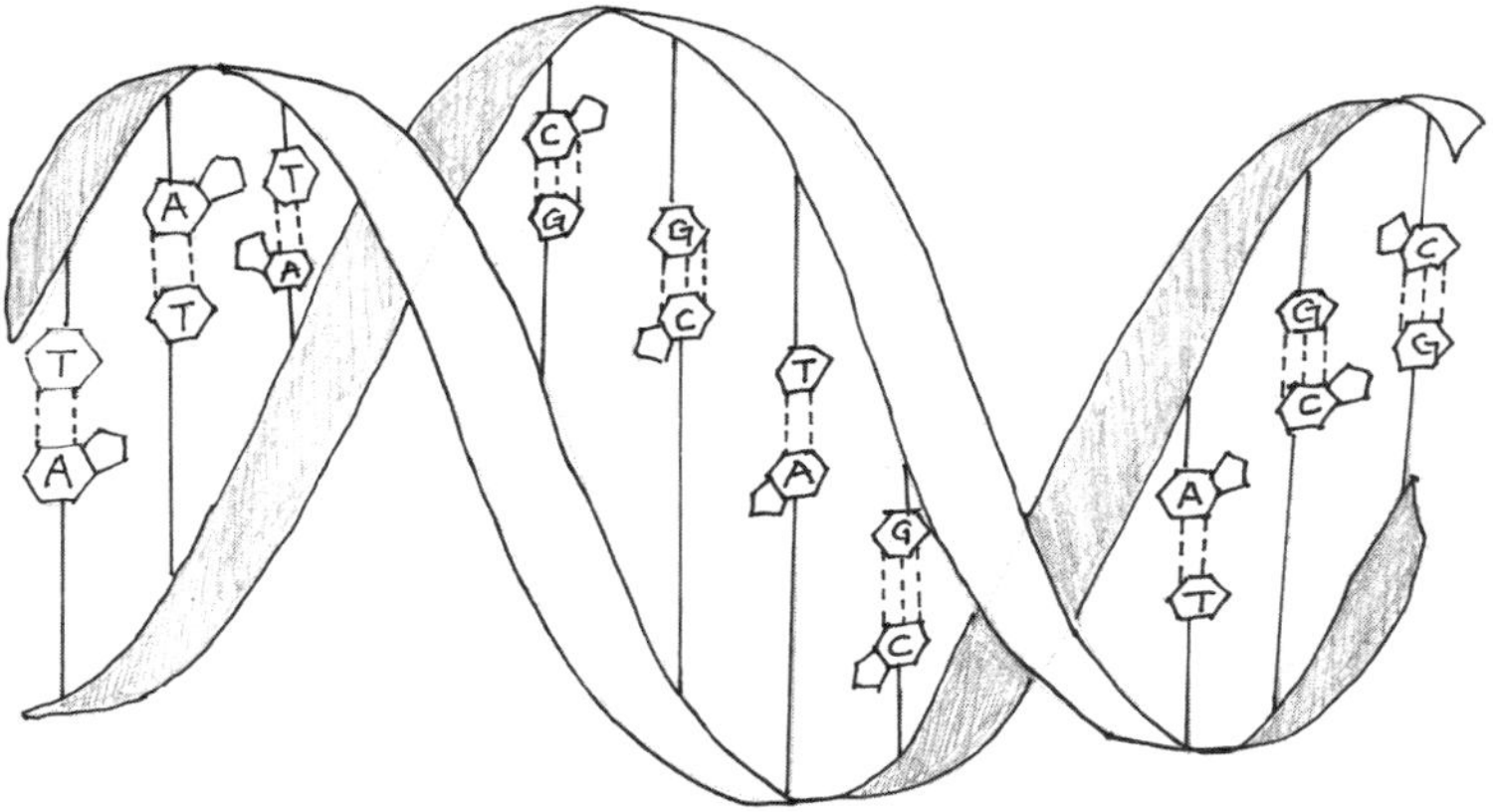

図31　DNAの二重らせん構造

やショウジョウバエの眼の色やあなたの瞳の色など、親から子へ遺伝するありとあらゆる特徴が、炭素、水素、酸素、窒素、リンの原子だけでできた化学物質によってどのようにして決定されるのか、誰にも見当がつかなかった。しかもそれらの特徴がメンデルの法則に従って世代から世代へと忠実に受け継がれる一方で、ときどきまったく新たな変種が生まれる。生きた細胞から抽出して乾燥させると紙の繊維そっくりになるような化学物質にとって、そんな離れ業はあまりの無理難題だ。

この難題を一九五三年、キングズ・カレッジ・ロンドンのロザリンド・フランクリンが得たX線結晶解析データに基づいて、ケンブリッジ大学の科学者ジェイムズ・ワトソンとフランシス・クリックが解決したというのは有名な話だ。DNAの二重らせん構造と、それによって遺伝子に生物の情報が暗号化されているという二人の発見は、科学史全体の中でももっとも驚くべきものだろう。この話もまた何度も語られているので、[8] ここでは、この分子がきわめて単純でありながらも遺伝の深遠な謎を解決してくれるという事実だけに焦点を絞ることにしよう。

DNAの単純さの中でも際立っているのが、その化学構造である（図31）。塩基と呼ばれるたった四種類の化学基（A、T、G、Cというラベルで表される）が、らせん状の鎖の上にまるでビーズのようにずらりと並んでいる。らせんを構成するそれぞれの鎖はその相補鎖、いわば鏡像と対をなしていて、AとTが、GとCがペアを組むという単純な規則に従っている。ワトソンとクリックは、遺伝子を構成するこれらの〝文字〟がたんぱく質を作るための暗号になっているという着想に至った。DNAによるたんぱく質の暗号化の原理も単純で、DNAの文字三つ一組が、たんぱく質を構成する二〇種類のアミノ酸一つ一つに対応している。たとえばGGCはグリシンを、CAAはグルタミンをコードしている。たんぱく質でできた酵素はいわば分子工場として働き、あなたの細胞だけでなく、これまでに地球上に生きていたあらゆる動物、植物、微生物の細胞の中にあるすべての生体分子を作り出している。したがって生物圏全体は、本書を書くのに使ったアルファベットより二二種類も少ない、たった四種類の文字からなる暗号文で書かれていると言ってもいい。単純な規則によってすさまじい複雑さを生み出せることを、何よりもまざまざと実証しているといえる。それどころか量子力学の原理によると、この遺伝コードは究極なまでに単純な形になっているという。[9]

ワトソンとクリックによる発見から何十年かのあいだに、変異も物質的な現象であることが明らかとなった。化学基であるDNA塩基は、熱や放射線や強い太陽光によって、あるいは単に時間が経つにつれて損傷を受ける。その損傷によって遺伝子の文字が変化して、ＤＮＡの複製の際に間違った文字が遺伝子に取り込まれ、変異が起こることがある。ほとんどの変異は無害だが、時折、マツヨイグサの黄色い花が白くなるなど異なる特徴が生じる。その特徴が何か有利に働くものであれば、その新たな特徴を持った子孫は自然選択によって数を増す。それが孤立した集団の中で起こると、新たな種に変化する。逆に新たな特徴によってその個体の適応度が下がると、その遺伝子は徐々に数を減らし、やがてその特徴は集団の中から姿を消す。遺伝子の正体と、自然選択が避けられない現象であることを踏まえると、進化はリンゴが木から落ちるのと同じくらい必然的な現象といえるのだ。

どんな科学でもそうだが、この遺伝のメカニズムもまた一つのモデルにすぎない。有用なモデルは決まって、単純でありながら驚くべき予測力を有している。分子生物学はこの単純な遺伝子モデルを活かして、新たな薬や治療法、急増する人口を支えるための作物、あるいは世界中の人を新型コロナウイルスから守るために開発されたばかりのワクチンなど、人々の健康に数えきれないほど貢献してきた。その一方で遺伝子は、生命は単純であるという私の主張において、矛盾するようにも思えるもう一つの役割を果たしている。今度はかなり醜いネズミと、何匹かのハチが登場する。

望まれない遺伝子の運命

ハチやアリなどの真社会性昆虫は複雑な社会構造を持っているのが特徴で、分業体制やきわめて複雑な巣、繁殖する一匹の女王に生殖不能な労働役（働きバチや働きアリ）が仕えるしくみ、およびミツバチの8の字ダンスのような高度な意思伝達手段を有している。「牙とかぎ爪を血に染める」という自然選択の原理を踏まえれば、自分の利益を最優先にする個体が有利な扱いを受けるはずで、この生殖不能な労働役は一見したところそれに反した存在であるように思える。なぜ働きアリは自分が繁殖するという選択肢を捨てて、姉妹である女王を助ける道を選ばなければならないのか？　この疑問をたどっていくと、生物学をめぐるある謎の核心、とくに我々ヒトの利他的行動に関する謎へと行き着く。真社会性昆虫をはじめ多くの動物は、適者生存の原理に基づく予想に反して資源や防御策を共有するものだが、それはいったいなぜなのか？

その答えと思われるものを、イギリス人進化生物学者のウィリアム・D・ハミルトン（一九三六―二〇〇〇）が提唱した。ほとんどの真社会性昆虫は、半倍数性と呼ばれる変わった遺伝体系を有している。雌は通常どおり遺伝子を二つ一組持っているが、雄は二つでなく一つしか持っていないという体系である。この遺伝パターンにメンデルの法則を当てはめると、姉妹どうしで共有される遺伝子はエンドウマメやヒトなどの動植物に典型的な五〇パーセントでなく、七五パーセントとなる。ハミルトンはこのような計算に基づいて、雌は自分の子を作るよりも姉妹である女王の繁殖を助けるほうが、高い確率で自分の遺伝子を子孫に伝えられることを明らかにした。この説によると、働きアリや働きバチは見た目は確かに利他的かもしれないが、実際には自分の遺伝子に操られているにすぎない。労働役も女王もどちらも遺伝子の奴隷だったのだ。

この説でもっとも注目すべきは、メンデルの示した繁殖と遺伝の単純なパターンに一ひねりを加えるだけで、多種多様な生物を説明できることである。もちろん単純な系は決まってこのような特徴を有している。複雑に関連しあった構造は外的影響を受けてもなかなか変化しないが、遺伝など単純な系の規則に手を加えると、それが系全体に波及して大きな影響が生じる。一九六四年に発表されたハミルトンのこの血縁選択説は、当初は無視されながらもやがて進化生物学に革命を起こし、一九七〇年代、とりわけ一九七六年にリチャード・ドーキンスの名著『利己的な遺伝子』[10]が出版されて以降、その潮流は社会生物学と呼ばれるようになった。

しかしミシガン大学動物学博物館の館長ディック・アレクサンダー（一九二九―二〇一八）は、ハミルトンのこの説に納得できなかった。昆虫学者で真社会性昆虫の専門家であるアレクサンダーは、多くの甲虫やダニやコナジラミなどの節足動物を含め、親が遺伝子を一つしか持っていない動物種のほとんどは真社会性でない一方で、我々ヒトと同じように親が遺伝子を二つ一組持っているシロアリは逆に真社会性であると指摘した。しかしアリもシロアリもハチも、防御に優れた共同巣を作るという習性は共通している。そこでアレクサンダーは一九七六年にアリゾナ大学でおこなった講演で、真社会性は遺伝的要因でなく環境要因によって生じるとする代替説を発表した。それは単純な説で、数々の単純な説と同じくそこからは具体的な予測が導き出される。「巣の場所が安全であるかまたは防御可能であって、長期間維持されて食料が豊富であると」、たとえ哺乳類であっても真社会性が生じるという予測である。アレクサンダーは穴の中に暮らす齧歯類がそのような真社会性を有するはずだと唱え、その生息地として熱帯地方を挙げた。焼けつく地面に守られて巣穴に侵入者が入ってこられない上に、野火をかいくぐるために地下に栄養分を蓄えている植物の塊茎を餌にできるからである。

講演を終えたアレクサンダーは、この自説が思いがけずもすでに実証されていたことを知って仰天した。演壇を降りると、講演を聴いていた動物学者のテリー・ヴォーンが近づいてきて、「あなたが想定した真社会性哺乳類はアフリカに棲むハダカデバネズミにまさにぴったりだ」と指摘したのだ。[11] アレクサンダーはハダカデバネズミなんて見たことも聞いたこともなかったが、ヴォーンが研究休暇の年にケニアで自ら捕獲した乾燥標本を見せてくれた。一〇〇年前に発見されながらもほとんど研究されておらず、世に知られぬこの齧歯類の研究に取り組んでいたのは、ヴォーンの知る限りケープタウン大学の動物学者ジェニファー・ジャーヴィスただ一人だった。

ハダカデバネズミといっても実はネズミの一種ではなく、北アメリカのホリネズミに似た生態的地位（ニッチ）に棲む、デバネズミ科と呼ばれるアフリカの齧歯類のグループに属する。ジャーヴィスは一九六七年の博士研究以来ずっとこの動物を研究しつづけていた。一九七〇年代には一つのコロニーを丸ごと捕獲して大学の実験室で継代させようとしたが、雌のうちの一匹しか繁殖させられなかった。そうして研究資金が底をついた一九七六年、ディック・アレクサンダーからこの動物について尋ねられ、真社会性哺乳類仮説のことを聞かされる。そこでジャーヴィスは、アレクサンダーが存在を予言した動物はまさにハダカデバネズミにほかならないと言い切った。

ハダカデバネズミはアフリカ東部に広く分布し、現地では〝砂の子犬〟とも呼ばれている。大

図32　ハダカデバネズミ

きさは小さなハツカネズミほど、いっさい毛がなくて皮膚がたるんでおり、牙のような歯は穴掘りに使う。一生を地中の暗い穴の中で過ごし、小さな目はあるもののほぼ盲目である。この動物に関心を示しているのは進化生物学者だけでなく、けっしてがんにならずに三〇年を超すきわめて長い寿命を持つことから、医学研究者にも注目されている。このような生理学的特徴ゆえ、二〇一一年にはゲノム解析の結果が発表された[12]。そのデータから長寿とがんに関係する遺伝子の手掛かりがつかめたが、ここでとくに注目すべきは、使われなくなった遺伝子がどうなったかである。

研究によって、変異が何度も起こってもはや機能していない遺伝子が二五〇個ほど発見された。いわば死んだ遺伝子である。〝偽遺伝子〟と呼ばれるそれらの遺伝子は現在では機能を持っていないが、その特徴的なDNA配列からかつての機能を特定できる。たとえば視覚に関わる一九個の遺伝子のうち一つはかつて眼のレンズを構成するたんぱく質を、一つは網膜色素をコードしていて、三つめは視覚信号を脳に伝達することに関わっていた。

このように使われなくなった遺伝子が何度も変異してぼろぼろになっていくという傾向は、驚くことに、自然選択と変異に基づく新ダーウィン説から予想されるとおりである。ド・フリースらが発見したとおり、遺伝子はどうしても変異していく。しかし自然選択説によると、有害な変異を持った子は適応度の高い子と比べて少ししか子孫を残せず、そのため欠陥のある遺伝子は集団内から姿を消していく。たとえば視覚に関わる遺伝子に欠陥のあるネズミは、ネコやフクロウの胃袋の中に収まってしまって子孫を残せないだろう。純化選択と呼ばれるこのプロセスによって、遺伝子を傷つけるような変異は集団から排除されていく。

しかしある変異が有害かどうかは、その個体の棲む環境によって変わる。穴を掘って暮らす齧歯類の巣の入口が地滑りで塞がってしまったとしよう。しかし幸いにもその巣穴には、地上に生える植物の塊茎が有り余るほど伸びていて、地中に棲む動物は生き延びるだけでなく繁栄できる。真っ暗な穴の中では何も見えないので、聴覚や嗅覚などほかの感覚に頼るほかない。暗闇では視覚を害する変異に対して自然選択が作用しないため、純化選択はもはや起こらない。純化選択が起こらなければ有害な変異が蓄積していって、視覚に関わる遺伝子は最終的に機能を持たない偽遺伝子になってしまう。こうして目の見える齧歯類から進化したハダカデバネズミは、視覚を失ってしまったためもはや地上では生きられない。

使わないとだめになる——もっとも単純なものが生き延びる

ハダカデバネズミの進化の道筋が物語っているとおり、自然選択からは、あまり認識されていない一つの結論が導き出される。「使わないとだめになる」という結論である。視覚などある機能が使われなくなると、その遺伝子にはどうしても変異が蓄積していって、最後には機能を失うということだ。ほかにも多くの進化の道筋にこのような遺伝子の劣化が関わっている。ヒゲクジラが濾過摂食者になって獲物に嚙みつくのをやめると、歯のエナメル質を作るのに必要な遺伝子は偽遺伝子になった。[13] ジャイアントパンダは肉食をやめてササをかじるようになったことで、その祖先や我々ヒトが肉の味として感じるうまみの味覚を失った。[14] ヒトも、もはや嗅ぐ必要のないにおいに対応する嗅覚受容体を数多く失っている。ネコにケーキをあげても食べないのはなぜか、不思議に思ったことはないだろうか？　それは、肉食になったときに甘味を感じる受容体の遺伝子が偽遺伝子になってしまったからだ。[15]

このように純化選択が作用せずに変異が蓄積していくというプロセスが進行することで、ハダカデバネズミの視覚のように不必要な生物学的機能は、いわば進化版のオッカムの剃刀によって剃り落とされていく。そのため必然的に、我々を含め今日生きているすべての生物は、機能の点から見ると可能な限りほぼ最大限に単純になっている。「ほぼ」という但し書きが重要で、進化によってヒトの虫垂など不必要な複雑さはいまだ完全には取り除かれていない。さらに男性の乳首のような無用な機能は、発生の経路を大幅に作り替えないと取り除けないかもしれない。生命は確かに単純だが、必ずしも最大限に単純とはいえないのだ。

このように「使わないとだめになる」という原理は健康法と同じく進化にも当てはまるが、実はこの話にはもっと困った側面もある。

死を招く単純さ

本書執筆中の二〇二〇年末、私を含む世界中の何億もの人が、直径一〇〇ナノメートル、サッカーボールの一〇〇〇万分の一しかない大きさの球体、いわゆる新型コロナウイルスの出現によってロックダウンに遭っている。この微小な粒子は生きた細胞の外では完全に不活性だが、それなのに人間社会をほぼ完全に打ち負かしてしまった。

自己複製できないウイルスを生物と呼べるのかどうかについては議論の余地があるが、もっとも単純な複製体であることは間違いない。ウイルスは自らを複製する代わりに、ほぼあらゆる細胞機能を捨てて、たった一つの作業をすさまじい効率で進める道を選んだ。ヒトの細胞に自分のゲノムを注入して細胞機能を乗っ取り、自身のたんぱく質を大量に作らせるのだ。そうして作られたたんぱく質はひとりでに集合して新たなウイルス粒子となり、細胞から飛び出してほかの細胞に感染する。さらに咳とともに肺から出ていったり、消化管から排出されたり、皮膚の傷を含め体表のあらゆる場所から飛び散ったりして、新たな宿主に取りつく。

一九七七年に生物学者のジーン・メダワーとピーター・メダワーは、ウイルスを「悪い知らせをたんぱく質で包んだもの」と形容した。悪い知らせとはウイルスのゲノムのことで、たんぱく質はウイルスの外殻を形作っている。ウイルスのゲノムはおよそ三万文字からなり、ビットで表すと本書の一つの章と同じくらいの情報をコードしている。その情報の役割はただ一つ、複製することである。ところが、自然選択の原理という、この宇宙でもっとも単純な法則によってこのように自己複製の能力が磨き上げられた結果、我々の計画や希望、愛憎や思想、創造性や野心や恐れを打ち砕く能力が進化して、我々はただのウイルス工場に変貌してしまった。我々がウイルスを殺せるよりも速いスピードでウイルスが増殖する限り、自然選択の単純なロジックによって我々は打ち負かされてしまうだろう。

ウイルスがどのように出現したかは分かっていない。もっとも単純な真の自己複製体である細菌とは大きく異なるため、ウイルスの進化の道筋をさかのぼることはいまのところできていない。ある説によると、細胞の中でたんぱく質と核酸がたまたま組み合わさることで生まれたという。しかし私は、生物版オッカムの剃刀の終着点であるという可能性の方が高いと思う。まずは偽遺伝子がゲノムから消され、さらに不必要な遺伝情報がほぼすべて取り除かれて、自己複製に必要な最小限の遺伝情報だけが残り、そうしてウイルスが誕生したというシナリオである。起源はどうあれウイルスは、生命がときに恐ろしいほど単純になりうることを何よりも決定的に証明しているのだ。

パート4　宇宙の剃刀

第16章　最高の世界か

ハイゼンベルク　自然は我々をきわめて単純で美しい数式へと導いてくれる。……君もこう感じているはずだ。自然は突如として我々の目の前に、恐ろしいくらいの単純さと完全な関係性を見せつけてくるとね。

アインシュタイン　……単純さについての君の意見はなんとも興味深いな。でも私は、自然法則が単純であるとはどういう意味なのか本当に理解しているだなんてとうてい言えない。

ヴェルナー・ハイゼンベルクとアルベルト・アインシュタインの会話、一九二六[1]

第13章で物理学を離れて生物学の話に入る前に述べたとおり、一九世紀には科学者はすでに、単純な法則を地上の運動と天体の運動の両方に当てはめるという点でかなり前進していた。それどころか物理学者は、物理学はほぼ完成したと言い張っていた。ところが一九世紀末、イギリス科学振興協会の会合の席で北アイルランドの物理学者ケルヴィン卿（一八二四―一九〇七）が、そのような楽観的な見通しに反して地平線の上には「二つの小さな雲」、つまり物理学でいまだ解決されていない二つの問題が存在すると警鐘を鳴らした。その二つの雲が取り払われることで、ほぼ完成していたはずの一九世紀の物理学を覆す二つの革命が起こることとなる。

ケルヴィンの指摘した問題はどちらも光の性質にまつわるものだった。この一〇〇年近く前にトマス・ヤング（一七七三―一八二九）が、光は波のように振る舞って、水の波や音波と同様の原理に従うことを実証した。波が伝わるには水や空気のような媒質が存在していなければならないが、ヤングは光が真空中でも伝わることを証明した。太陽や遠くの星から我々のもとに光が届いているのだから当然だ。しかし、真空中でいったい何が運動することで光の波は伝わるのか？

誰にも見当がつかなかった。困り果てた科学者たちは、アリストテレスの説いたエーテルという存在を復活させる。前に述べたとおりアリストテレスは、「運動しているものはすべて別の存在によって運動させられている」という運動理論が成り立つよう、天体のあいだの空間はエーテルでできたプレヌムによって満たされていると唱えた。アリストテレスによるこのエーテルの概念は、ボイルが自然は真空を嫌わないことを実証したためにほぼ見捨てられていたが、それがヤングの実験によって、真空を満たしていて光の波を伝える媒質として復活した。しかもエーテルを物体の速度や加速度を測定するための基準ととらえれば、ニュートン物理学に残されていた説明のギャップを埋められるというもう一つのメリットもある。ニュートンは神の目がその基準となるとして片付けていたが、一九世紀末の物理学者はそれよりも、宗教と無関係なエーテルの概念のほうに魅力を感じていた。

ケルヴィン卿が挙げた第一の問題は、このエーテルの性質に関するものである。光を伝える何らかの目に見えない物質が空間全体に満ちているとしたら、海の水に対する船の速さを測定できるのと同じように、このエーテルに対する光の速さも測定できるはずだ。もちろん光の速さは秒速約三億メートルと、地上のどんな物体よりも圧倒的に速いので、船の速さを測定するのよりもはるかに難しい。しかし一八八七年にアメリカ人科学者のアルバート・マイケルソンとエドワード・モーリーが、太陽を基準とした相対速度が地球上でもっとも速い物体、すなわち地球自体に対する光の速さを測定すればいいではないかと思いつく。地球は秒速約四六〇メートルの速さで自転しながら、太陽の周りを秒速約三万メートルの速さで公転している。そこでマイケルソンとモーリーは、地球が運動する方向、すなわちエーテルをかき分けるような方向と、それに垂直な方向とで、ドップラー効果さながら光の速さが違ってくるはずだと気づいた。

ところが実際にはそうではなかった。どんなに労を尽くしても、地球の運動方向と光の進む方向が同じであるか違うかにかかわらず、光の速さの測定値はいっさい変わらなかったのだ。光はエーテルの波であるとする説では納得のいかない結果で、ケルヴィン卿はそれを問題視したのだった。

ケルヴィンの挙げた二つめの〝雲〟は、古典熱力学の理論に関するある問題だった。すでにマクスウェルとボルツマンが、カルノーの熱伝導理論とニュートン力学を組み合わせて現代の熱力学理論、いわゆる統計力学を打ち立てていた。この理論では、物質を構成する何兆個もの原子がランダムに運動することで熱が発生するとイメージする。光が物質と相互作用すると光が吸収されて、原子の熱エネルギー、すなわち速さが大きくなる。逆に物質が光エネルギーを放出すると、原子の運動は遅くなる。そのデータは古典熱力学でかなりうまく説明できたが、当たった光をすべて吸収する、黒体と呼ばれる物体から放射される電磁波のスペクトルはどうしても説明できなかった。真っ暗な部屋の壁に穴を一つだけ開ければ黒体にかなり近いものになるが、この問題をもっと簡単にイメージするには、光を馴染み深い音に置き換えてみるといい。

グランドピアノが一台あったとしよう。あなたはそのピアノにハンマーを振り下ろして大きな衝撃を与える（この思考実験ではグランドピアノはけっして壊れないとする）。するとピアノに張られている何本もの弦があらゆる振動数でいっせいに振動して耳障りな音が発生し、それが徐々に弱くなっていって微かなうなりになる。しかし黒体を加熱した場合には（ハンマーで大きな衝撃を与えたことに相当する）、あらゆる振動数の光が発せられるのではなく、黒体の温度に応じて決まる狭い振動数領域の光しか出てこない。それはまるで、グランドピアノをハンマーで叩いたら中央Cの音だけが出てきて、部屋を暖めた上で同じようにハンマーを振り下ろすとその音がDやEにずれるようなものだ。ケルヴィンはこの現象も、光の速さが変わらないことと同じくとても奇妙であると指摘した。

相対性の単純さ

ケルヴィンの「二つの小さな雲」がどのようにして解消されたかについては何冊もの良書で語られているので、[2] ここでは単純さの果たした役割だけに焦点を絞ることにしよう。どちらの問題の解決にも、ベルン在住の並外れた特許審査官の研究が関わっている。

その人アルベルト・アインシュタインは、一八七九年にドイツのウルムで、商人で電気技師の父ヘルマン・アインシュタインと母パウリーネ・コッホのあいだに生まれた。苦労して教育を受けたのちにチューリヒで物理学と数学を学んだが、卒業しても大学教員という最低限の職にすら就けなかった。しかし幸いなことに一九〇二年、父親の友人の計らいでベルンにあるスイス特許庁の技術専門官となる。型どおりの仕事だが大満足だった。「このいわば世俗的な修道院で素晴らしいアイデアのほとんどが生まれた」とのちに語っている。その素晴らしいアイデアの一つが、ケルヴィンの挙げた、エーテルの雲を通した光の速さに関する問題の解決法となる。とはいってもマイケルソンとモーリーの実験を受けてこの問題に関心を持ったのではなく、それどころかこの実験のことは知らなかったらしい。ケルヴィンが気づいていなかった、電気機械の挙動に関するもう一つの奇妙な事実にアインシュタインは頭を悩ませたのだ。

その問題の発端は、一八六五年にスコットランド人物理学者のジェイムズ・クラーク・マクスウェルが、電気と磁気の挙動を〝場(ば)〟の概念に基づいて記述する一組の単純な方程式を導き出したことだった。物理学で言う〝場〟とは、物体の運動を引き起こす空間領域のことを指す。木からリンゴが落ちる運動は地球の重力場によって引き起こされ、方位磁針が北極のほうを向く運動は地球の磁場によって、綿糸が琥珀に引き寄せられる運動は電場によって引き起こされる。マクスウェルは電気と磁気の両方を場の概念に基づいて記述する一組の方程式を見出し、どちらも同じ〝電磁場〟の相異なる姿であることを明らかにした。それどころか、運動している観測者が電気力として感じるものが、静止している観測者にとっては磁力として感じられ、その逆も成り立つ。マクスウェルはこの方程式を書き下すことで、天然磁石のおよぼす力と琥珀のおよぼす力を〝電磁気力〟として一つにまとめ、古典力学における最初の大統一、ひいては単純化を成し遂げたのだった。

マクスウェルの方程式によって物理学全体でもおそらくもっとも重要な統一が果たされ、この世界は大幅に単純化された。ところがこの統一から数十年後、アインシュタインが特許庁のオフィスでそれについてあれこれ考えはじめる。マクスウェルの方程式に潜むさらに驚くべき単純化に興味を惹かれたからだ。マクスウェルの方程式に基づく予測によると、電荷を帯びた物体が空間内で振動するとその周囲の電磁場も振動し、その振動が秒速約三億メートルという速さで四方八方へ広がっていく。この値には見覚えがある。真空中の光の速さではないか。こうしてマクスウェルは、物質中の電荷（いまでは電子であることが分かっている）の振動によって発生する電磁場の波こそが光であるという、驚愕の結論にたどり着いた。*電気と磁気だけでなく、この宇宙を照らす光までもが統一されたことになる。光は電磁気力の一つの姿だったのだ。

アインシュタインはベルンのオフィスで特許出願書を審査する合間に、光と電気の関係について考えをめぐらせた。どちらも当時かなり大きな関心を集めていた。この頃までに産業革命の担い手は蒸気動力から電力へ移行し、アインシュタインの父ヘルマンとその弟ヤコブもミュンヘン

* 振動して光を発生させるこの電荷は、原子内の軌道のあいだで飛び移る電子であることがいまでは分かっている。

でアインシュタイン・ウント・コンパニという電気機器メーカーを創業した。アインシュタインのオフィスの照明にも、わずか二〇年前にエディソン・アンド・スワン電灯会社によって商品化された電球が使われていた。ベルンの特許庁に出願された発明品の多くも電気機械だった。そんな特許出願書を仕分けしながらアインシュタインが考えをめぐらせた疑問、それは、マクスウェルの方程式に基づいて電気機械を設計する際に、光の速さとしてはどんな値を使うべきかというものだった。

ガリレオの思い浮かべた船の船室内にいる鳥や魚や船員は、船が動いていてもまったく気づかないのだった。では、船員が何か電気機械を船に持ち込んでその動作のしかたを計算する場合、光の速さとしては船室の壁に対する値を使うべきか？　それとも船から遠ざかりつつある海岸に対する値を使うべきか？　もしも光の速さがほかのあらゆる速さと同じく相対的だとしたら、観測者がどのように運動しているかによって物理法則が違ってきてしまうではないか。アインシュタインは心をかき乱された。

物理学を一から作り替える

オッカムのウィリアムは中世のスコラ哲学とその神学的科学を丸裸にして、神は全能であるという一つの前提にまで単純化し、そこから導き出される帰結について考えた。それから数百年後にルネ・デカルトが、我々が確実に知ることのできるのは「我思う、ゆえに我あり」という前提だけであるという単純な信念に基づいて、西洋哲学を解体・再構築した。アインシュタインも物理学においてそれと同様の方法論を取った。マクスウェルの方程式はどんな場合でも有効であると信じた上で、そうであるためには、等速運動しているどんな観測者にとっても光の速さは同じでなければならないと結論づけた。* 光はこの宇宙のどんな物体とも違ってガリレオの相対性には従わないはずだと唱えたのだ。

何とも単純な主張に聞こえるが、そこからはいくつもの仰天の帰結が導き出される。それがいかに奇妙かを感じ取るために、海の波が光の波と同じように振る舞うとイメージした上で、アインシュタインが「ゲダンケン（思考実験）」と呼んだものをおこなってみよう。ガリレオの勤める大学のあったパドヴァにほど近いヴェネツィアのサン・マルコの港、その西端から突き出した桟橋に停泊するスピードボートにあなたはこれから乗り込むところだ。アドリア海の気まぐれな海流のおかげで、波はたまたま海岸線と平行に東から西へ、つまり船の舳先の方向に進んでいる。

あなたと友人のアリスがサン・マルコの桟橋に立っている。あなたが観察したところ、波は船体に沿って船尾から船首まで二秒かかって伝わっている。船の全長が一〇メートルだと分かっているので、波の速さは簡単に計算できて、秒速五メートルとなる。この値が、すべての観測者にとって等しいはずの光の速さに相当する。ここであなたは船に乗り込むが、その際にガリレオと

＊ アインシュタインが最初に構築した相対論は加速している物体は対象としておらず、そのため特殊相対論と呼ばれている。

同じく、羽ばたきするセキセイインコを何匹か入れた鳥籠と、数匹の金魚が泳ぐ金魚鉢に加え、ガリレオの愛したパドヴァ大学にちなんでパドと名付けた小型犬を持ち込む。

するとパドが、波と同じペースで甲板を走るゲームに興じはじめた。とてもすばしこいイヌで、高速で伝わる波とほぼペースを合わせることができ、船尾から船首まで二秒で駆け抜ける。桟橋から見ているアリスもパドが船尾から船首まで走るのにかかる時間を二秒と測定する。ここであなたはアリスに手を振って船のエンジンを始動させ、港から出て波と同じ方向に秒速二メートルという一定の速さで船を走らせる。エンジンがうなり、船尾から水しぶきが飛び散る。船が一定の速さに達したところで動物たちに目をやると、あの偉大なイタリア人科学者がまさに予測したとおり、海岸に対して船が運動しているのにも気づかずに鳥は飛び、魚は泳いでいる。ガリレオが唱えたとおり、意味があるのは船に対する運動だけである。速さは相対的な概念なのだ。

船は波と同じ方向に秒速二メートルの速さで進んでいるのだから、船体に対する波の相対速度は五引く二で秒速三メートルのはずだと予想できる。パドも波に合わせて走るのがずっと楽になるはずだ。ところがパドを船尾から走らせたところ、またもや波に合わせようと必死で船首のほうへ駆けていった。疲れてしまったのだろうか？　そこでパドに楽をさせようと、スロットルレバーを前に倒して船を秒速四メートルまで加速した。その速さなら波にほとんど追いついて、船体に対する波の相対速度は秒速わずか一メートルになるはずだ。パドも歩くだけで波とペースを合わせられるだろう。ところが依然として波は船尾から船首に向かって秒速五メートルで進んでおり、パドは必死でその速い波とペースを合わせようとしている。途方に暮れたあなたが海岸のほうに目をやると、サン・マルコの時計塔は思ったとおりかなたに姿を消しつつあった。しかし波を基準にして考えると、あなたは港にいたときと同じく静止していて、サン・マルコの陸地のほうが秒速四メートルの速さであなたから遠ざかっていることになる。そこでスロットルレバーをさらに倒して、波と同じ秒速五メートルで船を走らせる。これで波と同じペースになるはずだ。ところが波は断固として秒速五メートルで船首から遠ざかっていて、パドも全速力を出さないとペースを合わせられない。沖合に出て陸地が見えなくなってしまったら、スロットルレバーをどれだけ前後させようが波に対する船の速さはいっさい変わらない。エンジンのうなりと船尾より飛び散る水しぶきから判断する限り全速力のはずなのに、波を基準としてみるとあなたは完全に静止していて、秒速五メートルで船首から遠ざかる波が果てしなく連なる海に漂ったままだ。光のように振る舞うこの波の運動は、ガリレオの示した相対性には頑として従わないのだ。

海岸からだとさらに奇妙な光景が見える。アリスはガリレオの製作したもっとも高倍率の望遠鏡のレプリカを持ってきていて、桟橋から遠ざかるあなたを見守ることができる。パドが甲板を走っているのも見えるが、どうもおかしい。船が秒速〇メートルから二メートル、さらに四メートルへと加速するにつれて、パドが甲板を走る速さが遅くなっていくように見えるのだ。最初は船尾から船首まで二秒しかかかっていなかったのに、いまでは四秒近くかかっていて、まるでスローモーションのようだ。さらに船が全速力の秒速五メートルに達すると、あなたもパドもまるで時間が止まったかのようにいっさい動かなくなる。いったいどうなっているのか？

その答えは、この思考実験では海の波が光の波と同じく、どの観測者にとっても同じ速さで進んでいるからだ。パドは波にペースを合わせて甲板の上を走っているので、船上のあなたも桟橋に立っているアリスもパドの動きを見ることで光の進む速さを測定できる。そして二人どちらにとっても同じマクスウェル方程式が成り立つとしたら、どちらも同じ測定結果を得るはずだ。停泊中は何も問題ないが、二人が相対的に運動しはじめると状況は一変する。

あなたがアリスから秒速四メートルで遠ざかっているときのことを考えてみよう。あなたの視点から見ると（図33 a）、船が桟橋に停泊していたときと状況は何も変わっていない。パドは長さ一〇メートルの甲板を光（海の波）と同じ秒速五メートルで走って、二秒で船首までたどり着く。ところがアリスの視点から見ると（図33 b）、パドの走る距離は二つの要素に分けられる。第一に、パドは甲板の上を一〇メートル走る。しかしその間に船は桟橋から遠ざかるように八メートル進む。したがってアリスの視点から見ると、パドは一〇足す八で一八メートル進むことになる。もしもアリスにとっての時間の流れ方があなたと同じだったとしたら、パドはその一八メートルをたった二秒で駆け抜け、光よりも速い秒速九メートルという速さで走ったことになってしまう。しかし、すべての観測者にとって光の速さは同じであるというアインシュタインの要求に従うには、何かを変えるしかない。それは時間しかない。

パドは光とペースを合わせているのだから、アリスの視点から見ると、船尾から船首までの一八メートルを走るのに一八割る五で三・六秒かかるはずだ。あなたにとっては二秒しかかからない出来事を、アリスは三・六秒かけて経験するのだ。あなたとアリスは同じ出来事を互いに異なる時間の枠組みで経験している。さらにあなたが船を光と同じ速さで走らせると、アリスの基準

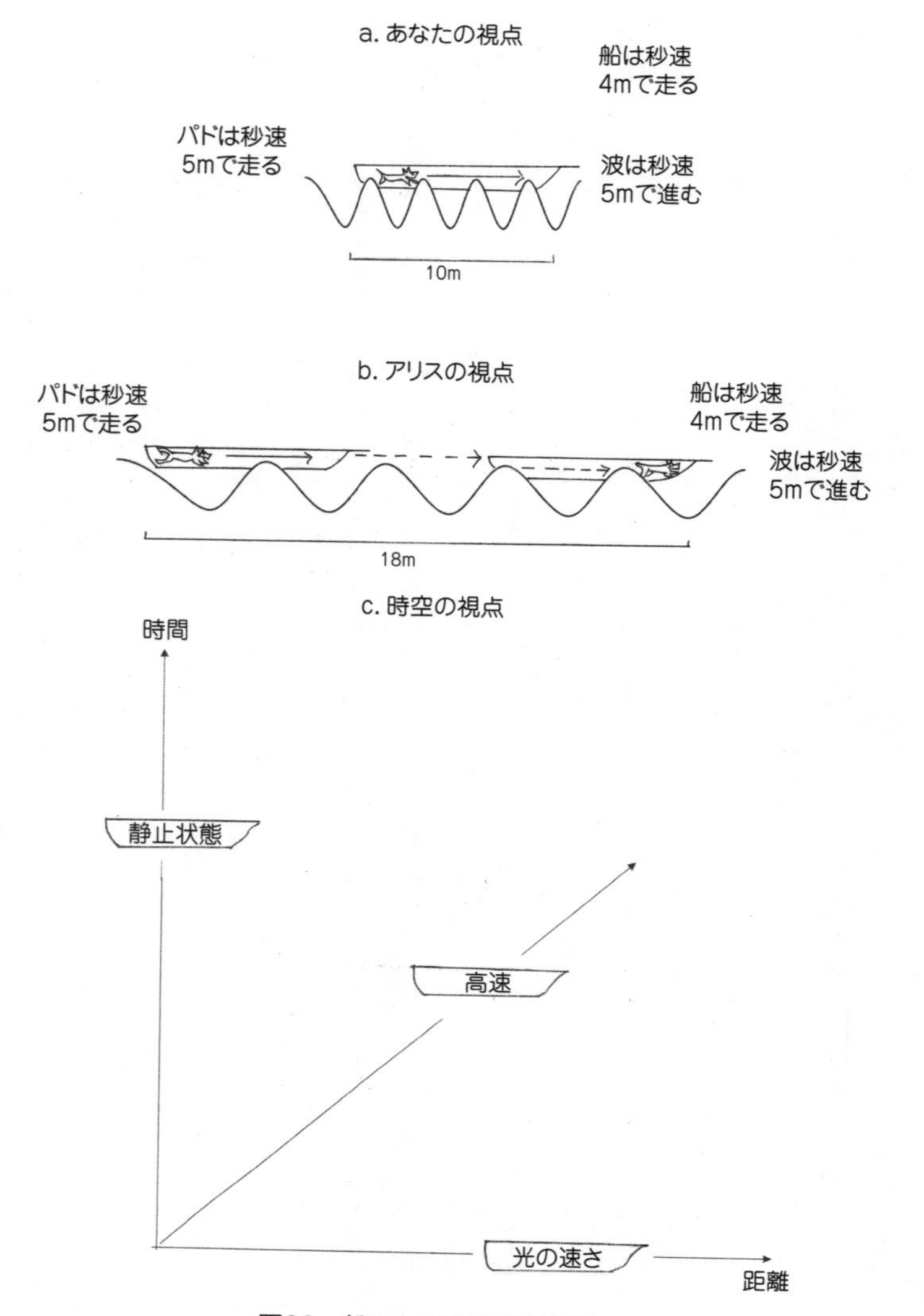

図33　船における特殊相対論

ではあなたの時間は止まってしまうのだ。

アインシュタインはこの謎を解消するために、時間と空間は互いに補完的な関係にあるとする〝特殊相対論〟を構築した。電気と磁気の関係と同じように、時間と空間も〝時空〟と呼ばれるたった一つの存在を構成する二つの要素にすぎないというのだ。それを図示する一つの方法として、空間の三次元を一次元に押しつぶして横軸で表し、時間のほうを縦軸で表してみよう（図33 c）。あなたとアリスが互いに静止しているときには、二人とも時間の次元に沿って光の速さで進んでいるが、空間の次元に沿って進む速さはゼロである。アリスに対するあなたの相対速度が上がっても、時空内でのあなたの速さは光の速さ（図33 cでは矢印の長さで表している）のまま変わらない。したがって空間内での速さを上げるには、時間の次元に沿った速さを遅くするしかない。あなたがどうにかして光の速さまで加速できたとすると、*アリスの視点から見て時間の次元に沿ったあなたの速さはゼロとなり、あなたは宇宙の端から端までいっさい時間をかけずにたどり着けることになる。このように時間と空間を時空という枠組みの中で同一視することが、特殊相対論の柱である。一見したところ大きく異なる二つの存在が、たった一つの存在の取る二つの姿となったのだ。確かに奇妙ではあるものの、この世界はさらに一段階単純になった。

ここで強調しておかなければならない点として、光がこのように、どんな観測者にとっても速さが等しいといった奇妙な振る舞いをする理由は何一つない。その振る舞いを予測するもっと深遠な法則は存在しない。光のこのような振る舞いはこの宇宙を構成する要素の一つであって、光の速さは基本定数であり、その値は予測するものでなく測定するものだ。しかしもしも光がガリレオの相対性に従ったとしたら、アインシュタインが気づいたとおり観測者ごとに物理法則が違ってきて、我々の住むこの宇宙よりもはるかに複雑な宇宙ができあがってしまう。光の速さが一定であるというとても奇妙な事実のおかげで、この宇宙は単純な形に保たれているのだ。

特殊相対論について記した論文は、アインシュタインの奇跡の年一九〇五年に発表された四本の論文の一つである。その四本の論文によってアインシュタインは当時最高の物理学者としての名声を確立してあちこちから声を掛けられ、ベルンの特許庁を辞めてベルン大学、チューリヒ大学、プラハ大学、そしてベルリン・フンボルト大学で教授を歴任した。しかしその二〇年ほどのあいだ、特殊相対論の抱える二つの制約に悩みつづけていた。物体が加速していたり重力を受けていたりすると成り立たなくなるのだ。またアインシュタインも我々と同じように（第11章）、落下する物体の重力加速度をニュートンの法則を使って計算する場合、初めに物体の質量を掛けてから、続いてその同じ質量で割り算しなければならないのは奇妙であると感じていた。

アインシュタインの剃刀

自然界は、考えうる中でもっとも単純な数学的概念を具現化したものである。

アルベルト・アインシュタイン、一九三三[3]

＊　特殊相対論によると質量を持つ物体を光の速さまで加速することはできないため、実際にはこれは不可能である。

アインシュタインは相対論に加速と重力の要素を組み込もうと、一〇年にわたって苦心を重ねた。同じくドイツ人物理学者のマックス・アブラハムもそれを目指していたが、単純で簡潔な答えを探すという彼の取り組み方をアインシュタインは見下して、「彼［アブラハム］の方程式の美しさと単純さは完全に〝はったり〟だ」とあざ笑った。さらにアブラハムがうまくいかないのは、「物理的に考えずに［簡潔な数学的答えを］形式的に探しているからだ」と批判した。

アインシュタイン自身の取り組み方は、たとえどんなに複雑になろうとも、できるだけ数多くの観察結果と辻褄の合う方程式を組み立てるというものだった。そうして方程式をいくつか組み立てた後で、それが数学的に理にかなっているかどうかを確かめる。そのような方法で複雑な方程式を一つ一つせっせと組み立てていったが、いざ数学的有効性をチェックする段階になるとことごとくあきらめざるをえなかった。

この頃アインシュタインはオッカムの剃刀を使うのを避けて、得られている最大限の情報をモデルに組み込むという、〝完全性〟と呼ばれる基準に従っていた。覚えておられるかどうか分からないが、生物学におけるオッカムの剃刀の役割をめぐって私とハンス・ヴェスターホッフが繰り広げた論争の根底にあったのと同じ問題だ。ハンスもこの時点でのアインシュタインと同じく、完全性が大事だと訴えた。しかしモデルが複雑になるにつれて、選択肢の数は指数関数的に増えていく。レゴブロック六個、六〇個、六〇〇個で作れる形がそれぞれいくつあるか考えてみてほしい。アインシュタインは何年ものあいだ膨大なモデルを無益にさまよったあげくに方針を変え、かつて批判の槍玉に挙げたアブラハムと同じく、「まずは物理的に考えずに形式的に導き出す」という方法論を取り入れた。オッカムの剃刀に従ってもっとも単純で簡潔な方程式だけを考え、その後で物理的事実に照らし合わせるという方法論である。すると今度は正解を引き当てることができた。そうして一九一五年、「比類ない美しさを備えた理論」である一般相対論にたどり着いた。

一般相対論の誕生につながったアインシュタインのひらめきは、重力と加速は互いに区別がつかないと気づいたことだった。現在では〝等価原理〟と呼ばれているこの重力と加速の同等性は、たとえば乗っている飛行機が離陸するときに自分の体重がお尻から背中に上がってくるような感覚として感じられる。アインシュタインは、重力と加速が同じように感じられるのはそれらが同じ現象だからであって、そのため同じ一組の方程式で記述すべきだという考えに至った。そしてこのひらめきが一般相対論と、恒星や惑星など重い天体による時空のゆがみという、いまでは馴染み深い概念へとつながった。時空として見ると直線上を進んでいるが、空間内では楕円や放物線に沿って進んでいるときに感じられる見かけの加速度、それが重力にほかならない。重力は時空のさまざまな性質とは異なるものとして不必要な存在になり、この宇宙はさらに一段階単純になったのだ。

アインシュタインはまた、ニュートン方程式で重力加速度を計算する際に質量が打ち消し合ってしまうのはなぜかという難題を、この新たな重力の概念に基づいて解決できることにも気づいた。アインシュタインの一般相対論によると、重力は力ではなく、時空のゆがみによって引き起こされる加速である。そのため落下する物体の質量は、その落下速度の計算式には入ってこないのだ。このため一般相対論では重力は〝見かけ上の力〟と呼ばれ、ニュートン力学的な力とは区別される。

一般相対論の構築に成功したことでアインシュタインは単純さと簡潔さに対する見解をひるがえし、それ以降ずっと、数学的な単純さを追い求めることが何よりも重要であると訴えつづけた。「理論の検証は経験によってできるが、経験から理論を構築する術はない」と述べている。これはつまり、単純な系（方程式）から複雑な結果を計算するのは容易だが、その逆問題を解くのは多くの場合不可能であるという意味だ。その上でアインシュタインはさらに、「このように複雑な方程式を見つけるには、……その方程式が必然的に、またはほぼ必然的に導き出されるような、論理的に単純な数学的条件を発見するしかない」と唱えている。[4] 苦しんだ経験ゆえ、これ以降はつねに単純さに信頼を置いたのだった。

プトレマイオスは正しかったのか

相対論の話を締めくくる前にアレクサンドリアのプトレマイオスに再び登場願って、多数の周転円や離心やエカントからなる彼の驚くべき地球中心体系に再び目を向けてみよう。すでに述べたとおり、この地球中心体系は複雑極まりないものの驚くほど有効に機能した。それを考えると、プトレマイオスやコペルニクスのモデル、あるいはフロギストン説の話で何度も直面したあの疑

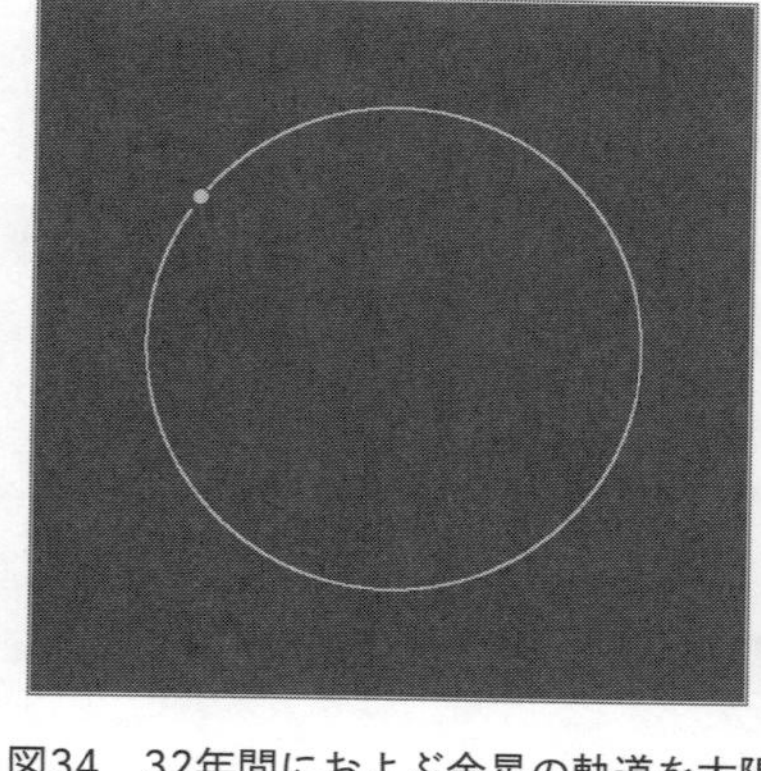

図34　32年間におよぶ金星の軌道を太陽中心体系の視点（左）と地球中心体系の視点（右）からとらえた図。左図の太陽中心体系では太陽が軌道の中心にあって、軌道は完全な円である。右図の地球中心体系では地球が中心にある。

問が甦ってくる。間違ったモデルがどうしてここまで正しくなりえるのか？

それは、プトレマイオスは間違っていなかったからである。過剰に複雑にしてしまっただけなのだ。一般相対論では、宇宙の中のどの地点を体系の中心に定めて計算してもいっこうにかまわない。しかし体系が単純になるような視点と複雑になってしまう視点がある。太陽系で飛び抜けて重い天体である太陽の影響は、それ以外のすべての天体による重力の影響を上回る。そのため太陽を体系の中心に据えるというのは、ガリレオの船の中にあるすべての物体の運動の観察結果を単純化するために、海岸からその船のデッキに飛び乗るようなものだ。海岸に飛び降りて地球を体系の中心に置いてもいっこうにかまわないが、そうすると軌道円をもっとずっとたくさん描かなければならない（図34）。プトレマイオスは間違っておらず、有効に機能する体系を作り上げたその天才ぶりには敬服するが、その体系は複雑になりすぎてしまい、オッカムの剃刀を当てられることでもっと単純な答えに道を譲ったのだ。

物理学だけでなく科学のかなりの部分では、適切な視点を見つけることでこの世界がもっと単純になる。空間と時間を統一し、ケルヴィン卿の指摘した一つめの雲を消し去ったことで、特殊相対論は打ち立てられたのだった。それとは別の視点の切り替えによって二つめの雲が吹き飛ばされ、さらに単純だがますます奇妙な宇宙の姿が明らかとなる。

第17章　量子の単純さ

……人は量（クワントゥム）である……。

オッカムのウィリアム、一三二〇頃[1]

一八七四年、マックス・プランク（一八五八―一九四七）という名の一六歳の学生がミュンヘン大学を訪れて、物理学の道に進むべきかどうか助言を求めた。すると教授のフィリップ・フォン・ヨリー（一八〇九―八四）から、物理学の分野には発見すべき新しい事柄は何も残されていないから別の分野を選ぶべきだとたしなめられる。しかしその忠告をよそにプランクはミュンヘン大学に入学し、一八七七年にはベルリンに移ってフリードリヒ・ヴィルヘルム大学で博士研究を進め、そこで熱力学に興味を持つようになる。そしてベルリン大学で熱力学の理論物理学教授に着任したのちの一九〇〇年、ケルヴィンの指摘した雲の一つに挑む決心をする。黒体中の原子から発せられる光のスペクトルを熱力学では説明できないという問題である。そうして最終的に、観測されるスペクトルを正しく予測できるある方程式を発見するが、その方程式は驚くべき意味合いを含んでいた。熱力学は原子がさまざまな速さでランダムに運動しているという原理に基づいているため、原子が減速する際に発せられる光は連続的な振動数範囲に広がっているはずだ。ところがプランクの方程式によると、黒体から発せられる光のエネルギーは飛び飛びの振動数を持ったエネルギーの小さな塊として出てくるのだという。プランクはこの光エネルギーの塊を、ラテン語で「部分」や「量」を意味する〝量子（クオンタム）〟と名付けた。

量子力学に関しても優れた解説書がたくさん出ているし、二〇世紀物理学の土台をなすこの理論をたった数ページで十分に説明するのは不可能だ。そこでここでも、量子力学のさまざまな側面のうち単純さの役割を物語っているものだけに焦点を絞り、その取りかかりとして、オッカムの剃刀とは切っても切れない唯名論の視点からこの奇妙な科学に迫っていくことにする。覚えておられるだろうが、オッカムのウィリアムの唱えた唯名論の中心原理は、父性のような抽象的な概念はこの世界に存在する現実の事物ではなく、我々の心の中に言葉や概念、すなわち〝フィクタ〟として存在しているにすぎないというものである。そのためこのような抽象的な概念は哲学や科学から排除すべきであると、ウィリアムは訴えたのだった。

しかし科学では何が現実で何が抽象的なのか？　前に説明したとおり、運動という概念は相対的であって、ある基準から見ると運動している物体が別の基準では静止していることがある。それを根拠にウィリアムは、運動、すなわちインペトゥスは〝もの〟ではないと主張した。さらに一般相対論では、重力すらも見かけ上の力にすぎない。ではいったい何が現実だというのか？

アイスリンクの端に立っているあなたが、氷の上にじっと立っているアイススケート選手の友人アリスの位置を精確に測定したいと思ったとしよう。さらに測定を難しくするために、照明がすべて落とされていてあなたにはアリスの姿が見えないとする。しかし幸いにもあなたのバッグの中には、夜光性のゴムボールがたくさん入っている。そこであなたはアリスの位置を知るために、そのボールを暗闇に向かって手当たり次第に投げる。ほとんどのボールは何にもぶつからずにリンクの反対端まで飛んでいくが、何個かはおそらくアリスに当たって跳ね返ってきて、あなたはキャッチできる。そこで、キャッチできたボールを投げた場所と方向を記録して三角測量の原理を当てはめれば、暗闇の中でもアリスの正確な位置を知ることができる。

しかしニュートンが言ったとおり、作用には必ず、それと大きさが同じで向きが反対の反作用が伴う。ボールがアリスに当たると、ある量の運動量がボールからアリスの身体に移動して、アリスは向こう側に押し出される。するとその測定後のアリスの位置は測定前と違ってしまう。マクロな世界ならこの問題は簡単に解決できる。照明を点けてアリスの位置を精確に測定すればいいだけだ。

しかしドイツ人物理学者のヴェルナー・ハイゼンベルク（一九〇一―七六）は、もしもアリスが電子のような素粒子だったら、光の粒子（光子）一個がどんなにそっと当たったとしても、どうしても少量の運動量が移動して位置がずれてしまうことに気づいた。* そしてこの発想に基づい

* この原理は、位置と運動量、あるいはエネルギーと時間など、互いに相補的である二つの測定値の不確かさに当てはまる。

て、かの有名な不確定性原理を打ち立てる。不確定性原理によると、粒子の運動量の不確かさと位置の不確かさとの積は必ず、プランク定数と呼ばれる基本定数（光の速さも基本定数の一つだった）の半分以上となる。この定数はきわめて小さな値で、*スケート選手のようなマクロな物体では無視できるが、ミクロの世界では我々が物事を知る上での精度に根本的な限界を課している。

電子の正確な位置を知ることができなくても、当然ながら暗闇の中でのアリスの位置と同じく、それは現実の性質であるはずだと思えるだろう。しかし光は光子でできていて、何を測定するにしてもその物体には光子が当たってしまう。そのため量子の世界ではマクロな世界と違って、「照明を点ける」ことに相当する操作を思い浮かべることはできない。すると、オッカムのウィリアムがプラトンのイデアやアリストテレスの普遍の実在性について問うたのと同様の疑問が浮かび上がってくる。正確な位置や運動量をけっして測定できないとしたら、それらはどこまで現実的な性質なのか？

現実の事物はこの世界に何らかの影響を与えるはずで、そのことが、現実であることの最低条件であろう。イデアや普遍、霊魂や悪魔のような架空の事物はこの世界に何ら影響を与えない。だからそれらは物理的物体でなく、観念、つまりウィリアムの言う〝フィクタ〟であると分かる。粒子の正確な位置がこの世界に影響を与えないのであれば（影響を与えるとしたら測定可能になってしまう）、それはプラトンの言う三角形のイデアや〝父性〟という本質、あるいはヘンリー・モアの言う〝全知の霊魂〟と同じく現実の事物ではないと、オッカムのウィリアムなら主張するはずだ。ウィリアムの唯名論の立場からすると、〝正確な位置〟というのは我々の心の中やモデルの中に存在する抽象的な概念に与えられた単なる名前であって、この世界のどんな事物にも対応しない虚構である。したがってそれは不必要な要素であって、科学から排除すべきだ。

量子力学ではまさにそのような立場を取る。測定できない微小なエネルギー差は実在するとはみなさず、エネルギーは一個一個測定できる小さな塊、すなわち量子としてしか放出されないと考える。同様に、熱力学では粒子は連続的な範囲の振動数で振動できるが、量子力学では測定可能な振動数でしか振動できないとする。この〝量子化〟という考え方から、黒体放射の奇妙な性質やプランクの方程式が導き出されるのだ。

しかし量子力学の奇妙な点はエネルギーの量子化だけに留まらない。量子レベルの不確かさは、直感に反する粒子のさまざまな性質にも表れる。同時に複数の場所に存在したり、古典物理学では通り抜けられないはずの障壁をすり抜けたり、同時に二方向に自転したりするといった振る舞いが実際に起こるのは、単にそんなことは起こらないと証明できないからにすぎない。さらに、複数の粒子が時間と空間を隔てて不気味なつながりを持つこともあり、それもまた、ハイゼンベルクの不確定性原理によるとそんなつながりは存在しないことを証明できないからでしかない。

このような考え方が有効かどうかは、やはり科学として役に立つかどうかで判断される。量子力学からは科学史上類を見ないほど精確な予測がいくつか導き出されているし、レーザーやコン

＊ 約$6.626 \times 10^{-34} m^2 kg/s$

ピュータチップ、GPSやMRIや携帯電話などの新技術も生まれている。近い将来には、超高速の量子コンピュータや量子テレポーテーションといったさらに革新的なテクノロジーも登場するかもしれない。おそらく何よりも驚くべきなのは、私の単著[2]やジム・アル＝カリーリとの共著[3]で説明しているとおり、生命すらもこの奇妙で直感に反する物理を巧みに利用しているらしいことである。

量子力学の最大の功績の一つは、素粒子の奇妙な世界を暴き出したことである。しかし最初に暴かれたときには、単純であるどころか複雑に入り乱れていた。

量子力学で原子の中身を探る

原子の概念は少なくとも古代ギリシアにまでさかのぼるが、二〇世紀に入ってもなお科学者のあいだでは、原子は有用な抽象的概念にすぎないのか、はたまた現実の存在なのかをめぐって論争が続いていた。しかし、アインシュタインが一九〇五年に発表した四本の論文のうちの一本によってほぼ決着がついた。花粉の中に含まれている微小な粒子が水中に漂うと気まぐれな運動（ブラウン運動）を示すという現象は、目に見えない水分子がその粒子に衝突しているとしなければ説明できない、それを証明した論文である。

原子の概念を思いついたデモクリトスは、それを分割不可能な微小な物質の粒とイメージした。プレヌム説と原子論の攻防の中でもこの概念は、古代、中世、そして一九世紀末から二〇世紀初めの現代に至るまで生き長らえた。そしてアインシュタインが原子の実在性に関する論文を著したちょうどその頃、アンリ・ベクレル（一八五二―一九〇八）と、彼とは独自にマリ・キュリー（一八六七―一九三四）およびピエール・キュリー（一八五九―一九〇六）が、原子が複数の破片に壊れる放射性壊変という現象を発見した。さらにアーネスト・ラザフォード（一八七一―一九三七）の実験によって、原子は正の電荷を帯びた微小な原子核と、その直径の一〇万倍離れたところに広がる負の電荷を帯びた電子の雲からできていることが明らかとなった。その後の実験で、原子核はさらに正の電荷を帯びた陽子と電荷を持たない中性子でできていることが分かり、Tシャツにもプリントされているほどに馴染み深くて比較的単純な原子のイメージが確立した。

しかしその単純なイメージはいつまでももたなかった。何人もの物理学者が、この原子モデルではベータ壊変というタイプの放射性崩壊を説明できず、何かが欠けていることに気づいたのだ。そこで量子物理学者のヴォルフガング・パウリ（一九〇〇―五八）が一九三〇年、スイス連邦工科大学の「放射能紳士淑女のみなさん」に宛てた手紙の中で、中性子と同じく電荷を持たないが質量は中性子よりはるかに小さい、もう一種類の素粒子の存在を予言した。イタリア人物理学者のエンリコ・フェルミ（一九〇一―五四）がその新粒子に「小さい中性子（ニュートロン）」という意味の〝ニュートリノ〟という名前を付け、素粒子は合計で四種類になった。さらに一九二八年、イギリス人物理学者のポール・ディラック（一九〇二―八四）が量子力学と特殊相対論を何とか融合させ、その方程式に基づいて、各粒子には〝反粒子〟すなわち反対の電荷を持ついわば鏡像が存在するはずだと予言した。それからまもなくして、電子の相棒で正の電荷を持った〝陽電子〟が霧箱*の中の飛跡として発見された。

素粒子物理学者たちは霧箱を重宝し、高山に担ぎ上げては、地球の大気に吸収されてしまう宇宙線を捕らえた。そうした実験によって、深宇宙からは何種類もの新たな粒子がシャワーのように降り注いでいることが明らかとなる。一九三六年には、電子と同じ電荷を持っているが質量はその一〇〇倍ほど大きい〝ミュオン〟が発見された。この発見を受けてアメリカ人物理学者のイシドール・イザーク・ラービ（一八九八―一九八八）は、「誰がこんなもの注文したんだ」と皮肉ったという。霧箱の中に新粒子が次々と飛跡を残し、素粒子の種類はすぐに二桁にまで急増した。一九五〇年代に入って粒子加速器が稼働しはじめるとさらに事態は悪化し、高エネルギー粒子の衝突から〝パイオン〟や〝ケイオン〟といった風変わりな名前の新粒子が次々に飛び出してきた。基本的とされる素粒子がまるで動物園のようにこれほど入り乱れているのを見てパウリは、「前もってこんなことになるのが分かっていたら植物学の道に進んでいたのに」と不満を垂れたという。

パウリのような物理学者がこれほどまでに当惑したのは、素粒子の種類が多いからではなく、このような新粒子の存在をどんな理論でも予想できていなかったからである。ほとんどの素粒子は、恒星や惑星や人間の身体を作るプロセスにはほとんど、あるいはまったく寄与していないように思われた。それらの不必要な何十種類もの素粒子は、オッカムの剃刀など鼻で笑っているかのようだった。

だが幸いにも、二〇世紀でもっとも大きな影響力をおよぼしながらも世間にはほとんど知られていない一人の科学者が、この素粒子の動物園から抜け出すための単純な道を見つけ出す。

恐ろしい対称性

その人エミー・ネーター（一八八二―一九三五）は、一八八二年三月二三日にドイツのエルランゲンで、数学者マックス・ネーターとイーダ・アマリア・カウフマンのあいだに生まれた。地元の学校でドイツ語、英語、フランス語、算数を学び、教養のある女性に開かれた数少ない職業の一つである語学教師を目指すかに思われた。しかし語学教育にはいっさい関心がなく、数学の道へ進むことを決心する。ところが地元のエルランゲン大学では女性の入学が認められておらず、その道の険しさを思い知らされる。それでも父親がこの大学で教えていたこともあって、聴講生として講義に出席することは認められた。そうして一九〇三年、二一歳で大学入学資格試験に合格し、一流のゲッティンゲン大学の扉をこじ開ける。

一九〇三年当時のゲッティンゲン大学は世界の数学研究の中心地で、ネーターはダヴィット・ヒルベルト、ヘルマン・ミンコフスキー、フェリックス・クラインといった大物数学者の講義に出席した。しかしまたもや正式な入学は拒否される。一学期を終えると体調を崩したこともあってエルランゲンに里帰りしたが、その地元の大学では女性の入学を禁じる規則が緩和されていた。

＊ 霧箱とは蒸気を満たした透明の箱で、粒子が通過するとそのまわりで蒸気が凝縮して飛跡が目で見えるようになる。

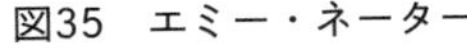
図35　エミー・ネーター

エルランゲンに戻ったネーターは父親の友人で同じく数学者のパウル・ゴルダンの指導のもと、学士号を取得するのに続いて博士号という最高の栄誉を手にし、ドイツで数学の博士号を授かった二人目の女性となった。そしてエルランゲン数学研究所で教鞭を執ることを認められるが、ただし正式な教員ではなく無給の私講師としてであった。このエルランゲンでネーターの興味の対象は、二〇世紀初めの数学界でもっとも解決が望まれていた、抽象代数学に関する問題へと移っていく。抽象代数学とは、数や記号だけでなく数学的操作全般を扱う学問である。ネーターは革新的な論文を次々に発表し、かつてゲッティンゲン大学で教わった教授たちの目に留まる。

この頃ゲッティンゲン大学は高揚感に包まれていた。アインシュタインが一般相対論に関する論文を発表したばかりで、ほとんどの数学教授がその新理論と、そこからさまざまな帰結を導き出すという課題に心奪われていた。ヒルベルトも一九一五年六月から七月にかけてアインシュタインをゲッティンゲンに招き、講演をしてもらった。その講演を聴いてヒルベルトは一般相対論が正しいことを確信するが、それと同時にある問題が明るみに出る。エネルギー保存則、すなわちエネルギーは生成も消滅もしないという科学の基本原理を、一般相対論が破っているように思われるのだ。するとヒルベルトが、その解決の力になりそうな女性が一人いるではないかと気づく。

一九一五年にヒルベルトはクラインとともに、ネーターにゲッティンゲン大学に戻ってくるよう声を掛け、ネーターもその誘いを受け入れた。ヒルベルトは彼女のポストを確保しようと奮闘し、科学や数学の教授たちも力を貸したが、女性教授などという存在がどうしても許せない人文系の教授陣は抵抗しつづけた。頑なな彼らに苛立ちを募らせたヒルベルトは怒りを爆発させ、「候補者の性別が不採用の理由にはならないと思う。……そもそもここは大学であって風呂屋ではないんだ！」と声を荒らげたという。それでも一九世紀当時の偏見は根強く、ネーターの講義はカリキュラム表にヒルベルト名義で掲載して、その下に「代理エミー・ネーター博士」との但し書きを付けるしかなかった。

ネーターの教え方は型破りだった。身だしなみに無頓着なことで有名で、〝洗濯婦〟のような

図36　（左上→右下の順に）球対称、左右対称、五回対称、非対称

見た目だと形容され、学生たちを数学理論の奥深くへと熱心に導いていくにつれてヘアピンから髪がバサバサとほどけるのだった。アリストテレス学派[*]の教育スタイルも取り入れ、郊外を歩きながら講義を進めることも多かった。熱意と朗らかさと数学に関する洞察力ゆえ一部の学生に慕われ、彼らは〝ネーターの少年たち〟と呼ばれた。ネーターを「一斤のパンのように温かい[4]」と評し

た同大学の数学者ヘルマン・ヴァイル（一八八五―一九五五）は、ネーターがいまだ無給の私講師なのに自分が教授に任命されると、「間違いなく私よりも優れているエミーを差し置いてこんなに高い地位に就いたのが申し訳ない」と言い切った。

ダヴィット・ヒルベルトはそんな才能あふれるネーターに、アインシュタインの一般相対論ではエネルギー保存則が成り立たないように思われるという厄介な問題の解決を託した。理論物理学にはエネルギー保存則のほかに、運動量や角運動量や電荷などいくつもの基本的な物理量に関する保存則がある。しかし従来の物理学ではそのいずれも証明できず、単に反例が見つかっていないから真であると仮定されているにすぎなかった。光の速さの不変性と同じく、この宇宙の基本的な構成要素であると思われていたのだ。ところがエミー・ネーターがその数学的洞察力を駆使して一般相対論におけるエネルギー保存の問題に取り組んだところ、保存則と物理学の基本法則とのあいだにもっと深遠で幅広く通用する関係性が成り立つことが明らかとなる。ときに「物理学でもっとも美しい概念」と評されるその関係性は、ネーターの定理と呼ばれている。

この定理は対称性の概念に基づいている。物理法則に何らかの対称性が存在すると、それに対応した保存則が必ず成り立つという定理である。

右ページの写真のうち三枚[†]（上の二枚と左下）はそれぞれ異なる種類の対称性の例である。イ

＊　アリストテレスがこの呼び名のとおり教え子たちを引き連れて学堂の廊下をそぞろ歩きしていたかどうかは分かっていないが、きっとそうだったはずだと思う。
†　いずれもスラウェシ島（アルフレッド・ラッセル・ウォレスはセレベス島と呼んでいた）とその周辺海域で撮影。

カの卵は（ほぼ）球対称で、どの平面上でどれだけの角度回転させても（ほぼ）同じに見える。コウイカは左右対称で、ある面で二つに切ると互いに鏡像になる。ウニは五回対称性を持っており、最後の写真にあるサンゴは何ら対称性を持っていない。対称的な物体は非対称な物体に比べて記述するのに必要なパラメータの数が少なく、そのためより単純である。たとえばチョウの左右どちらか半分の姿が分かれば、もう半分の姿も分かる。それに対してサンゴのような非対称な物体では、どこか一部分から全体を再構成する術はない。対称性が見つかれば、奥に隠された単純さがあらわになるのだ。

ネーターの言う対称性はもっと抽象的である。それを理解するために、近所の広場でジャグリングをしている友人のアリスを思い浮かべてほしい。東西南北どちらの方角を向いても同じようにジャグリングができれば、アリスは回転対称性を持っていると言える。いずれかの方角に一〇〇メートルほど歩いても同じようにできれば、並進対称性を持っていると言える。今日も明日も、いつでも同じようにできれば、時間対称性を持っていると言える。ジャグリングボールが電荷を帯びていて、正に帯電したボールを負に帯電したボールに持ち替えても違いがなければ、電荷対称性を持っていると言える。

要するにこれらの対称性は、どの観測者にとっても物理法則は同じでなければならないというアインシュタインの論法を拡張したものにほかならない。エミー・ネーターは、どのような対称性が存在していてもそれに対応する保存則が一つ成り立つことを証明した。時間対称性からはエネルギー保存則が、並進対称性からは運動量保存則が導き出され、すべての作用には大きさが等

しく て向きが反対の反作用が存在するというニュートンの第三法則は、回転対称性から導き出される。

ネーターはアインシュタインとヒルベルトを悩ませていたあの問題にこの新たな定理を当てはめて、もしも対称性が成り立っていれば問題は解決することを明らかにした。ネーターの論文を読んだアインシュタインはヒルベルトに宛てて、「昨日、ネーター嬢から不変形式に関するとても興味深い論文を受け取りました。このような問題をこれほど包括的な視点から解釈できることに感動しました」と書き送っている。[5] ネーターはこの画期的な定理と、抽象代数学の発展に対する貢献によって、無名の存在から一流数学者へとのし上がった。そしてヨーロッパじゅうから講演の依頼を受け、数々の一流の学会に招かれた。それでもいまだ有給の職には就いていなかった。

一九二八年にネーターはモスクワ大学での客員教授の職を引き受けた。その後ドイツに帰国したちょうどその頃、ナチスが台頭しはじめる。ユダヤ人で共産主義に共鳴するネーターは一九三三年にゲッティンゲン大学を免職になるものの、自宅で間に合わせの講義を続け、ナチ党員の茶色の制服を身につけた学生も喜んで迎え入れた。

ナチズムの台頭を受けてアルベルト・アインシュタインとヘルマン・ヴァイルはドイツから脱出し、アメリカの名立たるプリンストン高等研究所での職に招かれた。ヴァイルはネーターが当研究所に入れるよう必死で働きかけるも、その努力は実を結ばずに終わる。ネーターは結局、プリンストンからそう遠くないペンシルヴェニア州にあるブリンマー女子カレッジから招聘され、一九三三年末に渡米した。

ヨーロッパを襲う恐怖から逃れてブリンマー・カレッジで安らぎを得たネーターは、大好きな研究に取り組みながら学生の教育と研究指導を続けた。しかし残念ながら幸せの日々は長くは続かなかった。一九三五年に骨盤に腫瘍が見つかり、その手術が祟って五三歳で生涯を閉じたのだ。一九三五年五月五日日曜日の『ニューヨークタイムズ』紙に、アルベルト・アインシュタインの署名が添えられた『アインシュタイン博士によるある同業数学者への感謝』というタイトルの投書記事が掲載された。署名したのはアインシュタインだが、実は筆者はヘルマン・ヴァイルである。この記事には、「存命中のもっとも有能な数学者たちが判断するに、ネーター嬢は女性の高等教育が始まって以来これまででもっとも創造性に富んだ数学の天才であった」と記されている。今日の多くの数学者や物理学者なら性別に基づいて能力を判断することなどしないだろう。ヴァイルはネーターの葬儀で読み上げた頌徳文（しょうとくぶん）の中で、「あなたは神の巧みな手によって均整の取れた形に成型された粘土細工などではなく、神が創造的な才能を吹き込んで原初の人間に仕立て上げた石のかけらだった」と悼んだ。

動物園の素粒子たちを手なずける

ヘルマン・ヴァイルはネーターの遺した発想を発展させて、ゲージ理論と呼ばれる革新的な素粒子物理学の理論を打ち立てた。素粒子の動物園を劇的に単純化させたこの理論は、現代の素粒子物理学の基礎となっている。

ヴァイルは初めに、物理法則はネーターが唱えたように粒子の位置や回転状態に左右されないだけでなく、我々が素粒子にどのようなラベルを付けてどのように分類するかにも左右されてはならないと考えた。オッカムのウィリアムが唯名論に基づいて、父性などの抽象的な事柄を表す言葉は実在の事物でなく心の中に存在する概念を指しているのであって、それゆえ科学で用いるべきではないと主張したことを思い起こさせる考え方だ。ゲージ理論でも唯名論に似た立場で素粒子物理学に迫り、[6] 我々が粒子や力に対してどのようなラベルを付けてどのように記述するかにいっさい影響されないような法則を探す。このような対称性を備えた法則を、ゲージ不変であると表現する。

ヘルマン・ヴァイルらが電荷を帯びた粒子に対するゲージ不変な法則を探したところ、マクスウェルによる電磁気学の法則が導き出された。これは目を見張る結果で、アインシュタインに特殊相対論構築のきっかけを与えたとてつもなく重要な電磁気学の法則が、自然界のさらに深遠な対称性、ひいては単純さを映し出したものであることを物語っている。ゲージ理論からはまた、荷電粒子どうしのあいだで力を伝える中性で質量ゼロの粒子の存在が予言された。アイスリンクに立っているアリスとボブがバスケットボールを投げ合っている様子を思い浮かべてほしい。アリスがボールを前方に投げると、ニュートンの第三法則に従ってアリス自身は後方に押し出される。そのボールをボブがキャッチすると、その衝撃でボブはアリスから遠ざかる方向に押し出される。結果として二人は、触れ合っていないのに互いに離れていく。ヴァイルらは、電子と電子が出合ったときにもまさにこれと同じことが起こると気づいた。電子どうしのあいだで光子がバスケットボールのように行き交い、それによって互いに離れていくのだ。同じ符号の電荷どうしは反発するという法則のとおりである。

マクスウェル方程式によって電気と磁気が統一されたのと同じように、ゲージ理論によってそれまで隠されていたいくつもの対称性が暴き出され、その結果として電磁気力と、原子核を一つにまとめる二つの力の一つである弱い核力とが統一された。このときも、それぞれ異なると考えられていた要素が実は一つのものであることが明らかとなり、世界はまたもや単純になった。さらに、原子核を一つにまとめるもう一つの力である強い核力にゲージ理論を当てはめることで、量子色力学が導き出された。この理論によると、原子核を構成する陽子と中性子は実は〝クォーク〟と呼ばれるさらに基本的な素粒子の三つ組で構成されていて、クォークにはアップ、ダウン、チャーム、ストレンジ、トップ、ボトムの六種類が存在する。たとえば陽子はアップクォーク二個とダウンクォーク一個、中性子はダウンクォーク二個とアップクォーク一個でできている。

ゲージ理論によってようやく素粒子の動物園状態が解消され、素粒子物理学の〝標準モデル〟が導き出された。このモデルでは物質粒子を三つの世代に分けて考える（図37）。第一世代、第二世代、第三世代の違いは質量だけである。たとえばミュオンとタウは電子に似ているがもっと重い。これらとは別に、光子やもっと奇妙なヒッグスボソンなど、力を運ぶ〝ボソン〟と呼ばれる粒子が一世代ある。ヒッグスボソンは少々仲間外れだが、ほかの粒子と相互作用してその粒子に質量を与えており、我々が存在する上で欠かせない粒子である。第二世代や第三世代の粒子が第一世代よりも重いのは、ヒッグスボソンとの相互作用の程度が異なるためである。もしもヒッ

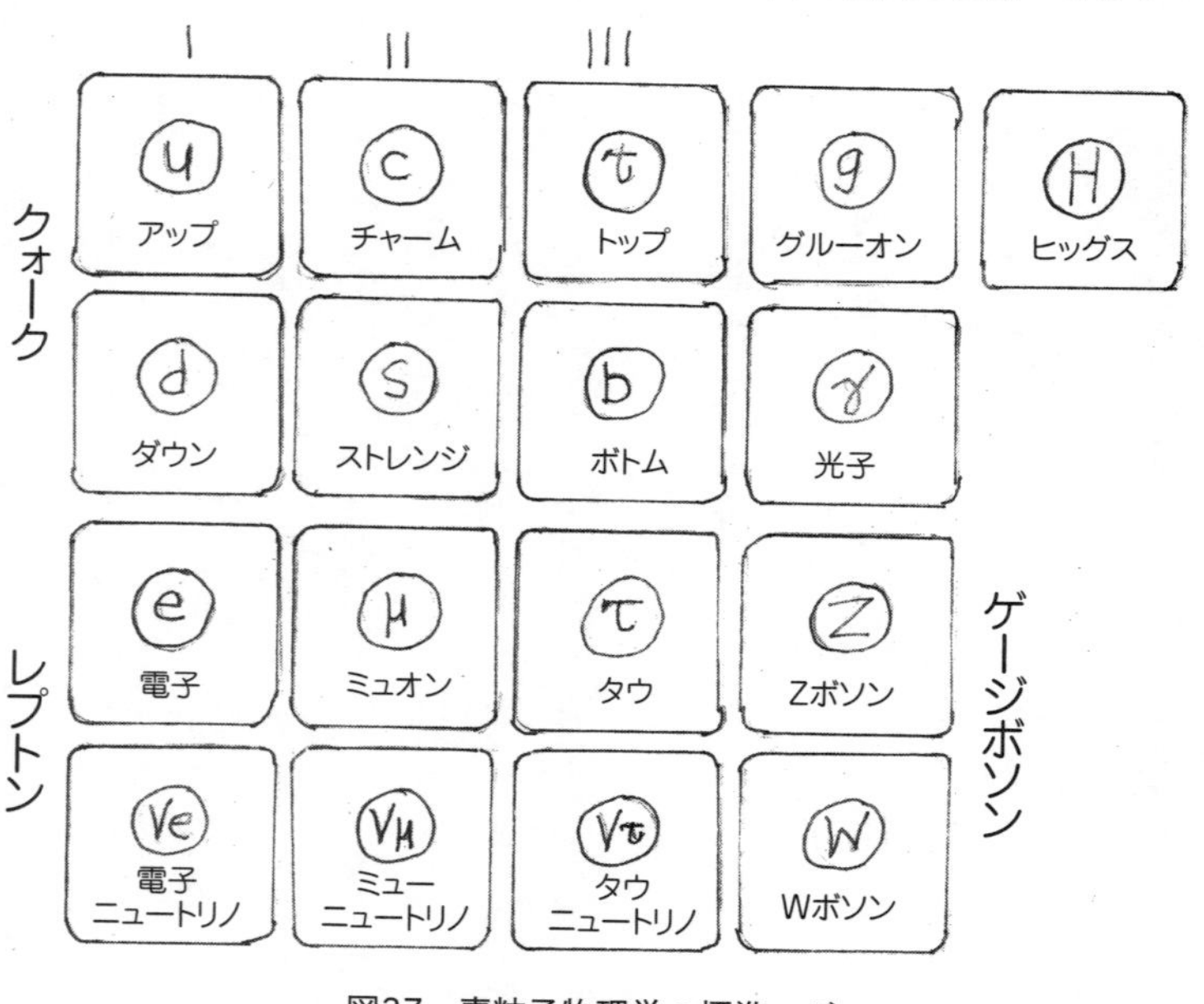

図37　素粒子物理学の標準モデル

グスボソンが存在していなかったら、三つの世代はすべてまったく同じだったことだろう。

標準モデルは確かに美しいほど簡潔で単純な科学理論である。しかしほとんどの物理学者は、この世界はさらに単純であると信じている。大統一理論によると、高エネルギーでは電弱力と強い力が統一されて、レプトン（電子やニュートリノなど）とクォークは同じ粒子のそれぞれ異なる姿であることがあらわになるとされている。

強い北風が吹き付ける凍った湖の上で、大勢のスケート選手がそれぞれ超高速でスピンしているとしよう。スケート選手が高速でスピンしている様子は温度（エネルギー）の高い状態に相当し、全員が同じ滑り方をしていて回転対称性が成り立っている。しかしスピードが落ちてエネルギーを失い、風の影響を受けはじめると、最終的には空気抵抗が最小になるよう、風の吹いてくる方向に一方の肩を向けた姿勢で止まってしまう。その止まった状態では、半数のスケート選手が東を、残り半数が西を向くことになる。回転対称性が破れて、一種類だったスケート選手が二種類に分かれるのだ。大統一理論によると、ビッグバンの直後に宇宙が冷えたときにもこれと似た対称性の破れが起こり、一種類のクォーク＝レプトン粒子が凍りついて各種のレプトンとクォークが生まれたのだという。クォークとレプトンは互いに違うように見えるが、実は根本的な単純さを通じて結ばれていて、きわめて高いエネルギーになるとそれが表に出てくるのだ。

どこまで単純になるか

オッカムの剃刀を中世から現代までたどってきた旅路も終わりが見えてきた。ここまではオッカムの剃刀の価値を言われるがままに信頼してきた。しかしその信頼は見当違いではなかった。コペルニクスやケプラー、ボイルやニュートン、ダーウィンやウォレス、メンデルやアインシュタイン、ネーターやヴァイルなど偉大な科学者たちは単純さに信頼を置き、その信頼から仰天のひらめきや進歩、そしてそれまでよりも単純な宇宙という賜物を授かった。しかしオッカムの剃刀を使ったからといって必ず単純になるとは限らない。

ここまで繰り返し強調してきたとおり、オッカムの剃刀がつねに役に立つ一方で、宇宙のモデルはいくらでも複雑にすることができる。「不必要なもの」という条件があるため、それに背かない限り必要な複雑さをどれだけ付け加えてもかまわない。それでも偉大な科学者たちが見つけてきた答えは決まって、この世界をそれまでよりも単純にするものだった。天界と地上に同じ法則を当てはめる必然性などなかった。電気と磁気がまったく異なる力でもおかしくはなかったし、光がそのどちらとも無関係である可能性もあった。単純さはどこからか与えられるものではなく、発見される、あるいは暴き出されるものだった。オッカムの剃刀によってこの世界が単純であることが保証されているわけではないが、それでもほぼ必ずそうなっていた。それはいったいなぜなのか？

ハンガリー生まれの理論物理学者でノーベル賞受賞者のユージーン・ウィグナー（一九〇二—一九九五）が一九六〇年に、『自然科学における数学の不合理な有効性』というタイトルの重要な論文を発表し[7]、数学がこの世界を理屈づける並外れた能力を持っていることは不可解であると論じた。科学において単純さを追求することについてもそれと同様に、「オッカムの剃刀の不合理な有効性」といった言い回しが成り立つかもしれない。実はウィグナーも似たようなことを指摘していて、数学者がつねに発見を目指している定理は「過程に関しても結論に関しても、一般性と単純さという我々の美的感覚に訴える」ものであると論じている。つまりウィグナーが「数学の並外れた有効性」に対して感じた戸惑いは、単純さの並外れた有効性に対する感情でもあったということだ。ではなぜ単純さはこれほどまでに有効なのか？

ウィグナーは数学がこれほどまでにうまく機能する理由こそ説明できないながらも、「物理法則の定式化に数学の言語が適していることは素晴らしい賜物だが、我々はそれを理解もできないし授かるにも値しない」と結論づけた。ここまで明らかになってきたとおり、数学は単純さを発見するための道具でもある。したがってウィグナーの言う「素晴らしい賜物」を与えてくれているのは、ほかならぬ単純さであると思う。

最後の章では、オッカムの剃刀が「不合理な有効性」を持っている理由を教えてくれるかもしれない、ある驚きの理論について掘り下げていこう。しかしその前に、まずはオッカムの剃刀の働きをもっと詳しく見ていく必要がある。そのためには時間を数百年さかのぼって、賭け事に興味を持つ一人のプロテスタント牧師に登場してもらわなければならない。

第18章　剃刀を開く

科学のあらゆる哲学的思索を駆り立てるのは、……〝オッカムの剃刀〟すなわち「要素を不必要に増やしてはならない」という金言である。

バートランド・ラッセル、一九一四[1]

アイザック・ニュートンの死から三四年後、アルベルト・アインシュタイン誕生の一一八年前の一七六一年四月、非国教派プロテスタント牧師で道徳哲学者で数学者でもあるリチャード・プライス（一七二三―九一）が、世を去ったばかりの友人で数学者のトマス・ベイズ（一七〇二―六一）の遺した未発表の何本かの論文を詳しく読み込んでいた。ベイズは科学者としてある程度の成功を収めた人物だった。この三〇年前にアイルランド人哲学者でローマカトリック司教のジョージ・バークリーが、ニュートンの機械論的な科学によってキリスト教の教義がむしばまれかねないと恐れを抱いた。そして「不信心な数学者」に宛てた論文の中で、ニュートンの編み出した微積分と呼ばれる数学的手法を非難すると、ベイズはすぐさまその微積分の擁護に回った。

一七三六年に著した『流率概論』の中でニュートンの肩を持つだけでなく、バークリーの攻撃の意図にも批判を加え、「そもそもこの論争に宗教を持ち込むのは大いに間違っている」と主張したのだ。さらにベイズは長老派教会の牧師でありながら、「いまやこの分野は、宗教とのあらゆる関係から切り離された単なる人文科学の一つであるとみなさなければならない」と力説した。四〇〇年前にオッカムのウィリアムが手掛けた、宗教から少なくとも物理科学だけは切り離すという試みは、この頃にほぼ片がついたといえる。

ベイズが遺した論文の束の中にプライスは、興味深くも不可解な一本を発見する。タイトルは『偶然の理論におけるある問題の解決に向けた小論文』。一八世紀のイングランドやスコットランドでは、人の死や船の難破、損害や病気や怪我などの不運に見舞われるリスクに値段を付けることで保険業が収益を上げていたこともあって、偶然、すなわち確率というテーマが大きな関心を集めていた。プライスの一族の中にも保険計理士が何人かいて、一〇年後にはプライス本人も保険危険率の計算における統計的方法に関する本を著すこととなる。しかし一七六一年当時、ベイズの論文に記されていたような統計学は一度も見たことがなかった。

トマス・ベイズは本書で取り上げる英雄たちの中でもとりわけ謎の人物である。彼について分かっていることはオッカムのウィリアムと同じくらい少ない。ベイズのものとされる肖像画として、聖職者のガウンと襟を身につけた黒髪でかなり険しい表情のものがよく使われているが、本当に彼かどうかは疑わしい。[2] ベイズは一七〇二年、おそらくハートフォードシャー州で、同じく非国教派牧師のジョシュア・ベイズの息子として生まれた。エディンバラ大学で神学と論理学を学んだのち、ケント州タンブリッジ・ウェルズにあるマウント・サイオン教会の牧師となった。この町は王政復古後の一六六三年にイングランド王チャールズ二世夫妻が〝水浴〟に訪れたことで、人気の温泉保養地となった。しかしのちに色街との評判が立ち、ロチェスター伯ジョン・ウィルモットは一六八五年の小説『最後の晩餐の作り方』[3]の中でこの町を、「愚人や道化者やおしゃべり好き、姦婦の夫や売春婦、市民とその妻や娘の溜まり場」と形容している。

この「愚人の溜まり場」の中でトマス・ベイズ師は取り立てて評判の良い牧師ではなかったが、学者としては名声を獲得し、一七四〇年に来訪した「東インド諸島の三人の現地人」に氷の融解実験を披露するよう依頼されてもいる。一七四二年には、おそらくニュートンの微積分を擁護したことが評価されて王立協会の正会員に選出されたが、それから一七六一年に世を去るまで数学に関する研究をそれ以上発表することはなかった。だからこそ友人のリチャード・プライスは、確率論に関するベイズの論文に完全に不意を突かれたのだった。そしてベイズの死から二年後に王立協会でこの論文を読み上げ、その後に会報に掲載されるよう手配した。

確率論の剃刀

ベイズが最初に確率論に関心を抱いたのは、スコットランド人哲学者のデイヴィッド・ヒュームが著した『人間本性論』を読んでからだったと思われる。ヒュームは、啓蒙運動以降優勢だった科学的方法への批判として、〝帰納法問題〟とのちに呼ばれることになるものを唱えた。第10

章で述べたとおり帰納法は、多数の観察結果から科学的に有効な結論を導き出すための方法としてフランシス・ベーコンが打ち立てた。たとえば有史以来毎朝太陽が昇っているという観察結果から、帰納法を用いて、太陽はつねに昇ると主張する。ヒュームは、このような主張は確実な論法にいっさい基づいていないと指摘した。「これまで毎朝太陽が昇ってきて、明日も昇る」という命題の有効性は、「これまで毎朝太陽が昇ってきて、明日は昇らない」という命題といっさい変わらないというのだ。どちらの命題もすでに存在する証拠と矛盾しないし、論理や経験に基づいてどちらか一方を選ぶことはできない。帰納的論証からは確実な事柄でなく確率しか導き出されないとヒュームは主張したのだ。

しかしベイズは、帰納法からは確実な結論を導き出せないというヒュームの主張を受け入れつつ、それでもそこから導き出される確率は有用であると確信した。そしてその直感をしっかりした数学的枠組みに当てはめることにした。教会牧師として富くじや福引きなどの資金集め活動に関わっていたためか、論文の冒頭では、「くじを引こうとしている人が、そのくじのしくみも、外れくじと当たりくじの比率もいっさい知らないという状況」を思い浮かべるよう読者に求めている。ここではベイズ統計学におけるオッカムの剃刀の役割をもっと容易に理解できるよう、くじの代わりにさいころを使うことにする。ベイズ師の友人プライス氏がさいころを二個持っているとしよう。一つめはふつうの六面体のさいころで、二つめはあまり見かけないもっと複雑な六〇面体のさいころ。さらにプライス氏は、ついたての後ろで二個のさいころのうちどちらか一方を振って、出た目の数をベイズ師に声で伝える。そしてベイズ師に、どちらのさいころを振った

図38　さいころ

かを当ててもらう。

ベイズ師はまず直感で、プライス氏がそれぞれのさいころを振る確率はたとえば互いに等しいと推測する。死後に発表されたベイズの論文に記されている統計学の言葉では、この確率を〝事前確率〟という。プライス氏がさいころを振る前、「六面体のさいころが振られる」という仮説が成り立つ事前確率も、「六〇面体のさいころが振られる」という仮説が成り立つ事前確率も、どちらも二分の一（〇・五）である。ここで、プライス氏が声に出した最初の数が二九だったとしよう。ベイズ師は当然「君は六〇面体のさいころを振った」と答え、プライス氏も首を縦に振る。しかし数学者たるベイズ師はそれと同時に、論文に記した原理に基づいてある単純な計算もおこなうかもしれない。「六〇面体のさいころが振られる」という仮説に関していうと、その事前確率の値〇・五に、六〇面体のさいころを振って二九の目が出る確率、いわゆる〝尤度〟の値を掛け合わせるのだ。このさいころの目は六〇通りあるので、二九の目だけでなくどの目が出る尤度も六〇分の一（〇・〇一六）となる。この値を事前確率〇・五に掛けると、「六〇面体のさいころが振られた」という仮説の〝事後確率〟（データを与えられたのちの確率）は〇・〇〇八となる。*

六面体のさいころについても同様に、事前確率〇・五に二九の目が出る尤度を掛ける。六面体のさいころで二九の目が出ることはありえないのだから、この場合の尤度はもちろん〇。どんな数に〇を掛けても〇なので、「六面体のさいころが振られた」という仮説の事後確率は〇となる。こうして得られた二つの事後確率を比べるには、「六〇面体のさいころが振られた」という仮説の事後確率〇・〇〇八を、「六面体のさいころが振られた」という仮説の事後確率〇で割る。どんな数でも〇で割ると無限大になるので、「六面体のさいころが振られて二九の目が出た」ことに対する、「六〇面体のさいころが振られて二九の目が出た」ことの相対確率は無限大となる。つまり、プライス氏が六〇面体のさいころを振った可能性のほうが無限に高いということだ。ベイズ師には得点一が入る。

単純な直感をわざわざ大げさに表現しただけではないかと思われるかもしれないが、二回戦に入ってプライス氏が再び二個のさいころのどちらか一方を選ぶと、ゲームはもっとおもしろくなってくる。さいころを振ったプライス氏はベイズ師に五と伝える。どちらのさいころでも五の目が出る可能性があるので、今度はどちらなのか断定できない。それぞれのさいころが振られた確率は互いに等しいのだろうか？　ベイズはそんなことはないと考え、二つだけでなく多数、さらには無限個の仮説またはモデルのうちどれがデータに合致するかという、まさにこの手の帰納的問題を解くための統計学的手法を編み出した。ではどうやって正しい仮説を選ぶのか？

統計学者のハロルド・ジェフリーズが一九八九年出版の確率論の教科書の中で初めて指摘して[4]、その後何人ものベイズ統計学者がさらに掘り下げたとおり[5]、ベイズ統計学でもっとも重要な役割を果たす尤度には、単純な仮説を重んじて複雑な仮説を軽んじることを通じて、オッカムの剃刀が自動的に組み込まれている。先ほどのさいころ投げゲームの二回戦における事前確率から事後確率への変換過程について、改めて考えてみればよく分かる。ベイズ師はこの場合も二つのさいころ仮説の両方に〇・五という事前確率を当てはめる。六〇面体のさいころで五という目が出る尤度は、二九という目が出る場合と同じで六〇分の一（〇・〇一六）である。そしてこの値に事前確率を掛けると、事後確率はやはり〇・〇〇八となる。

しかしこれと同じ計算を六面体のさいころ仮説についてやってみると、五が出る尤度はもっとずっと高い六分の一（〇・一六）となる。これはもちろん、出る目の数が少ないという意味で六面体のさいころのほうが単純だからである。六面体のさいころ仮説の事前確率〇・五にこの〇・一六を掛けると、事後確率は〇・〇八となる。これはもっと複雑な六〇面体のさいころにおける事後確率の一〇倍である。つまり、五という目が六〇面体のさいころによって出るよりも、六面

＊　もっと正しくいうと、事後確率を求めるためのベイズの定理は、事前確率と尤度を掛け合わせて、仮説にかかわらずその結果が得られる確率で割る、と表現される。本文中で割り算を省いたのは、事後確率の値をすべて足し合わせると一になるように正規化しているだけだからだ。いまの場合はどちらの仮説が成り立つ確率も等しいと仮定しているため、割り算は必要ない。

体のさいころによって出るほうが一〇倍可能性が高いということだ。ベイズ師はこの革新的な統計学に基づいて「六面体のさいころだ」と答え、この場合には再び得点一が入る。

ベイズ統計学はこの尤度という概念によって、得られているデータを生み出す確率の高い単純な仮説を自動的に重んじるという独自の剃刀を備えている。それを視覚的に理解するもう一つの方法として、それぞれのモデルや仮説の取りうる値、あるいは同じことだが、それぞれの仮説やモデルから得られる可能性のある観察結果の範囲、いわゆるパラメータ空間について考えてみよう。図39にらせん状に並べた数を見てほしい。六面体のさいころを振って出る可能性のある目、すなわち六面体のさいころのパラメータ空間は、この図の中央の小さい領域に相当する。線で囲んだ大きいほうの領域は六〇面体のさいころのパラメータ空間を表しており、その外側の領域にはどちらのさいころを振ってもけっして出ない目が無限大に至るまで並んでいる。ここで注目すべきは、六〇面体のさいころのパラメータ空間の中に、単純なほうのさいころで到達可能な小さいパラメータ空間が含まれていることである。五という目（一番小さい丸で囲んでいる）はどちらのさいころを振っても出る可能性があり、両方のパラメータ空間に含まれている。また、もしもプライス氏が持っていれば七〇面体のさいころや八〇面体のさいころ、さらには無限通りの目が出るさいころを振っても、同じ観察結果が得られる可能性がある。ここに、本書を通じてたびたび登場してきた科学の中心的な問題が横たわっている。どのモデルを選択すべきかという問題である。すべての現象を説明できるモデルが大量にあったら、どのようにしてその中から一つを選べばいいのか？　ベイズ流の剃刀は要するに、パラメータ空間（上記の例では六面体のさいこ

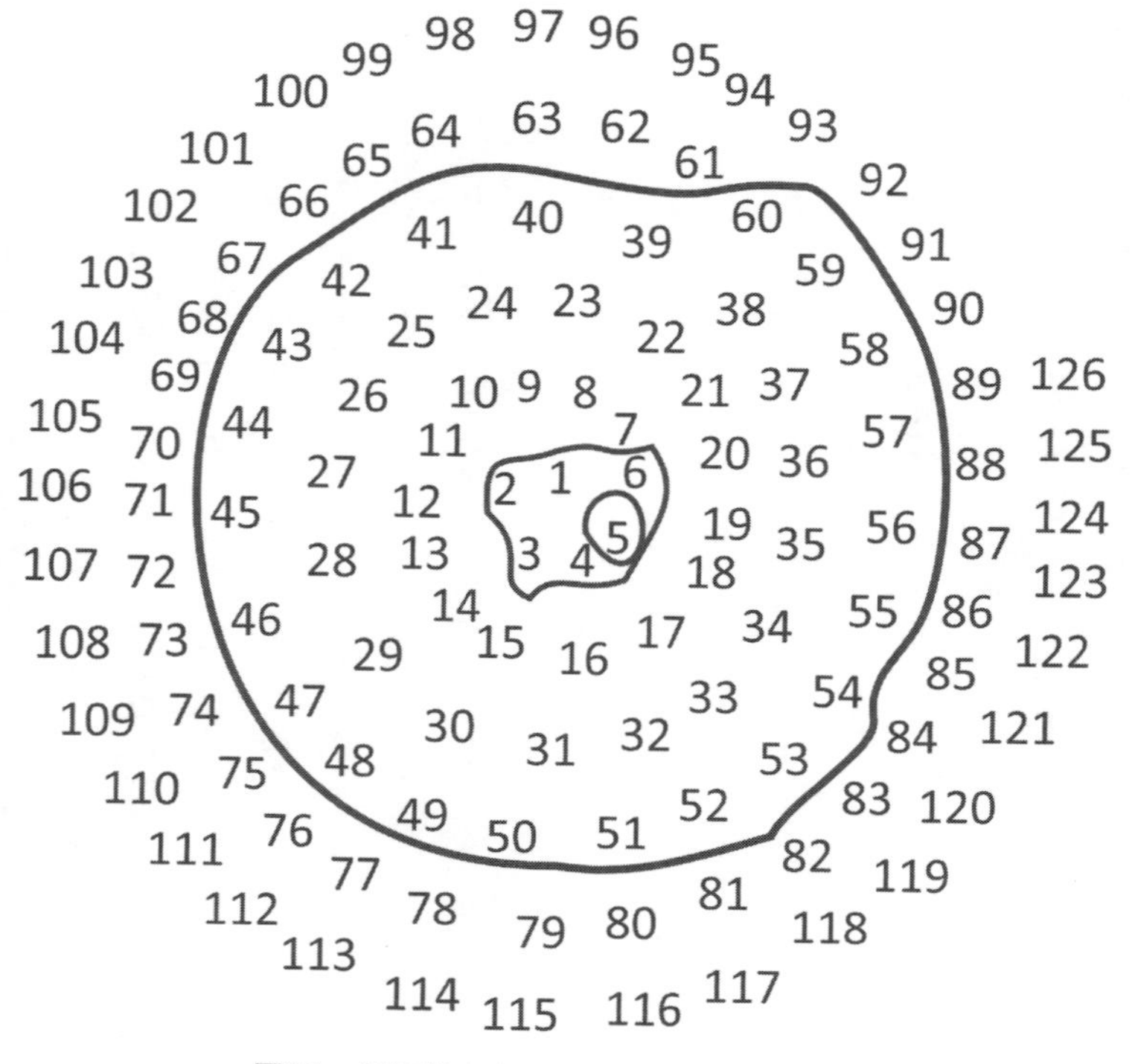

図39　60面体のさいころのパラメータ空間

ろのパラメータ空間）の中でデータ（五という目）の占める割合がもっとも大きく、ゆえにそのデータが得られる確率がもっとも高いような理論、仮説、モデルを選ぶということにほかならない。そうすることで必ずもっとも単純なモデルが選び出される。まさにオッカムの剃刀だ。

ベイズ流のオッカムの剃刀は、科学においてデータに合致する多数のモデルを選り分けるための手段となる。「すべての作用に対して、大きさが等しくて向きが反対の反作用が働く」というニュートンの法則について考えてみよう。あなたがサッカーボールを蹴ると、あなたの足がボールに力（作用）をかけるとともに、ボールがあなたの足に力（反作用）をかける。この単純な法則は、サッカーのあらゆる試合で繰り出されたあらゆるキックに合致している。しかしそのあらゆるデータと同じく合致する法則がもう一つ考えられる。「すべての作用に対して、大きさが等しくて向きが反対の反作用が働くとともに、目に見えない一匹の小さな悪魔がボールを押してあなたの足に力を加える」という法則だ。さらには二匹の悪魔が登場する第三の仮説や、二匹の悪魔と一人の天使がボールからあなたの足への反作用にそれぞれ異なる成分を与える第四の仮説などと、無限個の仮説やモデルを考えることができる。

それほど迷うような例ではないが、完全に分かりきっているとも言えない。エーテル、プトレマイオスの周転円、フロギストン、生気、ヘンリー・モアのいう〝全知の霊魂〟、創造主の概念、磁気と電気、空間と時間、重力と加速、測定可能な量よりも小さいエネルギー、これらはいずれも、この世界の歯車を複雑な方法で回そうとするものにほかならない。いずれも論理だけで排除することはできないが、科学では、もっと単純なモデルが有効であればそちらを採用すべきである。ベイズ統計学はこの基準に対する統計学的な根拠を示して、オッカムの剃刀にお墨付きを与えるものなのだ。

コペルニクスやニュートン、メンデルやダーウィンなどが成し遂げた革新的な科学の進歩、すなわちアメリカ人科学哲学者トマス・クーンの言う〝パラダイムシフト〟のいずれにも、複雑なモデルを捨ててもっと単純なモデルを取り入れるという営みが関わっていた。彼らが単純なモデルを取り入れた理由は、神秘主義や神学の原理、美的基準、あるいは単純な直感だった。このようにオッカムの剃刀はさまざまな姿を取ってさまざまな理由付けがされるが[6]、科学に当てはめた場合にその本質を表しているのはベイズ流の剃刀だと思う。ベイズ流の剃刀によって単純な理論が選ばれるのは、それが美しかったり理解しやすかったり、前提が少なかったり厳格な予測を導いたりするからではなく（そのような場合は確かに多いが）、真である確率が高いからにほかならないのだ。

ただし覚えておくべきこととして、単純な答えが好まれるという傾向はおおむね現代になってから生じたものである。オッカムのウィリアム以前には、何か問題が浮かび上がってきたら、さらなる要素を付け加えるというのが一般的な対処のしかただった。もっとも単純な答えにまで突き詰めよと初めて説いたのが誰あろうオッカムのウィリアムで、それ以来この原理は科学の土台として現代性の証しとなったのだ。

真理は単純か

ベイズ流のオッカムの剃刀はもう一つの疑問にも光を当ててくれる。コペルニクスからブラーエ、ガリレオ、ニュートンに至るまで数々の科学者が、説得力のある証拠が得られていないにもかかわらず、なぜ地球が太陽の周りを回っているとあれほど深く確信したのか、という疑問だ。

近代科学の巨人たちが確証的な証拠なしに太陽中心説を信じたというこの事実を根拠として、トマス・クーン[7]やアーサー・ケストラー[8]などの科学史家や科学哲学者は、科学を前進させるのは科学者自身の主張に反して理性でなく、おもに不合理な、個人的な、あるいは文化的な偏見であるという説をたびたび唱えてきた。たとえばクーンは次のように記している。「純粋に実用的な観点から判断する以上、コペルニクスの新たな太陽系モデルは失敗であった。かつてのプトレマイオス体系に比べてより精確でもなければ、著しく単純でもなかったからだ」。ケストラーも同様に、プトレマイオスのモデルにもコペルニクスのモデルにも、数え方によって異なるがおよそ三〇個から八〇個の軌道円や周転円が用いられていたと主張している。これを根拠にクーンとケストラーは、彼ら偉大な科学者が単純さを判断基準にしていたというのはまやかしであると論じた。

二〇世紀のポストモダニストおよび相対主義の哲学者や歴史家は、科学はほかの思考体系と比べて客観的真理をより強力に主張するものではないという自説を展開し、それを支持する証拠としてこのクーンやケストラーの言説を躍起になって取り上げた。たとえば科学哲学者のポール・ファイヤアーベント（一九二四―九四）は次のように論じている。「科学史がもたらす大量の証拠を見ていくと、……あらゆる状況、人類のあらゆる発展段階に当てはめられる原理はたった一つしかないことがはっきりしてくる。『何でもあり』という原理だ[9]」。ポストモダニストいわく、科学はほかの信念体系、たとえば宗教や神秘主義、魔術や迷信、占星術やホメオパシーや超常現象論と同列にすぎない。いずれの体系も独自の真理を備えているのであって、どれか一つの体系がすべての真理を背負っているなどとはいえないというのだ。ファイヤアーベントはさらに、公教育では科学を神秘主義や魔術や宗教よりも優先的な地位に据えるべきではないとまで唱えている。

オッカムのウィリアムならば間違いなくこのような意見に異議を唱えたことだろう。ウィリアムは、科学と宗教は完全に異なるもので、科学は理性に、宗教は信仰に基づいていると力説した。しかしポストモダニストは首を横に振る。彼らの主張の多くに大きな影響を与えているのが、オーストリア生まれのイギリス人哲学者ルートヴィヒ・ヴィトゲンシュタイン（一八八九―一九五一）である。技術者になるべく研鑽を積んだものの、ケンブリッジ大学に進学するとバートランド・ラッセルのもとで数学に、さらには哲学に取りつかれる（ちなみにラッセルは一九〇三年の著作『プリンキピア・マテマティカ（数学原理）』の中で、数学と論理学は同等であると主張した）。そしてヴィトゲンシュタインは一九二一年、世に名高い著作『論理哲学論考』の中で言語と現実との関係について考察した。この段階では、科学はこの世界に関する検証可能な言明を示すものであるという考え方を受け入れていたように思われる（ヴィトゲンシュタインの哲学的主張の意味に関してはいまだに議論が続いている）。しかしその約三〇年後に出版した『哲学探究』では、言語によってこの世界がどのように表現されるかを突き止めるという試みをあきらめたらしく、存在するのは言語のさまざまな使い方、いわゆる〝言語ゲーム〟だけであって、言語の意味するところはその使い方によってのみ決まると論じた。この主張は、オッカムのウィリアムの唱えた、単語はこの世界に実在する普遍や本質でなく、我々の頭の中にある概念を指しているのだとする唯物論的な主張とかなり共通しているように思える。この七〇〇年前にウィリアムはそのたとえとして、宿屋の扉の上に樽の箍（たが）を掛けて、ここではワインを提供していることを示すという例を挙げている。[10] 箍はジョッキに入ったワインと何ら直接的な関係はなく、ワイン好きの人が宿を選ぶ上での手掛かりとして認識する慣行を表しているにすぎない。すべての単語の意味もそれと同じように、使う人にとって役に立つようなものに決まるとウィリアムは論じた。

しかしヴィトゲンシュタインはウィリアムよりもさらに歩を進め、アリストテレスが円と直線はそれぞれ異なる範疇に属するため互いに比較できない（共約不可能である）と唱えたのと同じ意味で、一つ一つの言語ゲームも互いに比較できないと論じた。だがウィリアムは一四世紀にロープのたとえを使ってこのアリストテレスの考え方を論破している。ロープは円にも直線にもすることができるのに、哲学者はそれらが比較できないとか範疇が異なるとかと強情に言い張っているというのだ。その愉快な一例としてイギリス人哲学者のギルバート・ライル（一九〇〇—七六）は、オックスフォードにやってきたある人がこの町の図書館や学寮をいくつも訪れた末に、「ところで大学はどこにあるんだい」と尋ねたという逸話を取り上げている。この人が間違っていたのは、大学とは結果的に学生や教職員や訪問者の頭の中だけに存在する組織ではなく、校舎のような物質的な物体の範疇に属すると決めつけていたことである。クーンもこの人物と同様に、「科学革命から始まった科学の伝統はそれまでの営みと相容れないだけでなく、多くの場合実際に比較しようがない」と論じている。[11] アメリカ人のポストモダニズム哲学者リチャード・ローティも、「言語と独立した真理はいっさい存在しないと思う」と力説している。[12]

ポストモダニストや相対主義者はこのように反科学的な立場を取っているが、その一方で、彼らの指摘の多く、とりわけ、裕福で教養の高い白人を重視する西洋文化の価値は普遍だとする考えに異議を唱えている点には、私も共感を覚える。彼らはたとえば、シェイクスピアの『ハムレット』とマーベル映画『スパイダーマン』、あるいは『ハムレット』とアシャンティ族のクモ（アナンシ）の民話のどちらが価値が高いかを決めるための客観的な根拠など存在しないと的確に指摘している。科学も言語と文化の産物である。量子力学の創始者ニールス・ボーアも、「我々は言語に囚われすぎていて、思いついた事柄を体系化しようとすると決まって言葉遊びに終始してしまう」と述べている。[13] しかしここから先、私の考えはポストモダニストと食い違ってくる。彼らの相対主義的な思想を科学に当てはめることができないのは、科学法則は文化と違って数学という普遍的な言語で書かれているからだ。三角形の斜辺の二乗がほかの二本の辺の二乗の和に等しいという関係性は、何千年も前から古代バビロニア人やエジプト人など、言語や文化に関係なく世界中の人が知っていた。何かに対する相対的な概念などではないのだ。

それだからこそ、オッカムのウィリアムが共約不可能性やメタバシス禁止則という足枷から数学を解放したこと（第5章）はきわめて重要な意味を帯びていたといえる。そのおかげで数百年後にガリレオやニュートンは、地上の運動と天界の運動を、古代バビロニアの収税吏やマヤの占星術師やアフリカの商人でも理解できたに違いないたった一つの単純な数学的法則に結びつけることができた。数学によってものの道理ができる限り単純な法則へと突き詰められ、それによって科学は単なるゲームの一つから普遍的な言語へと地位を高めるのだ。

しかしポストモダニストの思想の中にも、真であると同時に、オッカムの剃刀の役割にとって欠かせないものが一つある（彼ら自身の進んだ道とは違っていたが）。真理は実際には不可知であるという思想だ。科学は真理を目指して苦労しながら進んでいく営みであると教えられた科学者にとっても、これは衝撃的な考えである。

いつの日か科学が、すべてを解明したという至福の状態、すなわち〝唯一の真理〟にたどり着けたとしよう。しかしどうしたらそれが分かるというのか？　究極の真理を知るには、我々の感覚や科学機器を通じてとらえられる世界でなく、それらによって得られる証拠の向こう側を覗き込んで〝真実の〟世界を見るための何らかの手段がなければならない。その真実の世界とは、我々が知ることのできる完全かつ完璧な世界、つまりプラトンの言う理想のイデア界ということになるが、この世界観はまさにオッカムのウィリアムが何百年も前に論駁したものにほかならない。ウィリアムと同じようにこの世界観を否定するのであれば、代わりに我々の感覚入力と、データに合致させて我々の居場所を説明できる無数の多様な宇宙モデルに頼るしかない。

しかしだからといって、ポストモダニストが主張するようにすべてのモデルが同等だというわけではない。現代の占星術師はホロスコープを書くときに、マルスのむら気やユピテルの権勢欲に関する説明に当たることはない。代わりにケプラーの単純な太陽系モデルに基づく惑星表に頼るのだ。超常現象を信じる人たちもテレパシーでなく電話やEメールで会合の準備を進めるし、海外の会合には空中浮揚でなく飛行機で参加する。科学も言語ゲームやモデルの一つではあるかもしれないが、錬金術や風水やホメオパシー、あるいは科学を否定するポストモダニストの理解不可能な小冊子など大多数のモデルと違って単純で、それゆえ精確な予測を与えるため、実際にうまく通用しているのだ。

科学は単純である

ほぼすべての科学、それどころかこの世界に関するほぼすべての知識は、ベイズ流の論証を帰納法に当てはめたものに基づいている。ポストモダニストが主張するとおり、太陽が昇ったという観察結果が一〇〇〇回あっても確実な証明にはならないが、それでももっとも単純な仮説、すなわち明日も太陽が昇るという仮説が真である確率は高くなる。確実な事柄でなく確率であっても科学にとっては十分で、実際にそれが現代科学の中核をなしている。錬金術師も実験を、占星術師も計算をおこないはするが、そのどちらも、さらには何千人もの神秘主義者や哲学者や聖職者も、もっとも可能性が高いという理由でもっとも単純な答えを受け入れるよう説くことなどない。

もちろん科学は単純さだけでは成り立たない。実験、論理、数学、再現性、検証、反証可能性、いずれも不可欠な役割を果たしている。この中で最後の反証可能性は哲学者のカール・ポパー（一九〇二—一九九四）が唱え、科学と疑似科学を区別するための基準としておそらくもっともよく引き合いに出されている。しかしある理論の間違いを証明するのはその正しさを証明するのと同じくらい難しいため、反証可能だからといって必ずしも科学になるわけではない。実験家なら分かるとおり、実験をおこなって予想に反する結果が出たからといって、お気に入りの理論が反証されたとすぐさま言い切ることはない。予想と矛盾するデータが得られた理由をこじつけるために、余分な複雑さを付け加えるのだ。このようなプロセスは、第12章で挙げた、フロギストンや熱素を信じる人たちが自説を捨てずに負の質量などといった新たな要素をひねり出したという例にも見て取れる。創造説論者も化石記録など数々の事実を説明するために、不合理だが反証不可能である複雑な要素を考え出すのはお手の物だ。

データだけでは理論を反証できないことは、確実な証拠によって反証されたかに思われていた理論が時折復活することから見ても明らかだ。たとえばラマルクの進化論は、鍛冶屋の筋肉質の腕といった獲得形質は遺伝しないという観察や実験に基づく証拠によって、すでに反証されたとみなされていた。ところが一九九〇年代、食べ物の好き嫌いといったいくつもの獲得形質が限られた形ではあるが遺伝するという証拠が現れはじめたことで、ラマルクの進化論が形を変えて甦り、今日ではそれはエピジェネティクスと呼ばれている。[14] 二〇世紀にはアインシュタインが一般相対論と定常宇宙論を相容れさせるために、〝宇宙定数〟と呼ばれる因子を考え出した。そしてその後、宇宙は膨張していることが明らかになるとこの宇宙定数を撤回した。ところが二一世紀に入ると、空間自体の持つダークエネルギーを説明するために宇宙定数は復活を見せた。また前のほうの章で説明したとおり、地球中心説を反証した人は誰もいない。地球中心説は間違ってはおらず、対立する理論よりも役に立たないだけだからだ。いかなる理論もその正否は証明できないというポストモダニストの主張は、結局のところ正しいのだ。しかしだからといって、事実を正しく予測する中でもっとも単純な理論を選ぶことをやめるわけにはいかない。反証可能性でなく単純さこそが科学の中核をなしているのだから。

ポケット剃刀

たとえば、周転円に周転円を重ねた複雑な地球中心モデルよりも太陽中心モデルのほうが天空上での惑星の軌道をはるかに単純に説明できることは、もちろんベイズ師にお伺いを立てなくても理解できる。一目見て分かるからだ。人間の心は生まれつき単純さを好むようで、認知心理学者のニック・チェイターが論じているとおり[15]、単純なモデルほどそれに対して無意識に高い確率を当てはめる。では、どれが単純なのかはどうやって認識しているのか？　容易に判断できる特徴の一つが、説明の短さである。ほら話はたいてい長い。シェイクスピアは「簡潔さが機知の魂」と言ったが、これは単純さの証しでもある。哲学者のネルソン・グッドマンは文章の単純さを評価するためのかなり複雑なテストを考案したが[16]、もっとずっと単純な経験則でも十分に通用し、私はそれを〝オッカムのポケット剃刀〟とでも呼びたい。対立しあう説明やモデルのそれぞれを記述するのに必要な機能語（冠詞や接続詞などを除く）の個数を数えて、余分な機能語が一つ増えるたびに確率を二で割っていくことで、記述の長い説明やモデルを軽んじていくという方法だ。

このポケット剃刀を惑星運動の二つのモデルに当てはめたとする。太陽をモデルの中心に置いて惑星軌道を説明するのに、たとえば五〇語必要だったとしよう。地球を中心に置いて天界にいくつもの周転円を設けることで同じ惑星軌道を説明するには、少なく見積もっても一〇〇語は必要だろう。するとポケット剃刀によれば、地球中心体系よりも太陽中心体系のほうが二の五〇乗、電卓で計算すると約一〇〇〇兆倍もっともらしいといえる。

本書で取り上げたそのほかの論争、たとえば創造説と自然選択説それぞれに基づく化石（〝形象石〟）の説明などにもオッカムのポケット剃刀を当てはめてみてほしい。ホメオパシーやクリスタル療法といった疑似科学的医療が有効であるとする説明と、いっさい効かないとする説明に、この剃刀を当ててみるのもいいだろう。地球温暖化とその原因をめぐる論争も、ポケット剃刀の切れ味を良くするための砥石としてなかなか興味深い対象だ。

最後に念を押しておくべきこととして、オッカムの剃刀自体は、この宇宙が単純か複雑かについては何ら主張していない。データを予測できるモデルの中でもっとも単純なものを選ぶよう求めているだけだ。このようなタイプの単純さの原理は、〝弱いオッカムの剃刀〟と呼べるだろう。しかし多くの科学者、とりわけ物理学者は、我々が存在している以上この宇宙は可能な限り単純であるとする、〝強いオッカムの剃刀〟とでも呼べる考え方を受け入れている。

第19章　もっとも単純な世界か

自然の中で起こるすべての作用は、もっとも短い道筋で起こる。

レオナルド・ダ・ヴィンチの手稿[1]

一七五三年夏のベルリン、この町の絞首刑執行人がプロイセン王フリードリヒ一世の命令で何冊もの書物を燃やしていた。燃えさかる本に記されていたのは、フランス啓蒙運動の巨人で当時ベルリンに住んでいたヴォルテール（一六九四―一七七八）の言葉。書物の山の中に、『アカキア博士からの非難』というタイトルの小冊子があった。同じくベルリン在住のフランス人でベルリンアカデミー会長のピエール・ルイ・モロー・ド・モーペルテュイ（一六九八―一七五九）の生き方や研究活動を意地悪く諷刺した本である。モーペルテュイはトマス・ベイズが生まれる四年前の一六九八年、フランス・ブルターニュの港町サン＝マロで生まれた。パリで数学を学び、一七二三年に入会したフランス科学アカデミーでは、イギリス海峡の向こう側でアイザック・ニュートンが発見した力学の法則を熱心に説いた。一七三〇年代には、地球は赤道のほうが平たい（扁長楕円体）か両極のほうが平たい（扁平楕円体）かをめぐる論争に首を突っ込んだ。そしてニュートン力学に基づいて地球は扁平であると予測し、著名なフランス人天文学者ジャック・カッシーニ（一六七七—一七五六）の見解に異議を唱えた。そこで一七三六年にフランス王ルイ一五世が、この論争に決着を付けるべくラップランド探検隊の隊長にモーペルテュイを指名する。この極北の地で地球の曲率を測定した結果、地球は確かに両極のほうが平たいことが実証された。ベルリンアカデミーを創設したばかりのフリードリヒ一世がこの業績にいたく感心して、モーペルテュイをこのアカデミーの会長の職に招き、一七四五年にモーペルテュイは受け入れた。

この頃モーペルテュイはさらに崇高な計画に関心を示しはじめる。五〇〇年前にトマス・アクィナスが試みた神の存在証明を自分なら成功させられると考えたのだ。その手掛かりとなったのが、中世の神学者ロバート・グロステストが唱えた、光は神から発せられているという説である。一〇〇年ほど前にフランス人数学者のピエール・ド・フェルマー（一六〇七—六五）が、光線がある媒質から別の媒質へ入るときに折れ曲がるのはなぜかについて頭を悩ませた。現在では〝屈折〟と呼ばれているこの現象によって、水中に半分まで沈めた棒や鉛筆は折れたように見える。折れ曲がった線は滑らかに湾曲した線よりも複雑なので、一見したところこの現象は単純さの原理に矛盾しているように思える。しかしフェルマーは、光は経路の折れ曲がりをなるべく少なくするのでなく、最終地点まで到達するのにかかる時間をなるべく短くするのだと唱えた。そしてこの仮説と、光は水中のほうがゆっくり進むという予想とを組み合わせて、光は水中を進む経路を短くすることで全移動時間を最短にするのだと論じ、光の経路が折れ曲がる理由を説明した（図40）。これを受けてモーペルテュイは一七四四年、屈折と反射の両方に通用するもっと一般的な〝最小作用の原理〟を証明した。屈折も反射も、時間ではなく、時間とエネルギーを掛け合わせた〝作用〟と呼ばれる量が最小になるような形で起こるという原理である。

この原理を理解するには、矢は弓から離れたのちにどのようにして飛んでいくかという、あの古代の問題にしばし立ち返ってみるといい。アリストテレスを悩ませたこの問題を受けてジャン・ビュリダンは、矢を推進するいわば燃料であるインペトゥスという概念を考え出した。アーチェリー選手なら誰でも知っているとおり、遠くの的に当てるには、矢が落ちていって的に当たるよう高いところを狙わなければならない。矢の軌道は、弓から離れるときの角度と速さによってただ一通りに決まる。経験を積んだ射手なら正しい軌道を知っているが、では矢はどうやっていくつもの選

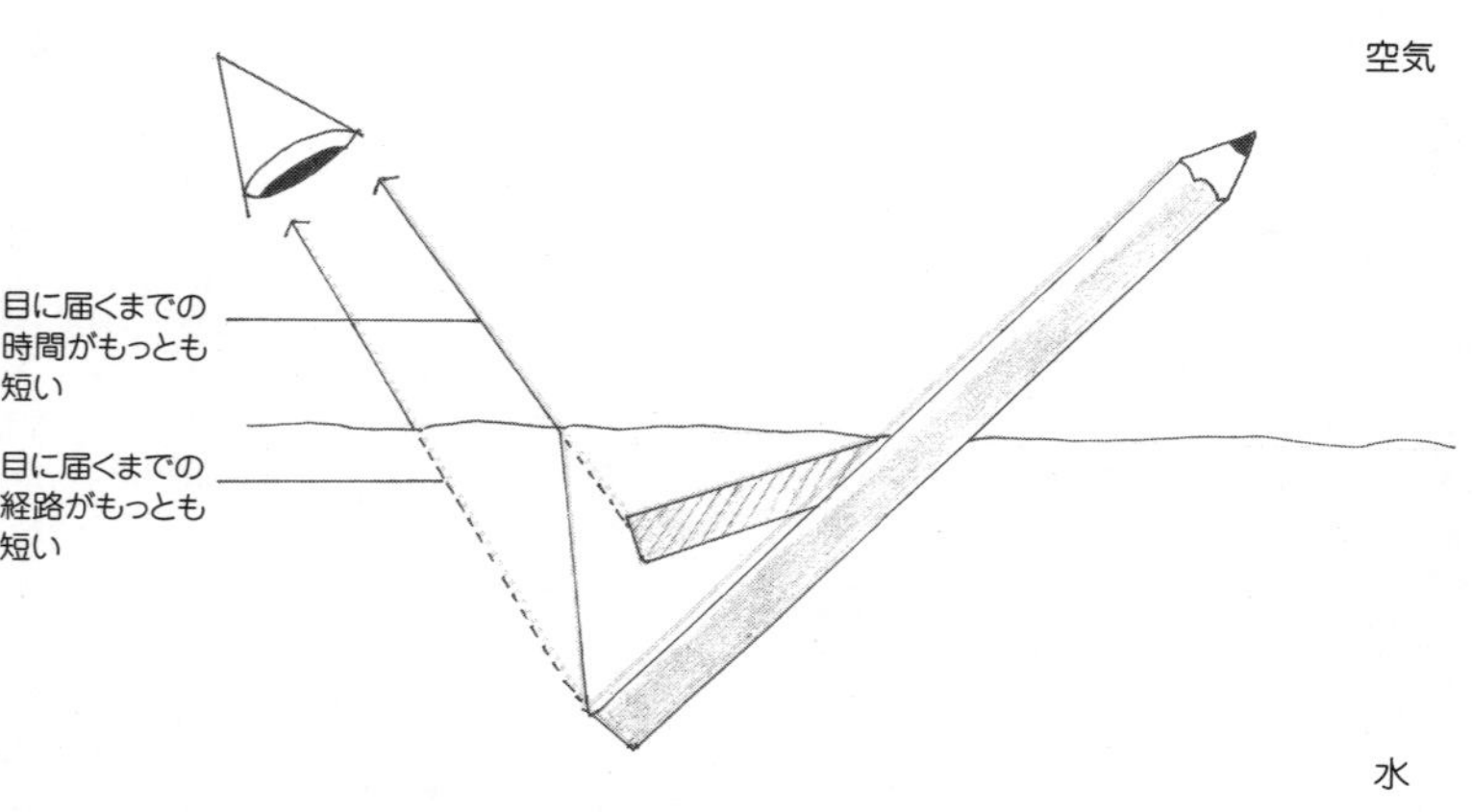

図40　半分まで沈めた鉛筆が折れたように見えることを最小作用の原理によって説明する。

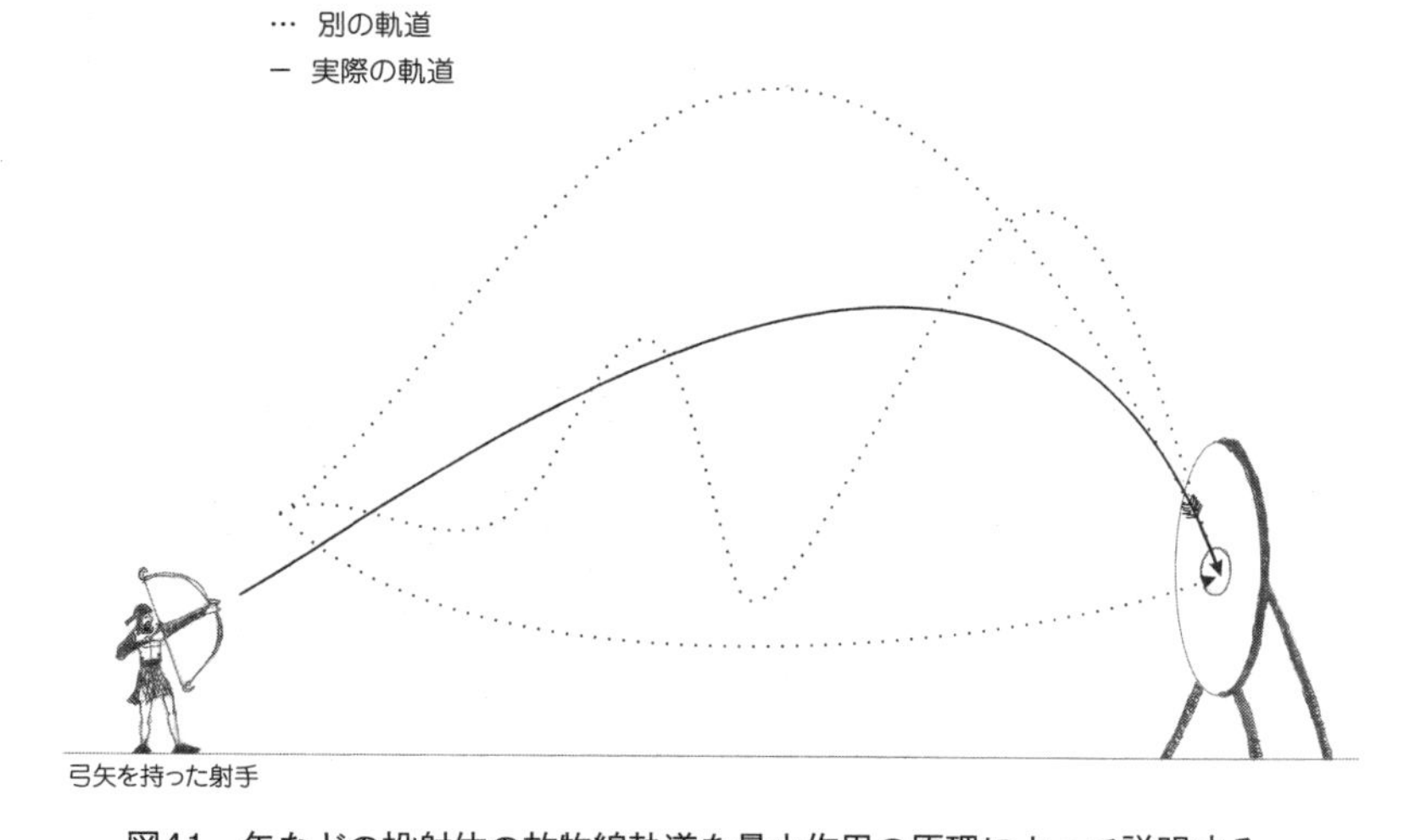

図41　矢などの投射体の放物線軌道を最小作用の原理によって説明する。

択肢の中から取るべき軌道を〝知る〟のか（図41）？　その一つの答えは、ニュートンの法則によって弓から的までの正しい放物線軌道がただ一つ予測されるというものである。しかしその計算には、〝力〟という循環論法的な概念の数値が入ってくる。そこでモーペルテュイは、その力の概念を使わずに、矢は飛行全体で〝作用〟が最小になるような運動をすると仮定しても同じ軌道が導き出されることを発見した。

ここで弓を使う代わりに、矢の柄に燃料駆動の回転翼を取り付けて、その推進力で射手から的まで飛行すると想像してほしい。さらにその回転翼の速さと角度を小型の内蔵コンピュータで制御することで、飛行全体で消費される燃料が最小になるように速さと軌道を調節するとしよう。すると驚くことに、このコンピュータ制御の矢と実際の矢はどちらも作用が最小になるように飛行するため、たどる経路がまったく同じになるのだ。

最小作用の原理によると、飛行中の矢など運動するどんな物体も、作用の合計が最小になるような軌道をたどる。その作用の合計は、運動によって決まる運動エネルギーから、地球の重力場などの場における位置で決まる位置エネルギーを差し引いた値の総和である。推進力による運動の場合は、全体で消費される燃料のエネルギーの量とおおよそ等しくなる。自然の運動ではこの作用が最小になるというのが、最小作用の原理にほかならない。この原理は、矢やロケット、惑星や電子や光子などあらゆる種類の粒子、さらには波の進む経路をも支配している。

さらにもっとも注目すべき点として、基本的な物理法則の大部分がこの最小作用の原理から導き出されることが分かっている。たとえば矢や砲弾などの古典的な物体の運動を考えて作用を最小にすると、ニュートンの運動の三法則から予想されるとおりの軌道が導き出される。最小作用の原理をエネルギーや運動量や角運動量などの物理量に当てはめると、ネーターの定理と同じく古典物理学における保存則や、素粒子物理学におけるゲージ理論が導出される。光子などの量子的粒子の場合は、リチャード・ファインマンが粒子の運動を計算するために考案した経路積分法が導き出される。[*] 半分まで沈めた棒からあなたの目に届くまでに折れ曲がる光線も、作用が最小になるような経路をたどる。恒星や惑星、さらにはブラックホールも、重力場の中で作用が最小

* ファインマンは著作『ファインマン物理学』(一九六四)第二巻第一九章の中で、この最小作用の原理を高校の先生から教わって「完全に心奪われた」と語っている。その後プリンストン大学で書いた博士論文は、この原理を量子力学に応用するという内容である。

になるような軌道上を運動し、その軌道はアインシュタインの一般相対論による予測と一致するのだ。

並々ならぬ一般性を備えたこの最小作用の原理は、これほど数多くの〝基本〟法則を導き出せるだけにきわめて深遠な原理といえ、南アフリカ生まれの物理学者ジェニファー・カッパースミスによれば、我々が「無精な宇宙」に住んでいることを物語っているのだという。一八世紀にモーペルテュイは、「自然はあらゆる作用を節約する」というこの発見から神の存在が証明されると主張した。[2] 一七四八年発表の論文『形而上学的原理に基づく運動と静止の法則の導出』では次のように論じている。「きわめて美しくて単純なこれらの法則は、万物の創造者で組織者が目に見えるこの世界のあらゆる現象を引き起こすために唯一具体的に定めたものであろう」

しかしこの考え方はモーペルテュイの予想に反してヨーロッパじゅうの知識人から嘲られた。さらに悪いことに、最小作用の原理は自分が最初に発見したというモーペルテュイの主張に対して何人もの科学者から反論が寄せられ、中でももっとも有名なのがドイツ人数学者のヨハン・サムエル・ケーニヒ（一七一二―五七）からのものだった。ケーニヒの訴えをヴォルテールも支持した。そのケーニヒが年長のモーペルテュイからの圧力でベルリンアカデミーを脱会させられると、ヴォルテールは怒りに任せてあの『アカキア博士からの非難』を書いた。そしてフリードリヒ一世がアカデミー会長モーペルテュイの肩を持って、この本を焼くよう命じたのだった。それでもモーペルテュイは自尊心を傷つけられ、ベルリンアカデミー会長の職を辞してパリへ戻った。しかしパリでもほとんど支持を得られず、スイスのバーゼルに移り住んで一七五九年に世を去った。

歴史はモーペルテュイに味方し、彼は科学でもっとも深遠な原理の一つである最小作用の原理の発見者としておおむね認められている。すべての観測者にとって光の速さは等しいという原理と同じように、モーペルテュイのこの原理もさらに基本的な法則から予想されるものではなく、この宇宙の土台の一部をなしているように思える。この宇宙では〝作用〟を不必要に増やすべきではないと主張する、いわば〝強い〟オッカムの剃刀なのだ。

ところがこの最小作用の原理が成り立っていながらも、この宇宙はやはりきわめて複雑で、一見したところ不必要な〝材料〟を大量に持っている。たとえば一九三一年にエンリコ・フェルミが存在を予言したニュートリノという粒子は、すさまじく数が多いわりにほかの粒子とほとんど相互作用しないため、あなたの身体を毎秒何兆個も貫いているがいっさい害をおよぼさない。このニュートリノがなかったら宇宙はもっと単純だったのではないか？　さらに前に説明したとおり、標準モデルはたった一七種類の素粒子から構成されていて比較的単純ではあるものの、もっと単純になる余地がある。通常の物質の構成部品でないのにクォークやレプトンの大部分を占める第二世代や第三世代の粒子は、いったい何のために存在しているのか？　幅を利かせていながらも不必要でありそうなさらに二種類の存在の話も聞いたことがあるだろう。この宇宙の大部分を構成するダークマターとダークエネルギーだ。この宇宙はおそらく最小作用の原理の支配下にあるというのに、なぜこのようなダークな材料を最小限に減らさなかったのか？

この宇宙は最大限単純な状態に近いという私の主張を裏付けるには、まずは一見したところ不必要に思える膨大な存在が実は役割を果たしていることを明らかにしなければならない。その探索の出発点は、太古に起こったある大惨事の現場である。

冬が来た

いまから六六〇〇万年前、白亜紀後期（一億年前～六六〇〇万年前）と呼ばれる時代、気候や海洋は現在よりはるかに温暖で、地上にも海中にも多種多様な動物が繁栄していた。海中では棘のある有孔虫（アメーバに似ているが殻を持っている）が光合成微生物や海藻を餌にして世代を重ねていて、それが化石化したものが、オッカムのウィリアムも幼い頃に歩き回ったであろうサリー州のノースダウンズという白亜質のなだらかな丘陵地帯を形作っている。この有孔虫を餌にしていた節足動物や軟体動物、蠕虫（ぜんちゅう）やイソギンチャク、カイメンやクラゲや棘皮動物、イカに似たベレムナイトやそれに近縁の頭足類、巻き貝のようなアンモナイトが海底に沈んで何千万年もの歳月を重ね、種の起源について思索する一八世紀の博物学者たちを悩ませたあの形象石となった。海洋食物連鎖の頂点に立っていたのは、魚に加え、メアリー・アニングがドーセット州の断崖から化石化した骨格として発掘した首の長いプレシオサウルスや巨大なモササウルスだった。陸上では、アヒルのような平たいくちばしを持つハドロサウルスや尖ったくちばしを持つトリケラトプスなどの草食恐竜が針葉樹林を歩き回ったり、おびただしい顕花植物の受粉を助ける昆虫が飛び交う湿地をさまよったりしていた。そこから遠くないところではティラノサウルス・

レックスなどの巨大な陸上捕食者が雄叫びを上げ、上空からはプテロサウルスなどの翼竜が獲物を狙っていた。

しかしこれらの生き物はまもなくして残らず絶滅することとなる。太陽系の端のほうを何十億年ものあいだ何の害もおよぼさずに運動していたさしわたし一〇キロメートルの岩石が、地球の質量による時空のゆがみによって軌道から外れた。我々が重力と呼ぶその時空のゆがみによってその岩石の軌道が逸れて放物線を描くようになり、ガリレオなら見とれたはずのその放物線軌道が地球の薄い地殻と交差した。衝突直前の数秒間、この岩石は弾丸の約二〇倍速い秒速一〇キロメートルにまで加速した。

この運命の数秒間にたまたま空を仰ぎ見た恐竜は、太陽よりも明るい火の玉が空を横切っているのを目にしたことだろう。その直後、まばゆい閃光とともにこの小惑星がメキシコ湾に落下して、およそ四兆立方メートルの岩石が瞬時に蒸発するとともに広大な範囲の地殻が融け、さしわたし一八〇キロメートル、深さ二キロメートルのクレーターが生まれた。はじき飛ばされた瓦礫は濃い塵の雲を作り、太陽光が遮られて死の冬が何十年も続いた。

すべての恐竜（その親類である鳥は除く）を含め地球上の全生物のおよそ八〇パーセントが絶滅したこの期間は、〝地球史上最悪の週末〟と呼ばれている。しかし実際には最悪ではない。地球の歴史を通じて五回の大量絶滅と、もっと小規模な絶滅が何度も起こっている。およそ二億五〇〇〇万年前に起こったペルム紀＝三畳紀の大量絶滅はさらにずっと壊滅的で、既知の全生物種の九六パーセントが死に絶えて地球はほぼ不毛になった。地球上のゆったりとした自然選択の作用は度重なる大量絶滅によって何度もリセットされてきたのだ。

シカゴ大学の古生物学者デイヴィッド・M・ラウプとJ・ジョン・セプコスキーは、大量絶滅がおよそ二六〇〇万年ごとに起こっている証拠を発見した。地球上で起こるサイクルでこれほど長い周期のものは知られていないため、天界にその答えを探す試みが始まった。中でもとりわけ激しい論争を招いている説が、ハーヴァード大学の理論物理学者リサ・ランドールとマシュー・リースが提唱した、ダークマターが恐竜を殺したとする学説である。[3] 太陽系が銀河系の中を公転するにつれて、銀河面上に広がるダークマターの薄い円盤に周期的に接近し、それによって彗星や小惑星の軌道が乱されて、破壊力を持った岩石が地球に向かって降り注ぐというのだ。

一見したところニュートリノもダークマターもこの宇宙には不必要な存在だと思えてしまう。恐竜であればなおさらそうだ。しかしそれらがなかったら我々も恐竜も存在していなかったに違いない。その理由を知るには、物質の起源、とりわけ生物を構成する物質の起源を探る必要がある。

惑星を一個作るには銀河が丸ごと必要である

一九一五年にアルベルト・アインシュタインは、自身の構築した一般相対論を宇宙全体に当てはめてみた。すると驚いたことに、この宇宙は予想と違って安定（定常状態）でなく、収縮または膨張していなければならないことが明らかとなった。そこでアインシュタインはこの不安定さを抑え込んで定常宇宙を生み出すために、収縮に抗う圧力として作用する一種の空間エネルギー、いわゆる宇宙定数を付け加えた。ところが一九二九年に天文学者のエドウィン・ハッブルがいくつもの銀河の運動速度を測定し、宇宙の膨張に伴ってほぼすべての銀河が我々から遠ざかりつつあるという驚きの発見を成し遂げた。そこでアインシュタインは宇宙定数を取り下げ、それを「人生最大の不覚」と呼んだ。

宇宙が未来に向かって膨張しているとしたら、過去にはもっとずっと小さかったはずだ。現在の宇宙から時計の針を巻き戻していくと、いまからおよそ一三八億年前、宇宙誕生からわずかおよそ一秒後には、すべての物質がリンゴほどの大きさの超高温の球体へと押しつぶされて、いわば素粒子のガスに満たされていたと予想される。このリンゴサイズの宇宙がビッグバンによって膨張し、そのときに放たれた輝きこそが、一三八億年後にアーノ・ペンジアスとロバート・ウィルソンがニュージャージー州の丘の頂上に立つホーンアンテナで検出したあの放射である。しかしもしもニュートリノがなかったら、丘の頂上のペンジアスもウィルソンも、さらにはその丘自体もニュージャージー州もけっして存在していなかっただろう。

我々が生まれる上でニュートリノが果たした第一の役割は、恒星を燃え上がらせたことである。ビッグバン以後に宇宙が膨張を続ける中、水素と少量のヘリウムが重力によって凝集しはじめて原始星が生まれた。最初は暗い天体だったが、密度が増すにつれて水素の原子核である陽子が融合してヘリウムになり、それによって恒星の核融合炉に火が点いて宇宙最初の星明かりが放たれた。この反応にはニュートリノが欠かせない。エミー・ネーターの定理から導き出される保存則の一つ、この場合にはレプトン数保存則を満たすためにどうしても必要なのだ。レプトン数保存則によると、レプトン（電子、ミュオン、タウ、および各種ニュートリノ）の個数はつねに一定に保たれなければならない。そして恒星中の核融合でそれを満たすには、莫大な数のニュートリノを爆発的に放出する必要がある。このようにニュートリノは不必要であるどころか、もしもニュートリノが存在していなかったら、この宇宙は真っ暗で生命なんていっさい宿していなかったことだろう。

ニュートリノはまた、生命に欠かせない元素を生命が誕生しそうな場所にばら撒く上でも重要な役割を果たした。ビッグバンによって水素とヘリウムは作られたが、炭素や窒素、リンや硫黄は作られなかった。生命にとって欠かせないこれらの重い元素は超高温の恒星内部での元素合成によって作られたが、宇宙でもっとも高温の天体の中に閉じ込められたままでは生命にとって使いようがない。そこであのちっぽけなニュートリノがもう一つの大きな違いを生み出したのだ。

一つ一つの恒星の運命は、その大きさと組成によって違ってくる。太陽のような小ぶりの恒星が燃料である水素を使い果たすと、膨張して赤色巨星になったのちに収縮して不活発な白色矮星となり、この場合も生命に欠かせない貴重な重い元素は閉じ込められてしまう。しかし太陽の一〇倍以上重い恒星は、みすぼらしく死んでいかずに大爆発によって一生を終える。そのような恒星は自身の重力によって近くの物質を次々に飲み込んで正のフィードバックループに陥り、やがて収縮して中性子星になる。その中性子星の中心部がさらに収縮してブラックホールになり、やはり生命に欠かせない元素を閉じ込めてしまう。しかし中性子星の収縮に伴って衝撃波が広がり、それによって恒星の外殻が膨張する。最初のうちはたどたどしいが、やがて再び核融合が始まって中心核からニュートリノが一気に噴き出してくる。このニュートリノを引き金にして宇宙でもっとも激しい現象、すなわち一五七二年にティコ・ブラーエが観測したような超新星爆発が引き起こされるのだ。

この超新星爆発によって、炭素や酸素やリンといった生命に欠かせない重い元素が、生命にとってそれらの元素をうまく利用できるような低温の場所、たとえばこの地球上に撒き散らされる。いまでは少々使い古された言葉だが、一九七〇年にジョニ・ミッチェルが歌ったとおり我々は確かに星屑でできていて、それをばら撒いたのはほかならぬちっぽけなニュートリノだったのだ。質量をほぼ持たない中性粒子であるニュートリノは不必要な代物であるどころか、もしもそれが存在していなかったらこの宇宙はとても退屈な場所になっていたことだろう。

ダークな生態系

恐竜を絶滅させた真犯人かもしれないダークマターは、この宇宙のおよそ二七パーセントを構成している。さらにこの宇宙の六八パーセントは、ダークエネルギーと呼ばれるもう一つの謎めいた存在によって作られている。目に見える太陽や恒星や惑星は、物質＝エネルギーのわずか五パーセントしか占めていない。なぜこの宇宙は資源の大部分を無駄遣いしてまで、一見したところ不必要なダークな存在をこれほど大量に作ったのか？

実はダークマターは不必要な存在であるどころか、我々が生まれる上で欠かせない役割を少なくとも二つ果たしている。一つめは銀河の誕生を手助けしたことだが、これはちょっとした謎である。というのも、ニール・トゥロックが指摘したとおり宇宙背景放射はとてつもなく一様で（はしがきを見よ）、誕生当時の宇宙がきわめて単純で滑らか、かなり退屈な状態だったことがうかがい知れるからだ。もしも宇宙がそのような姿でありつづけたら、銀河も恒星も誕生しようがなかっただろう。しかし宇宙背景放射をきわめて詳細に調べてその濃淡を増幅してみると（P13図2）、物質密度のわずかに高い塊やひも状の構造が見えてくる。ダークマターはいわば凝固剤のように作用して希薄なガスの凝集を助けたらしく、そうしてできた雲のような塊が銀河や恒星や惑星、そして最終的に我々となったのだ。

ダークマターのもう一つの役割は、この天の川銀河のような古い銀河でもおもに周辺部で一年におよそ一個のペースで新たな恒星が生まれつづけているという観測結果から浮かび上がってきた。これもまた謎である。というのも、恒星の原材料の大部分はビッグバンによって作られて、いまでは使い果たされてしまっていると考えられていたからだ。恒星を形作る物質が超新星爆発の重要な働きによってリサイクルされているのは確かだが、超新星爆発による〝噴出物〟は秒速およそ一〇〇〇キロメートルものスピードで宇宙空間に飛び散っていく。宇宙空間はまさにほぼ空っぽであることを思い出してほしい。したがって、生命に欠かせない重い元素を含んだ超新星爆発の残骸はほぼ何にも邪魔されずに銀河系から飛び出していって、茫漠な銀河間空間に永遠に失われてしまう。もしも超新星爆発の噴出物の大部分がそのような運命をたどるとしたら、はるか昔に銀河から恒星間のガスや塵が奪われて恒星形成は止まっていただろう。

実際のところそのようになっていない理由は、アメリカ人天文学者のヴェラ・ルービンがおこなった観測によって明らかとなった。一九二八年に生まれたルービンは一〇歳頃に天文学のとりこになった。学校を卒業する頃にはプロの天文学者になろうという決意を固める。一四歳のときに望遠鏡を自作し、学校を卒業する頃にはプロの天文学者になろうという決意を固める。しかし一九四〇年当時、女性に対するアメリカの科学界の姿勢は、エミー・ネーターがドイツで経験した状況からいっさい前進していなかった。ペンシルヴェニア州にあるスワースモア・カレッジの科学専攻にルービンが志願すると、入学担当責任者がどんな道に進みたいのかと尋ねてきた。ルービンが天文学者になりたいと説明すると、責任者はいぶかるようなまなざしでほかに興味はないのかと問いただしてきた。そこで絵が好きだと答えると責任者は、「天体画家になる道を考えたことはないのか」と言ってきたという。[4] この一言はルービン家の中でお約束のジョークになった。誰かが何か勘違いをすると、「天体画家になる道を考えたことはないのか」と当てこすられるのだ。

しかしルービンは進路に関する当初の忠告にもひるまずに、同世代でもっとも著名な天文学者の一人となった。一九六五年には名高いワシントン・カーネギー協会で職に就き、同僚のケント・フォードと手を組んで、恒星の公転速度の測定によって銀河内の質量分布を決定するという研究計画に乗り出した。ニュートンの法則のとおり重力は質量に比例するし、銀河の質量の大部分は中心のバルジに集中しているとされていた。そのため、内惑星よりも外惑星のほうが太陽の周りをゆっくりと公転しているのと同じように、銀河の内側のほうの恒星は速く、外側の恒星はゆっくりと公転すると予想していた。

ところが銀河系からほど近いアンドロメダ銀河の中にある恒星の公転速度を測定したところ、銀河中心からの距離は恒星の公転速度にいっさい影響を与えないことが分かった。外側の恒星も中心近くの恒星とほぼ同じ速さで公転していたのだ。初めのうちルービンはこのデータを信じられなかったが、フォードとともにさらにいくつもの恒星の測定を繰り返すとまったく同じ結果が得られた。そうして最終的に、渦巻銀河には目に見える恒星のおよそ六倍の物質が含まれていて、そのいわゆるダークマターがアンドロメダ銀河の外側の恒星を加速させているのだと結論づけた。その後二人の観測結果は、遠方の銀河におけるさらに数多くの観測によって裏付けられている。どの銀河も目に見えない冷たいダークマターのハローに取り囲まれているようなのだ。

恒星の形成が続いているのは、この目に見えないダークマターのハローのおかげである。このハローがいわば重力の盾となって、超新星爆発の噴出物の大部分を銀河の中に引き戻しているのだ。その噴出物が凝集することで、太陽などの恒星だけでなく、地球のような岩石惑星が作られる。我々は爆発した星の噴出物でできているが、その重い元素が生命にふさわしい場所に導かれるためにはダークマターが必要だったのだ。

このようにダークマターが我々の存在に果たした役割は分かったが、ではダークエネルギーの役割も見つけられるのだろうか？　いまはまだ見つかっていない。しかもダークエネルギーは謎めいた存在のままだ。その存在を示す証拠は、宇宙の膨張が加速しているように見えるという驚きの発見ただ一つである。しかしダークエネルギーの正体について何一つ分かっていない以上、我々が生まれる上で果たした役割を推測するのも不可能だが、もしも私が正しければ何らかの役割を果たしたのは間違いないだろう。

この宇宙にとって不必要に思える存在はほかにも手に余るほどある。標準モデルにおける第二世代と第三世代の物質粒子は第一世代の粒子と質量しか違わないし、通常の物質には含まれていないため不必要であるように思える。その役割はまだ明らかになっていないが、おそらく恒星内部や超新星爆発における重い元素の合成、あるいはこの宇宙から有害な反物質を除去するプロセスに関わっているのだろう。[6] またこの宇宙がこのような姿になっている以上、物理法則は粒子と反粒子、および時間の進む方向と戻る方向を区別していなければならない。この宇宙がそのような区別をするには、粒子が最低限三世代なければならないらしいのだ。

このように未解決の問題がいくつか残ってはいるものの、我々の住むこの宇宙はやはり、居住可能でありながらもできる限り単純な姿に近いのだろう。だがそれはなぜなのか？　この疑問に迫るには、まずは微調整問題というものに取り組まなければならない。

我々が存在する確率は信じられないほど低い

素粒子物理学の標準モデルには、クォークや電子や光子などの粒子、およびそれらのあいだに作用する力だけでなく、かなりありえなさそうな数値もいくつか含まれている。すべての素粒子の質量や、それらのあいだに作用する力の強さの値である。これらの数値は何らかの理論から予測されるものではない。二〇〇〇年前にプトレマイオスが天文観測データに合わせて周転円を決めたのとほぼ同じように、粒子加速器によって得られたデータに合わせて決められているにすぎない。分かっている限り恣意的な値なのだ。

タンブリッジ・ウェルズの統計学者ベイズ師とプライス氏が遊ぶ架空のさいころゲームを思い出してほしい。ベイズ師は自身の書いた重要な論文を残らず金庫の中にしまい、一〇個の数字それぞれを〇から六〇までの数字のどれか一つに合わせないと解錠できないダイヤル錠で鍵を掛けてあった。ところがその数字の組み合わせを忘れてしまって鍵を開けられない。論文を取り出すのをあきらめかけていたところに、ちょうどプライス氏がやって来た。たまたま六〇面体のさいころを持っていたプライス氏は、苛立ちを隠せないベイズ師の気を紛らわせようと、このさいころを振って鍵の番号が出てくるかやってみようと提案する。当然ベイズ師は当てられるはずがないと思ったが、ほかに手がないのでやらせてみた。プライス氏がさいころを振ると、五五、二三、四八、五、五六、二二、三五、五九、四一、八という数字が出てきた。ベイズ師がその組み合わせにダイヤル錠を合わせると、驚いたことに鍵が開いたのだ。

ベイズ師が驚いたのも当然である。プライス氏がランダムに試して正しい数字の組み合わせを当てる確率は、六〇の一〇乗分の一だ。言い換えると、プライス氏がさいころを振ってこの特定の数を出す尤度は六〇京分の一である。もちろんものすごく運が良かっただけなのかもしれないが、ベイズ師ならばもっと単純な説明、たとえばトリックがなかったかどうか探すことだろう。

基本定数もこれと同じようにとてつもなく稀でありえそうもない値だが、正確にその値を取っていることは我々が存在する上でどうしても欠かせない。例として、原子を構成する電子や陽子や中性子の質量について考えてみよう。陽子の質量を一とすると電子の質量は陽子のわずか〇・〇五四三パーセント、それに対して中性子の質量は陽子と同じ一となる。いずれの質量についてもこのような値を取っている理由は分かっていないが、それらをごくわずかに変えてしまうと我々は存在できなくなってしまう。

たとえば中性子の質量は陽子と完全には等しくなく、陽子の相対質量をもっと精確に一・〇〇〇と定義すると、中性子の質量は一・〇〇一となり、陽子よりもわずか〇・一パーセントだけ重い。少々奇妙な話ではないだろうか？　まるで、神か何らかの物理法則が陽子と中性子の質量を同じにせよと命じたのに、誰かが少しだけ計算を間違えてしまったかのようだ。このくらいのずれは気にしなくていいのだろうか？　実はとてつもなく重要で、この〇・一パーセントの違いのために中性子はジキルとハイドのような不思議な性質を備えており、この世界がこのような姿になる上でその性質は欠かせないものなのだ。

まずはハイドのような邪悪な性質について。自由中性子は放射能がきわめて高く、約一五分の寿命で陽子と電子と反ニュートリノに壊変する。この壊変速度はきわめて速く、プルトニウムなどの高放射性元素のおよそ一六〇〇倍だ。このように中性子が不安定なのは、余分に持っているわずかな質量が、陽子と電子に加えて質量がほぼゼロのニュートリノへ壊変するのにちょうど良い値だからである。この反応は、生命に欠かせない重い元素の合成を担う恒星内部での核融合プロセスで要となる役割を果たしている。だがその一方で、中性子は我々の身体の質量の約二〇パーセントを占めている。もしも身体を作る原子の中でも中性子がこのように不安定だったら、我々の肉体はものの数分でばらばらになってしまうだろう。

身体の肉が骨からはがれ落ちてしまわないのは、原子の中に囚われたときに中性子が取るジキルのような行儀の良い性質のおかげである。中性子が余分に持っているわずかな質量は、原子の外で壊変するのには十分な量だが、原子の中で壊変するには不十分である。というのも、壊変するには核結合力を乗り越えられるだけのエネルギーを持っていなければならないからである。そのためには、〇・一パーセントの余分な質量よりもごくわずかに多くのエネルギーが必要となる。そのため中性子は原子の中では行儀が良くて安定なのだ。もしも中性子が実際の質量よりも〇・一パーセント、陽子よりも〇・二パーセントだけ重かったら、原子の中でも壊変してしまって我々の知る物質は存在しようがなかっただろう。

中性子が実際よりわずかに軽かったとしても、やはり困った事態になる。もしも中性子の質量が陽子よりごくわずかでも小さかったら、自由中性子は安定となり、ビッグバンでおもに生成するのは陽子でなく中性子だっただろう。中性子は陽子と違って電荷を持っていないため、負の電荷を持った電子を引き寄せて安定な水素原子を作ることはできず、恒星を形成することもできない。安定な中性子が支配する仮想的な宇宙には、原子も物質も、恒星も惑星も、そして我々も存在しないだろう。単にわずかな質量の違いが必要というだけでなく、正しい方向に違っていなければならないのだ。

生命にふさわしい宇宙に必要な値へと微調整されているようにしか思えないこのような〝偶然

の一致〟や不可解な数値が、物理学には満ちあふれている。そのことにいち早く気づいたイギリス人物理学者のジョン・バロウとアメリカ人物理学者のフランク・ティプラーは、一九八六年の著作『人間宇宙論原理』[7]の中で、説明がつかないのに我々が存在する上で欠かせないパラメータの値や偶然の一致をさらに数多く指摘した。ベイズ師の鍵のたとえに戻ると、たくさんの面を持ったさいころをとてつもない個数振って、何百個もの鍵を開けるための数字の組み合わせが出てこないと、我々が住んでいるような生命にふさわしい宇宙は実現しないということだ。この宇宙がどのようにしてそのような値を持つに至ったかという謎は、微調整問題と呼ばれている。

バロウとティプラーは、きわめてありえそうもないこれらの値を説明するには、我々が「人間の住める宇宙」に住んでいるという事実を踏まえるしかないと論じた。つまり、もしも基本定数が異なる値を持っていたら、我々が存在しないことを嘆く我々自身は存在していなかったということだ。しかしこの人間原理では、基本定数がこのようなありえそうもない値を取っていることは説明できず、それらの値が我々の存在にとって不可欠であることを受け入れるしかない。この宇宙の基本定数がどのようにして微調整されたのかも、誰または何がそのさいころを振ったのかも説明できない。

考えられるシナリオはそう多くはないだろう。人格神を信じる人たちはこの偶然の一致を、神の手がダイヤル錠を意図的に正しい数字に合わせた証拠と受け止めている。ちょうどウィリアム・ペイリーが、眼などの複雑な生物の構造は時計職人のような神によって作られたに違いないと論じたのと同じである。これもまた隙間の神の論法にほかならず、説明の責任を既知の宇宙から仮想的な神に押しつけているだけで実際には何の解決にもなっていない。

もう一つの考え方が、多宇宙理論または多世界理論や並行宇宙論と呼ばれているものである。SF好きには馴染み深いこの説では、膨大な数、おそらくは無限個の並行宇宙が存在していて、そのそれぞれの宇宙が異なる基本定数の値を取っているとする。大部分の宇宙には生命は住めないが、ごく一部の宇宙ではたまたま基本定数が生命に適したありえそうもない値に微調整されている。我々はそのような幸運な宇宙の一つに住んでいるが、大部分の不運な宇宙には、原子や恒星、重い元素や惑星や知的生命がいないことを嘆く者など存在していない。

進化する宇宙

ニューヨークで生まれたリー・スモーリンはハーヴァード大学で理論物理学を学んだのち、第二次世界大戦中にアルベルト・アインシュタインやヘルマン・ヴァイルを受け入れたプリンストン高等研究所で研究人生をスタートさせた。そして数々の立派な職を歴任した末に、カナダのオンタリオ州にある世界的に名高いペリメーター研究所の創設メンバーとなった。研究人生を通じて携わったのが、物理学のすべての力と粒子を一つにまとめる統一理論探しである。標準モデルの粒子と力を重力と統一する試みの最前線を走る、弦理論と超弦理論を打ち立てた一人でもある。

弦理論（何種類かある）では、クォークや電子や陽子などの物質粒子はすべて、振動するきわめて微小な弦の取る姿であると考える。しかし弦理論をうまく成り立たせるには、その弦が二六次元または一〇次元の宇宙の中で振動していなければならない。残念ながらこのように次元の数が多いせいで、考えられる弦理論の数は天文学的に増えてしまい、無限個にすらなりうる。プトレマイオスの太陽系モデルと同じように、ここまで複雑な弦理論ならばほぼどんな現実にも合致するよう微調整できてしまう。現在のところ弦理論では検証可能な予測を導き出すことはできない。

弦理論を現実と結びつけられないことに失望したスモーリンは、微調整問題を説明するための別の方法を探した。そして一九九九年の著作『宇宙は自ら進化した』[8]と二〇一三年の著作『生まれ変わる宇宙』[9]の中で、この宇宙がありえそうもない姿を取っていることは自然選択によって説明できるかもしれないと論じた。この宇宙は生物の自然選択におおよそ相当する宇宙論的な進化プロセスによって生まれたのだと唱え、そのプロセスを宇宙論的自然選択と名付けたのだ。

宇宙の生態系

そもそも宇宙に自然選択を作用させるだけでも、ある程度の微調整が必要となる。スモーリンは、自己複製、遺伝、変異という、自然選択に欠かせない三つの要素を宇宙に組み込まざるをえなかった。このいずれにおいてもブラックホールが重要な役割を果たす。まずは自己複製について説明しよう。前に述べたとおり、重い恒星が収縮した最後の姿であるブラックホールは、重力があまりにも強くて光ですら逃げ出せない。天の川銀河を含むほとんどの銀河の中心に鎮座していて、周囲の星々を飲み込んでは膨大なエネルギーを放出していると考えられている。

この宇宙が終わりを迎えるシナリオの一つとして考えられるのが、すべての物質が最終的に超重ブラックホールに飲み込まれてしまうというもので、このシナリオをビッグクランチと呼ぶ。この恐ろしいシナリオをフィルムに収めて逆再生したとしよう。その最初のコマには、この宇宙の最後のかけらを飲み込んだばかりのブラックホールが写っている。その宇宙にはほかに何も存在しておらず、何かを測る物差しもないので、大きさの尺度のない空間の中に大きさを定義できないブラックホールが一つ存在するだけだ。しかしその直後（逆再生において）、目に見えないその超重ブラックホールが素粒子やエネルギーを吐き出しはじめ、それが何百万年、何千万年もかけて凝集して原子や恒星、さらには生物の棲む惑星を形作る。このようにビッグクランチのシナリオを逆再生すると、ビッグバンによるこの宇宙の誕生とそっくりに見えるだろう。

物理法則は時間に関して対称的なので、このように時間を逆転させたビッグクランチも物理的にはビッグバンとちょうど同じだけ実現しうる。この二つの出来事が互いに対称的であることを踏まえて何人もの宇宙論学者が、この宇宙で星々を食い尽くすブラックホールは、その反対側に広がる別の宇宙ではビッグバンになっているのかもしれないと論じている。さらにスモーリンは、逆にこの宇宙を生み出したビッグバンの反対側はその親宇宙のビッグクランチかもしれないと唱えている。スモーリン（および多くの宇宙論学者）によると、時間はビッグバンで始まったのではなく、この宇宙のビッグバンからその親宇宙のビッグクランチへ、その親宇宙の誕生からブラックホールへとはるか過去にまで、もしかしたら無限に続いているという。しかしそれだけでなく、この宇宙には推計一億個ものブラックホールが満ちあふれているのだから、その一つ一つがもとになって計一億個の子宇宙が生まれているとスモーリンは唱えた。

ブラックホールを宇宙の生殖細胞としてとらえるこのスモーリンのモデルには、このように一種の自己複製プロセスが組み込まれている。このシナリオに必要な二つめの要素は遺伝である。スモーリンはそれをシナリオに組み込むために、一つ一つの子宇宙は親宇宙のパラメータや基本定数の値や素粒子の質量などを受け継ぐと論じた。生物の遺伝子が生物の特徴をコードしているのと同じように、これらのパラメータは各宇宙の性質をコードする宇宙の遺伝子*としてとらえることができるだろう。

最後にスモーリンが解決しなければならなかったのは、ダーウィンとウォレスの自然選択説を苦しめたのと同じく、自然選択が作用するための新たな多様性の源を見つけるという問題だった。そこでスモーリンは再び生物学からヒントをもらい、宇宙とその〝遺伝子〟がブラックホールの荒れ狂う環境をかいくぐる際に、変異に相当する何らかの現象によってその正確な値が変化するのだと唱えた。

物理法則が変化するかもしれないという考え方は新しいものではない。スモーリンも指摘しているとおり、一九世紀のアメリカ人哲学者チャールズ・サンダース・パース（一八三九―一九一

---

* 標準モデルのパラメータを遺伝子と同一視するのは、さすがに比喩として許される範囲を超えているだろう。しかしこの考え方からはいくつか興味深い疑問も湧き上がってくる。たとえば遺伝子の遺伝情報がDNAに書き込まれているとしたら、宇宙の遺伝子はいったい何に書かれているのだろうか？

四）はダーウィン進化論から大きな影響を受けて、物理法則も生物と同じように進化するのかもしれないと提唱した。イングランド人数学者で哲学者のウィリアム・キングドン・クリフォード（一八四五―七九）も同様の主張をしている。オッカムのウィリアムなど中世の神学者も、神はこの世界と異なるいくつもの世界を作ったのかもしれないと唱えた。物理学者のジョン・アーチボルト・ウィーラー、リチャード・ファインマン、セス・ロイドも、物理法則は空間と時間の両方において変化するのではないかと唱えている。[10] しかし我々の住むこの宇宙では、知られている限り誕生の瞬間でも宇宙の端でもまったく同じ法則が作用しているので、この宇宙の中で法則が変化するという主張は論拠に乏しい。それでもスモーリンが指摘しているとおり、異なる宇宙のあいだで物理法則が変化するというのはありえないことではない。

スモーリンの説は、生命の起源のシナリオを宇宙論に当てはめたものを出発点としている。そのシナリオによると、遠い過去には完全に何も存在していなかった。しかし量子力学のもっとも不思議な特徴の一つとして、完全に何もない状態というものも確実ではない。それはハイゼンベルクの不確定性原理から導き出される奇妙な結論の一つで、完全な真空には質量もエネルギーも存在しないということすら確実には言い切れないのだ。そのため量子力学によると、たとえ空っぽの真空であっても、実際の空間の中では仮想粒子が出現したり消滅したりしている。一九八二年にソ連出身の宇宙論学者アレキサンダー・ヴィレンキンはさらに仰天の主張として、この宇宙も「無からの」量子ゆらぎとして、ありうる限りもっとも単純な形で生まれたのだと唱えた。[11]

現在もっとも広く受け入れられている宇宙の起源のシナリオは、ランダムな量子ゆらぎからスタートする。その微小宇宙はほとんどの場合、ランダムに選ばれた基本定数の値が物質の存在とすら相容れないため、注目には値しない。物質が存在できないそのような宇宙は、出現するやいなや正のエネルギーと負のエネルギーが再結合して消滅してしまっただろう。それでも量子ゆらぎによって無から次々と宇宙が生まれ、パラメータ空間をおそらく何兆回もさまよった末に、物質や恒星や惑星、そして少なくともいくつかのブラックホールの形成を促すような値を持った宇宙が生まれた。

スモーリンのシナリオで生命の誕生に相当するのはブラックホールの形成で、それによって宇宙は自己複製することができる。初期の原始的な宇宙はおそらくブラックホールを少数しか作らず、そのため少数しか子を生まなかった。それでもたった一個よりはましで、そこから宇宙の数は増えていった。さらにブラックホールをかいくぐる際に基本定数の値が変異すると仮定されているため、子孫の宇宙は多様化し、物質や恒星や惑星のタイプ、およびブラックホールの数のそれぞれ異なるいくつもの宇宙からなる、一種の生態系が生まれた。

しかしすべての宇宙が同等な形で生まれたわけではなく、中にはほかの宇宙よりも子をたくさん生むものもあった。もっとも多量の物質を恒星の中に集めてブラックホールへ収縮させるようなパラメータの値を受け継いだ宇宙は、たくさんの子孫を残した。逆に恒星やブラックホールを作れない宇宙は、やがて姿を消して絶滅した。数多くの世代を重ねるうちにこの多宇宙は、ブラックホールを最大限に数多く作るような稀な値の基本定数を持った、もっとも適応していてもっとも多産な宇宙に支配されていった。自然選択によって生命が恐竜やゾウやヒトといったありえなさそうな生物へ進化したのと同じように、それに相当する宇宙論的自然選択というプロセスによって物理基本定数が、恒星や惑星、ブラックホールや我々を作るのに必要なきわめてありえなさそうな値へと微調整されていったのだ。

とても見事な理論だが、もちろん証明するのはきわめて難しい。それでもこの理論からはいくつかの予測が導き出され、スモーリンはそれを宇宙進化のコンピュータシミュレーションによって検証している。たとえばこの理論によると、かつて成功を収めた宇宙の子孫であるこの宇宙は、ブラックホールを大量に作る状態にあるだけでなく、基本定数の値が少しでも変わるとどうしてもブラックホールの数が少なくなってしまうような状態に微調整されているはずだ。スモーリンはこの予測を検証するために、この宇宙とその基本定数のコンピュータモデルを作ってその値を変えてみた。すると標準モデルのパラメータを少し変えただけでブラックホールの数が減るか、または変化しないことが分かった。そのコンピュータモデルにどんな宇宙論的変異を引き起こしても、ブラックホールが増えることはなかった。この解析結果から見て、この宇宙は宇宙論的自然選択説から予測されるとおり、ブラックホールの生成にかけてはもっとも優れた状態にかなり近いらしいのだ。

宇宙の剃刀か

スモーリンによるこの宇宙論的自然選択説は、基本定数が微調整されていることは確かに説明できるかもしれないが、ニール・トゥロックが言ったように「この宇宙が驚くほど単純である」理由はこれだけでは説明できない。しかしオッカムの剃刀と組み合わせることで、もしかしたら説明できるかもしれない。

初めに念を押しておくが、以下の議論はスモーリンの宇宙論的自然選択説には含まれていない。それどころかスモーリン自身は、この宇宙がもっとも単純な状態に近いという考えに疑念を抱いている。その根拠としては、本書ですでに論じたいくつかの事柄、たとえば物質粒子の三つの世代のうち二つは不必要に思えるといった事実を挙げている。しかし本書ではこれらの余分な粒子の役割として考えられるものをいくつか紹介した。さらにもう一つ考えられるのが、これらの粒子は対称性の要請からどうしても必要で、男性の乳首のように使い道はなくても取り除くのは難しいという可能性だ。しかも第二世代と第三世代の粒子はおもに加速器や宇宙線の中にしか見つからない稀な存在なので、ブラックホールの形成に寄与することもないし、それを邪魔することもないだろう。ハダカデバネズミの偽遺伝子が生物学的自然選択の目を逃れているのと同じように、宇宙論的自然選択にはそれが見えていないのかもしれない。

宇宙論的な剃刀によってどのようにして最大限に単純な宇宙が進化するのかを理解するために、この宇宙にはブラックホールが二つだけあって、それらが二つの赤ちゃん宇宙の親になると想像してほしい。一つめのブラックホールをかいくぐった基本定数は何ら影響を受けず、正確に同じ値をコードしたままだ。したがってその子孫はこの宇宙とまったく同じ定数を受け継いで、標準モデルの一七種類の素粒子から原子や恒星を作り、この宇宙にそっくりの宇宙となる。一七種類の素粒子にちなんでこの宇宙を17P宇宙と呼ぶことにしよう〔Pはparticle（粒子）の頭文字〕。

それと同じ基本定数がもう一方のブラックホールをかいくぐると宇宙論的変異を受け、標準モデルの一七種類の素粒子に加えて一八番目の〝痕跡粒子〟（クジラの痕跡肢やヒトの虫垂に相当する）を作り出す18P宇宙が生まれる。その余分な素粒子は何の使い道もなく、おそらくは銀河間空間に雲として漂っているだけだ。そのためこの18P宇宙では、この一八番目の素粒子は不必要な存在である。

この一八番素粒子は恒星やブラックホールやヒトの形成には何の役割も果たさないが、それでもその質量の一部を奪うことで影響をおよぼす。ここでこの素粒子の平均質量と存在比が、18P宇宙の全質量の約一八分の一を占めるような値を取っていたと仮定しよう。すると銀河間空間に漂う一八番素粒子の雲に質量が閉じ込められているせいで、ブラックホールの形成に使える物質＝エネルギーの量が減り、それによってブラックホールの数が一八分の一、およそ五パーセント少なくなる。ブラックホールは子宇宙の母になるので、18P宇宙はそのきょうだいである17P宇宙と比べて子孫の数が約五パーセント少ないことになる。ほかに何も変化しないとすると、この繁殖力の差が何世代にもわたって積み重なって、およそ二〇世代目には18P宇宙の子孫の数が、もっと倹約上手な17P宇宙の子孫の三分の一にまで減る。自然界では変異によって適応度がたった一パーセント下がるだけでその変異体は絶滅に向かうのだから、適応度が五パーセントも下がったら18P宇宙は姿を消してしまうか、さもなければもっと倹約上手な17Pに対して劇的に数を減らすことだろう。

スモーリンの理論から予想されるこのような多宇宙が有限なのか無限なのかは定かでない。もしも無限だとしたら、ブラックホールを生成できる中でもっとも単純な宇宙の数は、次に単純な宇宙よりも無限に多くなるだろう。では無限個の宇宙のうちのどれに我々は住んでいるといえるのか？　その答えは、生命にふさわしい宇宙の中でもっとも単純な宇宙に住んでいる確率が無限に高い、となる。

逆にもし宇宙が有限個だとしたら、我々は地球上での生物学的進化と似たような状況に置かれていることになる。物質とエネルギーという利用可能な資源をめぐって宇宙どうしが競い合い、その質量をより多くブラックホールに変換するもっとも単純な宇宙がもっとも数多く子孫を残す。ここで再び、我々はどの宇宙に住んでいる可能性がもっとも高いかと問えば、やはりもっとも単純な宇宙であるという答えになる。そのような宇宙の住人がロバート・ウィルソンとアーノ・ペンジアスのように天空に目をこらして宇宙背景放射を発見し、その信じられないほどの滑らかさに気づいたら、彼らはニール・トゥロックと同じく、この宇宙はこのような「驚くほど単純な」初期段階からどうやってこれほどたくさんのものを生み出したのかと頭を抱えることだろう。要するに彼らの住む宇宙は我々の宇宙にそっくりだろう。

オッカムの剃刀を当てるかどうかにかかわらず、スモーリンの説からは最後に驚愕の結論が導き出される。この宇宙の基本法則は量子力学でも一般相対論でもなければ、数学法則でもない。それは、チャールズ・ダーウィンとアルフレッド・ラッセル・ウォレスが発見した自然選択説であるというのだ。自然選択説は「これまでに人類が思いついた中でまさに最高のアイデア」であると、哲学者のダニエル・デネットは力を込めて言った。[12] それどころか自然選択説は、宇宙がこれまでに抱いた中でもっとも単純なアイデアでもあるのかもしれない。

終章

一三二九年頃にミュンヘンにやって来たオッカムのウィリアムは、それから六〇歳頃に世を去るまで、神聖ローマ帝国皇帝ルートヴィヒ四世の庇護のもとその市内や周辺で暮らした。フランシスコ会から分離した彼ら修道士は当修道会の印綬を管理しつづけ、亡命政府に相当する組織を維持した。またヨハネス二二世やその後の教皇たちを非難する政治的論説を書くとともに、幅広い政治問題、とりわけ教皇や君主の権力の限界について論評しつづけた。共感を抱く学者が次々と訪れ、写字生たちは彼らの著作を熱心に書き写した。コンラート・デ・フィペスによるウィリアム著『大論理学』の写本（ウィリアムの似顔絵が収められている）もこの時期に作られた。いまではケンブリッジ大学ゴンヴィル・アンド・キーズ・カレッジの図書館に収められている。イングランドの芸術に影響をおよぼしたフランシスコ会の書物を列挙した目録では、「価値はない」との注釈が添えられている。

ウィリアムとその仲間のフランシスコ会修道士たちが起こした抵抗運動は、その時代だけで見れば失敗に終わった。教皇ヨハネス二二世がフランシスコ会に新たな印綬を授け、教皇に従順な新会長が組織内の異論の封じ込めに乗り出す。それでも前に述べたとおり、糾弾や禁制をよそにウィリアムの思想は中世の世界に響き渡って黒死病を生き抜き、由来こそ忘れ去られながらもルネサンスや宗教改革や啓蒙運動とともに甦った。

残念ながらウィリアムの晩年についてはほとんど分かっていないが、依然として代々の教皇の手先に追われながらも、ときどきヨーロッパの各都市を訪れて講話をおこなったことは分かっている。ある教皇に至っては、逃亡者ウィリアムを捕まえるためだけに、現在のベルギーにあるトゥルネーの町を焼き払うと脅したほどだった。[1]

一三四二年にチェゼーナのミケーレが世を去るとウィリアムがフランシスコ会の印綬を管理することになり、ヨーロッパで疫病が猛威を振るった年、一三四七年四月一〇日に世を去るまで守りつづけた。ウィリアムの遺体はミュンヘンにある聖フランシスコ教会に、おそらくフランシスコ会の印綬とともに埋葬された。碑銘を刻んだ墓石は一八〇三年に教会の解体とともに壊された。現在その場所にはオペラ劇場が建っている。その近くを走るオッカム通りというにぎやかな通りには、ホテル・オッカムや、オッカムデリというとても陽気なカフェテリア兼ワインバーがある。

そのカフェテリアはオッカム通りとファイリッチュ通りの交差点にある。ファイリッチュ通りを数分歩いてレオポルト通りを左に折れ、一〇分ほど進むと、ルートヴィヒ・マクシミリアン大学ミュンヘン校の入口にたどり着く。マックス・プランクが一八七四年から七七年まで物理学を学んだ大学である。覚えておられるだろうが、量子力学が産声を上げたのは一九〇〇年一〇月一九日、プランクがケルヴィン卿の指差した雲の一つを吹き払う方程式を発表したときのことだった。科学のあらゆる大進歩と同じく、そこにも単純化が関係していた。黒体放射は低い振動数の範囲ではレイリー＝ジーンズの法則で正しく予測できたが、高い振動数の範囲のスペクトルを予測するにはヴィーンの法則が必要だった。プランクはこのどちらの法則も間違いであることを証明し、自身の編み出した画期的な方程式なら全範囲の振動数で成り立つことを示した。ノーベル賞受賞者で化学者のロアルド・ホフマンが述べたとおり、プランクは「唯一の論理、すなわちオッカムの剃刀の論理に従うことで量子仮説にたどり着いた」[2]

もちろんマックス・プランクの画期的な論文には、オッカムのウィリアムのことも、オッカムの剃刀のことも取り上げられていない。そんなことをする必要はなかったのだ。この頃にはすべての科学者が、根拠こそ示せないながらも、単純な答えを重視するのは当然だとみなしていた。単純な理論で事足りるのにわざわざ複雑な理論を選ぶのは、現代のどんな科学者が見ても明らかに非科学的である。しかしここまで見てきたとおり、科学において単純さを重視するという揺るぎない考え方は比較的最近になって生まれた。それは誰あろうオッカムのウィリアムが、中世の教義に絡みついたほこりまみれのクモの巣を吹き払い、もっと無駄がなくて切れ味の良い科学を進めるための余地を与えてくれたからにほかならない。オッカムの剃刀を手にした科学は、不可解な宇宙を道理づけるとともに、大多数の祖先が耐え忍んだ人生よりも幸せで長く続き、健康的で充実した人生を我々にもたらすことで、その価値を証明してきた。

私の家にほど近いロンドン南西部のウィンブルドン・コモン公園に早朝ランニングに行くと、

よくオッカムのウィリアムのことが頭に浮かんでくる。いつも走っている道はビバリー・ブルックという小川に沿ってフィッシュポンド・ウッドの森を貫いており、道すがらに点在する小さな池は一一一七年にアウグスチノ会修道士たちが開いたマートン小修道院の養魚池としてかつて使われていた。この小修道院がまだ栄えていた一四世紀初め、オッカムのウィリアムはそこから徒歩でおよそ三時間、馬に乗って一時間ほどのロンドンのグレイフライアーズ学寮で暮らしながら学んでいた。はたしてこの学寮で過ごした五年ほどのあいだに、しばしば南に足を延ばしてこの有名な小修道院を訪れ、科学的神学や神の全能性の意味するところをめぐる激しい論争に加わったりしたのだろうか? 天気の良い日には、学寮周辺の狭く込み入った通りや食肉市場の空気からいっとき解放されようと、野原や小川、池や森をしばしさまよい歩いたかもしれない。

もしかしたら私が早朝ランニングをするときと同じように、森の中でたびたび道を間違えて迷っていたかもしれない。八〇〇年後の私とまさに同じ状況だ(図42右)。どちらに向かえば深い藪を抜けられるか見当もつかず、先へ進めなくなってしまったはずだ。しかし私のように数歩進んで右に曲がれば、森を抜けるはっきりとした道に出られたことだろう(図42左)。単に視点を変えるだけで、複雑に絡み合った藪を抜け、もっと単純で筋の通った世界に足を踏み出せるのだ。

オッカムの剃刀は至るところに転がっている。あらゆる時代にあらゆる場所で進歩を妨げてきた勘違いや独断、偏狭や先入観、信条や誤った信念、あるいはまったくのたわごとの藪を切り拓いて、道を敷いてきた。単純さが現代科学に組み込まれたのではなく、単純さそのものが現代科学、ひいては現代の世界なのだ。もちろん今後もさらなる単純さが発見されていくはずで、それを成し遂げるのは科学者である。とりわけ、いままで足枷となってきたあからさまな偏見や独断や不利な立場に縛られていない、性別や人種や性的指向もさまざまなもっとずっと幅広い立場の人々だ。オッカムの剃刀の主戦場である物理学にすら、いまだなすべきことが数多く残されている。現在のところ相対論と、現在のところもっとも良く記述する原子の構造を宇宙の構造をもっとも良く記述する一般相対論と、現在のところ原子の構造をもっとも良く記述する量子力学とを統一する術はまだ誰も見つけられていない。二〇世紀を代表する物理学者の一人であるジョン・アーチボルト・ウィーラーは力を込めて次のように言う。「あらゆる物事の裏には間違いなく単純で美しい考

図42

え方が潜んでいて、一〇年か一〇〇年、あるいは一〇〇〇年かけてそれが理解できたときには、きっと誰もがこう言い合うだろう。それ以外の考え方なんてできるだろうかと」[3]

この世界は本当に単純なのだ。

謝辞

本書の草稿の一部または全体に快く目を通して意見を寄せてくれた以下の方々全員に感謝したい（順不同）。シャロン・ケイ、マイケル・ブルックス、ジョン・グリビン、バーナード・V・ライトマン、ジム・アル＝カリーリ、ジェニー・ペルチェ、ロンド・キール、マーク・パレン、フィリップ・プルマン、ミシェル・コリンズ、トム・マクリーシュ、パトリシア・ファーラ、ジェニファー・ディーン、セブ・フォーク、ロビン・ヘドラム・ウェルズ、サラ・L・アケルマン、グレッグ・ノールズ、ターニャ・バロン、フィリップ・キム、アレックス・テオレル。

困難な時期にオッカムのウィリアムと彼の剃刀の物語を信じつづけてくれた、代理人のパトリック・ウォルシュと彼の素晴らしいチームにとりわけ感謝を捧げたい。最後に、才気あふれる編集者のジェイミー・コルマン、サラ・カロ、キャロライン・ウェストモア、マーティン・ブライアントに感謝したい。本書に間違いが残っているとしたら、すべて私自身の責任である。

訳者あとがき

本書はJohnjoe McFadden, *Life is Simple: How Occam's Razor Set Science Free and Unlocked the Universe*, Basic Books（2021）の全訳である。

この世界は単純か？　はたまた複雑か？

日々生きることに追われていると、この世は果てしなく複雑に見えてしまう。身の回りにはありとあらゆるものが転がっているし、たえずさまざまなことが起こる。森羅万象、同じものは二つとないし、それらをすべてひとくくりに理解できるとも思えない。この宇宙が単純なはずはない。

かつて人々は、そんな世界の複雑さに圧倒されて、万物は神や天使、あるいは霊魂の気まぐれによって作られ、動いていると考えていた。複雑すぎて理解できない事柄はすべて、人智の及ばない存在によって操られている。夜空の星々は神によって動かされているし、生き物は霊魂によって生きている。そう信じていた。

しかし現代の我々は、そんな超常的存在などには頼らない。この世界は突き詰めれば単純だと考えている。物体はどれも一定の法則に従って振る舞うし、生物にはすべて共通の性質がある。出来事には必ず原因があって、その関係性は単純な論理に従う。複雑な現実世界の根底にそのような単純さが横たわっているというのは、我々にとってはごく自然な考え方だ。

だが、そうした世界観は一朝一夕に築かれたわけではない。この世は複雑であるという先入観、とりわけ伝統的な宗教の足枷から脱するには、時間をかけて人々の考え方が根本から変わっていくしかなかった。世界を真に理解して、文明を発展させていくには、宇宙は実は単純な形で理解できると気づかせてくれる人物が欠かせなかったのだ。

それが本書の主人公、一四世紀にイングランドで活躍した修道士・哲学者のオッカムのウィリアムである。一般的にはあまり知られていない人物だが、哲学に詳しい方であれば、古代以来の実在論を否定して唯名論という思想を説いた人物としてご存じだろう。

また科学好きの方なら、彼の名を冠した〝オッカムの剃刀〟という言葉を聞かれたことがあるだろう。これは、「複雑な理論よりも単純な理論のほうが正しい」という原理原則のことで、不要な要素を剃り落としていくことを剃刀にたとえている。現代の我々には至極当然の主張のようにも聞こえるが、けっしてそんなことはない。唱えられた中世においては非常に革新的なテーゼだったのだ。

本書では、このウィリアムなる人物がどのようなことを考えたのか、そしてオッカムの剃刀が後世にどれほど大きな影響を与えたのかを、おもに科学の文脈に沿ってたどっていく。

読み進めるにつれて浮かび上がってくるのは、ウィリアムとその思想こそが現代の文明を築いたといっても過言ではないという事実だ。しかもこの知られざる英雄は、当時としては過激な思想を説いたことで、実に数奇な運命をたどった。その人生も読者の心をつかんで離さないと思う。

その物語をひもといてくれるのが、著者のジョンジョー・マクファデン。イギリスにあるサリー大学の生物学教授で、遺伝学の研究を進めたのちに、〝量子生物学〟という新たな分野を打ち立てた。これは、さまざまな生物現象において量子力学が大きな役割を果たしているとする学問だ。しかし量子力学は超ミクロな世界にこそ通用する理論だし、入り乱れた生物の体内で繊細な量子が作用しているとは思えない。そのため、当初は疑似科学同然の扱いを受けていた。

ところが二一世紀に入ると、渡り鳥の能力やヒトの嗅覚などに量子が関わっていることが実験で次々と明らかになり、量子生物学はにわかに脚光を浴びるようになった。それについては著者の『量子進化：脳と進化の謎を量子力学が解く！』（斎藤成也監訳、共立出版、二〇〇三年）や『量子力学で生命の謎を解く』（水谷淳訳、SBクリエイティブ、二〇一五年）に詳しい。

そんな著者が、生物学の学会で同僚科学者とある論争を繰り広げた。そしてそれがきっかけでオッカムの剃刀に魅せられ、彼の人生や思想について深く掘り下げていったという。そうして書き上げられたのが本書である。その経緯ははしがきで述べられている。

導入部では、ビッグバンの証拠である宇宙マイクロ波背景放射の発見物語が紹介されている。

唐突に思われるかもしれないが、実はこの宇宙がとても単純であることを何よりも物語っているそうだ。

本編に入って、パート1の第1章ではまず、オッカムのウィリアムが教皇の怒りを買って逃亡者となったことが綴られている。それは、中世以前の科学の置かれていた立場に大きく関わっているという。当時の科学とはどのようなものだったのだろうか？

第2章では、キリスト教支配の中でその科学がどのような形を取っていたのかに焦点を当てる。そこで鍵となる人物が、古代のアリストテレスと中世のトマス・アクィナス。神学に科学がどのように取り込まれていったのか、それを紡ぎ出してくれる。

第3章と第4章はいよいよウィリアムの思想について。ウィリアムは当時の教義にことごとく異議を唱え、古代以来のしがらみをバッサバッサと斬り捨てていった。教会権威の定めるスコラ哲学を否定し、神学から科学を切り離した上に、教皇を頂点とする封建体制にも批判を加えたそうだ。まさに革命分子ともいえ、追われる身になったのもうなずける。

ところがその革命的な思想があちこちで根付き、さまざまな方向に枝葉を伸ばしていく。第5章と第6章では、オッカムの剃刀から生まれた史上初の現代的な科学法則、ウィリアムの唯名論から影響を受けたルネサンスの人文主義、さらにはプロテスタントによる宗教改革へと話が展開する。こうしてウィリアムの思想は着実に世界へと広がっていった。

パート2では、その思想によって人類の宇宙観・物質観がどのように変貌していったかをたどる。第7章から第9章で語られるのは、いわゆる天動説が地動説に置き換わり、天界と地上が同じ法則で説明されるようになった経緯。それはいくつかの大きなステップを踏んで進んでいったが、そのいずれにおいてもオッカムの剃刀が本領を発揮したという。

第10章は、実験科学の幕開けに際してオッカムの剃刀の果たした役割について。物質や空間から神秘的な概念が排除されたことで、科学はまた大きな一歩を踏み出した。その立役者の一人である科学者のボイルが示した、優れた科学理論の一〇の原理とは何か?

この時点ではまだ複雑な現象を単純な法則にまとめ上げただけで、その法則自体の由来は定かでなかった。そこで、かのニュートンがやはりオッカムの剃刀を振るい、因果関係に基づく力学法則を打ち立てる。第11章では、この偉大な科学革命においてウィリアムの思想の果たした役割を探る。そして第12章では、神秘的存在から解き放たれた物理学によって熱の正体が暴かれ、産業革命が起こった経緯をたどる。

パート3は、南アメリカでの奇異なウナギ漁の話で幕を開ける。物理学から神や天使が追い払われたといっても、生命はいまだに謎めいた存在で、神秘のベールに包まれていた。だが一九世紀に入ると、そこにもようやくオッカムの剃刀があてがわれ、神による創造説、そして生気や魂といった神秘的概念が取り払われていく。第13章は、その生気の正体が電気であるという発見について。第14章では、ダーウィンとほぼ同時期に進化論を唱えたウォレスが、いかにしてオッカムの剃刀を振るったかをひもといていく。

第15章は、その進化論を因果関係に基づく科学理論へと引き上げた、遺伝子とDNAの発見について。驚くことに、オッカムの剃刀は生命の法則に対して振るわれただけでなく、その生命自体も余分なものを削ぎ落として、できる限り単純になっていくのだという。

パート4は再び物理の世界に話を戻す。二〇世紀初めに誕生した二大理論、相対論と量子力学においても、ウィリアムの思想はその土台としての役割を果たした。第16章では、アインシュタインがオッカムの剃刀を使って相対論にたどり着いた経緯を、第17章では、複雑さを増す素粒子の世界がある女性数学者の一振りによって単純な形に整理された様子をたどる。

ここまで、オッカムの剃刀が科学において欠かせない役割を果たしたさまを見てきた。だがここで根本的な疑問が湧いてくる。そもそも、オッカムの剃刀はどうしてこれほど役に立つのか？ なぜ複雑な理論よりも単純な理論のほうが正しいのか？

実はそれは、一八世紀に生まれた斬新な確率論によって説明できるというのが、第18章の内容である。科学が単純なのは必然だというのだ。つまり、この宇宙自体が単純であるのだといえる。

その理由を説明してくれるかもしれないある突飛な宇宙理論が、最後の第19章のテーマ。その理論によれば、宇宙はあたかも生物のように進化するのだという。そしてそこからは、宇宙の究極の法則に関する、突拍子もない結論が導き出される。

現代文明の知られざる立役者であるオッカムのウィリアム。その人生と思想に触れ、科学の発展においてオッカムの剃刀の果たした役割をたどっていくことで、そもそも科学とはどのような営みなのか、なぜ科学が役に立つのかが浮かび上がってくる。本書は、哲学と科学という、一見したところ水と油のように思える二つの学問体系がいかにからみ合って発展してきたのか、現代科学がどのような思想に支えられているのか、それを鮮やかに描き出した一冊だと思う。

二〇二三年一月

3. Wheeler, J. A., 'How Come the Quantum?', *Annals of the New York Academy of Sciences*, 480, 304-16 (1986).

Trends in Cognitive Sciences, 7, 19-22 (2003).

16. Goodman, N., 'The Test of Simplicity', *Science*, 128, 1064-9 (1958).

第19章　もっとも単純な世界か

1. McCurdy, E., *The Notebooks of Leonardo da Vinci*, vol. 156 (G. Braziller, 1958).
2. Fee, J., 'Maupertuis, and the Principle of Least Action', *Scientific Monthly*, 52, 496-503 (1941).
3. Randall, L., and Reece, M., 'Dark Matter as a Trigger for Periodic Comet Impacts', *Physical Review Letters*, 112, 161301 (2014).
4. Carroll, S., 'Painting Pictures of Astronomical Objects', *Discover*; https://www.discovermagazine.com/the-sciences/painting-pictures-of-astronomical-objects#.WcJ-s8ZJnIU.
5. Rubin, V. C., and Ford Jr, W. K., 'Rotation of the Andromeda Nebula From a Spectroscopic Survey of Emission Regions', *Astrophysical Journal*, 159, 379 (1970).
6. Oaknin, D. H., and Zhitnitsky, A., 'Baryon Asymmetry, Dark Matter, and Quantum Chromodynamics', *Physical Review D*, 71, 023519 (2005).
7. Barrow, J. D., and Tipler, F. J., *The Anthropic Cosmological Principle* (Clarendon Press, 1986).
8. Smolin, L., *The Life of the Cosmos* (Oxford University Press, 1999).
9. Smolin, L., *Time Reborn: From the Crisis in Physics to the Future of the Universe* (Houghton Mifflin Harcourt, 2013).
10. Lloyd, S., *Programming the Universe: A Quantum Computer Scientist Takes on the Cosmos* (Knopf, 2006).
11. Vilenkin, A., 'Creation of Universes from Nothing', *Physics Letters B*, 117, 25-8 (1982).
12. Dennett, D. C., 'Darwin's Dangerous Idea', *Sciences*, 35, 34-40 (1995).

終章

1. Spade, P. V., *The Cambridge Companion to Ockham* (Cambridge University Press, 1999). Riezler, S., *Vatikanische Akten Zur Deutschen Geschichte in Der Zeit Kaiser Ludwigs Des Bayern* (Wentworth Press, 2018).
2. Hoffmann, R., Minkin, V. I., and Carpenter, B. K., 'Ockham's Razor and Chemistry', *Bulletin de la Société chimique de France*, 2, 117-30 (1996).

3. Al-Khalili, J., and McFadden, J., *Life on the Edge: The Coming of Age of Quantum Biology* (Bantam Press, 2014).
4. Tent, M. B. W., *Emmy Noether: The Mother of Modern Algebra* (CRC Press, 2008).
5. Brewer, J. W., Noether, E., and Smith, M. K., *Emmy Noether: A Tribute to Her Life and Work* (Dekker, 1981).
6. Arntzenius, F., *Space, Time, and Stuff* (Oxford University Press, 2014). Chen, E. K., 'An Intrinsic Theory of Quantum Mechanics: Progress in Field's Nominalistic Program, Part I' (Oxford University Press, 2014).
7. Wigner, E. P., 'The Unreasonable Effectiveness of Mathematics in the Natural Sciences', *Communications on Pure and Applied Mathematics*, 13, 001-014 (1960).

第18章　剃刀を開く

1. Russell, B., *Our Knowledge of the External World* (Jovian Press, 2017).
2. Bellhouse, D. R., 'The Reverend Thomas Bayes, FRS: A Biography to Celebrate the Tercentenary of His Birth', *Statistical Science*, 19, 3-43 (2004).
3. Wilmott, J., *The Debt to Pleasure* (Carcanet, 2012).
4. Jeffreys, H., *The Theory of Probability* (Oxford University Press, 1998).
5. Gull, S. F., in *Maximum-Entropy and Bayesian Methods in Science and Engineering*, 53-74 (Springer, 1988). Jefferys, W. H., and Berger, J. O., 'Sharpening Ockham's Razor on a Bayesian Strop', Technical Report (1991).
6. Sober, E., *Ockham's Razors* (Cambridge University Press, 2015).
7. Kuhn, T. S., *The Structure of Scientific Revolutions* (University of Chicago Press, 2012).
8. Koestler, A., *The Sleepwalkers: A History of Man's Changing Vision of the Universe* (Penguin, 2017).
9. Feyerabend, P., *Against Method* (Verso, 1993).
10. Kaye, S. M., and Martin, R. M., *On Ockham* (2001).
11. Kuhn, *The Structure of Scientific Revolutions.*
12. Rorty, R., *Contingency, Irony, and Solidarity* (Cambridge University Press, 1989).
13. Blaedel, N., *Harmony and Unity: The Life of Niels Bohr* (Science Tech. Publ., 1988).
14. Carey, N., *The Epigenetics Revolution: How Modern Biology is Rewriting Our Understanding of Genetics, Disease, and Inheritance* (Columbia University Press, 2012).
15. Chater, N., and Vitányi, P., 'Simplicity: A Unifying Principle in Cognitive Science?',

10. Dawkins, R., *The Selfish Gene* (Oxford University Press, 1976).
11. Sherman, P. W., Jarvis, J. U., and Alexander, R. D., *The Biology of the Naked Mole-Rat* (Princeton University Press, 2017).
12. Kim, E. B., et al., 'Genome Sequencing Reveals Insights Into Physiology and Longevity of the Naked Mole Rat', *Nature*, 479, 223-7 (2011).
13. Meredith, R. W., Gatesy, J., Cheng, J., and Springer, M. S., 'Pseudogenization of the Tooth Gene Enamelysin (MMP20) in the Common Ancestor of Extant Baleen Whales', *Proceedings of the Royal Society of London B: Biological Sciences*, rspb20101280 (2010).
14. Zhao, H., Yang, J.-R., Xu, H., Zhang, J., 'Pseudogenization of the Umami Taste Receptor Gene Tas1r1 in the Giant Panda Coincided With Its Dietary Switch to Bamboo', *Molecular Biology and Evolution*, 27, 2669-73 (2010).
15. Li, X., et al., 'Pseudogenization of a Sweet-Receptor Gene Accounts for Cats' Indifference Toward Sugar', *PLoS Genetics*, 1 (2005).

第16章　最高の世界か

1. Heisenberg, W., *Physics and Beyond: Encounters and Conversations* (1969)(HarperCollins, 1971).
2. Gribbin, J., *Science: A History* (Penguin, 2003). Gribbin, J., *Schrodinger's Kittens: And the Search for Reality* (Weidenfeld & Nicolson, 2012). Rovelli, C., *The Order of Time* (Riverhead, 2019). Fara, P., *Science: A Four Thousand Year History* (Oxford University Press, 2010). Cox, B., and Forshaw, J., *Why Does E= mc²?* (Da Capo, Boston, 2009). Al-Khalili, J., *The World According to Physics* (Princeton University Press, 2020). Green, B., *The Fabric of the Cosmos: Space, Time, and the Texture of Reality* (Penguin, 2004).
3. Norton, J. D., 'Nature is the Realisation of the Simplest Conceivable Mathematical Ideas: Einstein and the Canon of Mathematical Simplicity', *Studies in History and Philosophy of Science Part B: Studies in History and Philosophy of Modern Physics*, 31, 135-70 (2000).
4. 同上。

第17章　量子の単純さ

1. Betten, F. S., 'Review of: De Sacramento Altaris of William of Ockham by T. Bruce Birch', *Catholic Historical Review*, 20, 50-6 (1934).
2. McFadden, J., *Quantum Evolution* (HarperCollins, 2000).

He and Hooker Took on Trust; And What Charles Darwin Never Told Them', *Biological Journal of the Linnean Society*, 109, 725-36 (2013).

15. Beddall, B. G., 'Darwin and Divergence: The Wallace Connection', *Journal of the History of Biology*, 21.1, 1-68 (1988).
16. Shermer, M., *In Darwin's Shadow: The Life and Science of Alfred Russel Wallace: A Biographical Study on the Psychology of History* (Oxford University Press on Demand, 2002). Cowan, I., 'A Trumpery Affair: How Wallace Stimulated Darwin to Publish and Be Damned'; http://wallacefund.info/sites/wallacefund.info/files/A%20Trumpery%20Affair.pdf.
17. Kutschera, U., 'Wallace Pioneered Astrobiology Too', *Nature*, 489, 208 (2012).
18. Dennett, D. C., *Darwin's Dangerous Idea: Evolution and the Meanings of Life* (Simon & Schuster, 1996).
19. Wallace, A. R., and Berry, A., *The Malay Archipelago* (Penguin, 2014).

第15章　エンドウマメ、マツヨイグサ、ショウジョウバエ、盲目のネズミ

1. Wallace, A. R., *Mimicry, and Other Protective Resemblances Among Animals* (Read Books Limited, 2016).
2. Vorzimmer, P., 'Charles Darwin and Blending Inheritance', *Isis*, 54, 371-90 (1963).
3. De Castro, M., 'Johann Gregor Mendel: Paragon of Experimental Science', *Molecular Genetics & Genomic Medicine*, 4, 3 (2016).
4. Mendel, G., *Experiments on Plant Hybrids* (1866), translation and commentary by Staffan Müller-Wille and Kersten Hall, British Society for the History of Science Translation Series (2016), http://www.bshs.org.uk/bshs-translations/mendel.
5. 同上。
6. Dobzhansky, T., 'Nothing in Biology Makes Sense Except in the Light of Evolution', *American Biology Teacher*, 35, 125-9 (1973).
7. Bergson, H., *Creative Evolution*, vol. 231 (University Press of America, 1911).
8. Watson, J., *The Double Helix* (Weidenfeld & Nicolson, 2010). Maddox, B., *Rosalind Franklin: The Dark Lady of DNA* (HarperCollins New York, 2002). Watson, J. D., Berry, A., and Davies, K., *DNA: The Story of the Genetic Revolution* (Knopf, 2017).
9. Karafyllidis, I. G.,'Quantum Mechanical Model for Information Transfer From DNA to Protein', *Biosystems*, 93, 191-8 (2008).

oneidensis Strain MR-1 and Other Microorganisms', *Proceedings of the National Academy of Sciences*, 103, 11358-63 (2006).

17. Vandenberg, L. N., Morrie, R. D., and Adams, D. S., 'V-ATPase-Dependent Ectodermal Voltage and pH Regionalization Are Required for Craniofacial Morphogenesis', *Developmental Dynamics*, 240, 1889-1904 (2011).

第14章　生命の導き

1. Wallace, A. R., *Darwinism: An Exposition of the Theory of Natural Selection with Some of its Applications* (Cosimo, Inc., 2007).
2. Kaye, S. M., *William of Ockham* (Oxford University Press, 2015).
3. Wallace Letters online, Natural History Museum, London; https://www.nhm.ac.uk/research-curation/scientific-resources/collections/library-collections/wallace-letters-online/index.html.
4. Wallace, A. R., 'On the Law Which Has Regulated the Introduction of New Species (1855)', *Alfred Russel Wallace Classic Writings*, Paper 2 (2009), http://digitalcommons.wku.edu/dlps_fac_arw/2
5. Ereshefsky, M., 'Some Problems with the Linnaean Hierarchy', *Philosophy of Science*, 61, 186-205 (1994).
6. Winchester, S., *The Map That Changed the World: A Tale of Rocks, Ruin and Redemption* (Penguin, 2002).
7. 同上。
8. Goodhue, T. W., *Fossil Hunter: The Life and Times of Mary Anning (1799-1847)* (Academica Press, 2004).
9. Raby, P., *Alfred Russel Wallace: A Life* (Princeton University Press, 2002).
10. Bowler, P. J., *Evolution: The History of an Idea: 25th Anniversary Edition, With a New Preface* (University of California Press, 2009).
11. Raby, *Alfred Russel Wallace.*
12. Van Wyhe, J., 'The Impact of AR Wallace's Sarawak Law Paper Reassessed', *Studies in History and Philosophy of Science Part C: Studies in History and Philosophy of Biological and Biomedical Sciences*, 60, 56-66 (2016).
13. 同上。
14. Davies, R., '1 July 1858: What Wallace Knew; What Lyell Thought He Knew; What Both

3. Brown, S. C., 'Count Rumford and the Caloric Theory of Heat', *Proceedings of the American Philosophical Society*, 93, 316-25 (1949).

第13章　生気

1. von Walde-Waldegg, H., 'Notes on the Indians of the Llanos of Casanare and San Martin (Colombia)', *Primitive Man*, 9, 38-45 (1936).
2. von Humboldt, A., Bonpland, A., and Ross, T., *Personal Narrative of Travels to the Equinoctial Regions of America: During the Years 1799-1804*, vols 1-3 (G. Bell & Sons, 1894).
3. Lattman, P., 'The Origins of Justice Stewart's "I Know It When I See It"', *Wall Street Journal*, 27 September 2007, https://www.wsj.com/articles/BL-LB-4558.
4. Laertius, R. D. D., and Hicks, R. D., *Lives of Eminent Philosophers* (trans. R. D. Hicks) (Heinemann, 1959).
5. Finger, S., and Piccolino, M., *The Shocking History of Electric Fishes: From Ancient Epochs to the Birth of Modern Neurophysiology* (Oxford University Press USA, 2011).
6. Copenhaver, B. P., 'A Tale of Two Fishes: Magical Objects in Natural History from Antiquity Through the Scientific Revolution', *Journal of the History of Ideas*, 52, 373-98, doi:10.2307/2710043 (1991).
7. 同上。
8. Finger and Piccolino, *The Shocking History of Electric Fishes*.
9. Solomon, S., et al., 'Safety and Effectiveness of Cranial Electrotherapy in the Treatment of Tension Headache', *Headache*, 29, 445-50, doi:10.1111/j.1526-4610.1989.hed2907445.x (1989).
10. Copenhaver, 'A Tale of Two Fishes'.
11. Compagnon, A., *Nous: Michel de Montaigne* (Le Seuil, 2016).
12. Finger and Piccolino, *The Shocking History of Electric Fishes*.
13. 同上。
14. Wulf, A., *The Invention of Nature: Alexander Von Humboldt's New World* (Alfred A. Knopf, 2015).
15. Finkelstein, G., *Emil Du Bois-Reymond: Neuroscience, Self, and Society in Nineteenth-Century Germany* (MIT Press, 2013).
16. Gorby, Y. A., et al.,'Electrically Conductive Bacterial Nanowires Produced by Shewanella

13. Gillespie, M. A., *The Theological Origins of Modernity* (ReadHowYouWant.com, 2010).
14. Lindberg, D. C., and Numbers, R. L., *When Science and Christianity Meet* (University of Chicago Press, 2008).
15. Medawar, P., *The Art of the Soluble* (Methuen, 1967).
16. Milton, J. R., 'Induction Before Hume', *British Journal for the Philosophy of Science*, 38, 49-74 (1987).
17. Hunter, *Boyle*.
18. Greene, R. A., 'Henry More and Robert Boyle on the Spirit of Nature', *Journal of the History of Ideas*, 451-74 (1962)
19. Wojcik, *Robert Boyle*.
20. 同上。
21. Descartes, R., 'Rules for the Direction of the Mind', in *The Philosophical Works of Descartes* (trans. E. S. Haldane and G. R. T. Ross), vol. 1, 7 (Dover Publications, 1955).
22. Wood, A., and Bliss, P., *Athenæ Oxonienses: An Exact History of All the Writers and Bishops who Have Had Their Education in the University of Oxford. To which are Added, the Fasti Or Annals, of the Said University* (F. C. & J. Rivington, 1820).

第11章　運動の概念

1. Stewart, L., 'Other Centres of Calculation, or, Where the Royal Society Didn't Count: Commerce, Coffee-Houses and Natural Philosophy in Early Modern London', *British Journal for the History of Science*, 32, 133-53 (1999).
2. Koyré, A., 'An Unpublished Letter of Robert Hooke to Isaac Newton', *Isis*, 43, 312-37 (1952).
3. Whitehead, A. N., *Principia mathematica* (1913).
4. Copleston, F., *A History of Philosophy*, vol. 3: *Ockham to Suarez* (Paulist Press, 1954).
5. Quoted in Kaye, S. M., and Martin, R. M., *On Ockham* (Wadsworth/Thompson Learning, 2001).

第12章　運動を利用する

1. Feuer, L. S., 'The Principle of Simplicity', *Philosophy of Science*, 24, 109-22 (1957).
2. Kitcher, P., *The Advancement of Science: Science Without Legend, Objectivity Without Illusions*, 280 (Oxford University Press on Demand, 1995).

第9章　単純さを地上の世界に当てはめる

1. Sober, E., *Ockham's Razors* (Cambridge University Press, 2015).
2. Reeves, E. A., *Galileo's Glassworks: The Telescope and the Mirror* (Harvard University Press, 2009).
3. 同上。
4. Galilei, G., and Van Helden, A., *Sidereus Nuncius, or the Sidereal Messenger* (University of Chicago Press, 2016).
5. Wootton, D., *Galileo: Watcher of the Skies* (Yale University Press, 2010).
6. Galilei, G., and Wallace, W. A., *Galileo's Early Notebooks: The Physical Questions: A Translation from the Latin, with Historical and Paleographical Commentary* (University of Notre Dame Press, 1977).
7. Buchwald, J. Z., *A Master of Science History: Essays in Honor of Charles Coulston Gillispie*, vol. 30 (Springer Science & Business Media, 2012).
8. Sober, *Ockham's Razors*.

第10章　原子と全知の霊魂

1. Wojcik, J. W., *Robert Boyle and the Limits of Reason*, 151-88 (Cambridge University Press, 1997).
2. Hunter, M., *Boyle: Between God and Science* (Yale University Press, 2010).
3. 同上。
4. 同上。
5. 同上。
6. 同上。
7. Pilkington, R., *Robert Boyle: Father of Chemistry* (John Murray, 1959).
8. Descartes, R., *Discourse on the Method of Rightly Conducting the Reason, and Seeking Truth in the Sciences* (Sutherland and Knox, 1850).
9. Goddu, A., *The Physics of William of Ockham*, vol. 16 (Brill Archive, 1984).
10. Hull, G., 'Hobbes's Radical Nominalism', *Epoché: A Journal for the History of Philosophy*, 11, 201-23 (2006).
11. Hobbes, T., *Hobbes's Leviathan*, vol. 1 (Google Books, 1967).
12. 同上。

7. Gingerich, O., '"Crisis" Versus Aesthetic in the Copernican Revolution', *Vistas in Astronomy*, 17, 85-95 (1975).
8. Copernicus, N., *On the Revolutions* (trans. and commentary Edward Rosen) (Johns Hopkins University Press, 1978), http://www.geo.utexas.edu/courses/302d/Fall_2011/Full%20text%20-%20 Nicholas%20Copernicus,%20_De%20Revolutionibus%20(On%20the%20Revolutions),_%201.pdf.
9. Gingerich, O., '"Crisis" Versus Aesthetic in the Copernican Revolution', *Vistas in Astronomy*, 17, 85-95 (1975).

第８章　天球層を打ち壊す

1. Thoren, V. E., *The Lord of Uraniborg: A Biography of Tycho Brahe* (Cambridge University Press, 1990).
2. 同上。
3. Oberman, H. A., *The Harvest of Medieval Theology: Gabriel Biel and Late Medieval Nominalism* (Harvard University Press, 1963).
4. Methuen, C., *Kepler's Tübingen: Stimulus to a Theological Mathematics* (Ashgate, 1998).
5. Field, J. V., 'A Lutheran Astrologer: Johannes Kepler', *Archive for History of Exact Sciences*, 31 (1984).
6. Spielvogel, J. J., *Western Civilization*, 467 (Cengage Learning, 2014).
7. Bialas, V., *Johannes Kepler*, vol. 566 (CH Beck, 2004).
8. Chandrasekhar, S., *The Pursuit of Science*, 410-20 (Minerva, 1984).
9. Kepler, J., *The Harmony of the World*, vol. 209, 302 (American Philosophical Society, 1997).
10. Poincaré, H., and Maitland, F., *Science and Method* (Courier Corporation, 2003).
11. Dirac, P. A. M., 'XI. - The Relation Between Mathematics and Physics', *Proceedings of the Royal Society of Edinburgh*, 59, 122-9 (1940).
12. Kepler, *The Harmony of the World*.
13. Martens, R., *Kepler's Philosophy and the New Astronomy* (Princeton University Press, 2000).
14. Sober, E., *Ockham's Razors* (Cambridge University Press, 2015). Sober, E., 'What is the Problem of Simplicity', *Simplicity, Inference, and Econometric Modelling*, 13-32 (2002).
15. Fraser, J., 'The Ever - Presence of Eternity', *Dialog*, 39, 40-5(2000).

Tables and Maps, vol. 2, 226 (Indiana University Press, 1991).
19. Trinkaus, C., 'Petrarch's Views on the Individual and His Society', *Osiris*, 11, 168-98(1954).
20. Boucher, H. W., 'Nominalism: The Difference for Chaucer and Boccaccio', *Chaucer Review*, 213-20 (1986).
21. Keiper, H., Bode, C., and Utz, R. J., *Nominalism and Literary Discourse: New Perspectives*, vol. 10 (Rodopi, 1997).
22. Dvořák, M., *The History of Art as a History of Ideas* (trans. John Hardy)(Routledge & Kegan Paul, 1984).
23. Hauser, A., *The Social History of Art*, vol. 2: *Renaissance* (Routledge, 2005).
24. Kieckhefer, R., *Magic in the Middle Ages* (Cambridge University Press, 2000).
25. Holborn, H., *A History of Modern Germany: The Reformation*, vol. 1 (Princeton University Press, 1982).
26. Oberman, H., *The Dawn of the Reformation: Essays in Late Medieval and Early Reformation Thought* (Wm. B. Eerdmans Publishing, 1992).
27. Gillespie, M. A., *The Theological Origins of Modernity* (University of Chicago Press, 2008).
28. Pekka, K., in *Encyclopedia of Medieval Philosophy: Philosophy Between 500 and 1500* (ed. Henrik Lagerlund), 14-45 (Springer, 2011).

第７章　太陽を中心に戴いた神秘的な宇宙

1. Krauze-Błachowicz, K., 'Was Conceptualist Grammar in Use at Cracow University?', *Studia Antyczne i Mediewistyczne*, 6, 275-85 (2008).
2. Matsen, H., 'Alessandro Achillini (1463-1512) and "Ockhamism" at Bologna (1490-1500)', *Journal of the History of Philosophy*, 13, 437-51 (1975).
3. Edelheit, A., *Ficino, Pico and Savonarola: The Evolution of Humanist Theology 1461/2-1498* (Brill, 2008).
4. Barbour, J. B., *The Discovery of Dynamics: A Study from a Machian Point of View of the Discovery and the Structure of Dynamical Theories* (Oxford University Press, 2001).
5. Sobel, D., *A More Perfect Heaven: How Copernicus Revolutionised the Cosmos*, 178 (A & C Black, 2011).
6. 同上。

第6章　空白の時代

1. Alfani, G., and Murphy, T. E., 'Plague and Lethal Epidemics in the Pre-Industrial World', *Journal of Economic History*, 77, 314-43 (2017).
2. Nicholl, C., *Leonardo da Vinci: The Flights of the Mind* (Penguin, 2005).
3. 同上。
4. 同上。
5. Reti, L., 'The Two Unpublished Manuscripts of Leonardo da Vinci in the Biblioteca Nacional of Madrid - II', *Burlington Magazine*, 110, 81-91 (1968).
6. Duhem, P., 'Research on the History of Physical Theories', *Synthese*, 83, 189-200 (1990).
7. Randall, J. H., 'The Place of Leonardo Da Vinci in the Emergence of Modern Science', *Journal of the History of Ideas*, 191-202 (1953).
8. Long, M. P., 'Francesco Landini and the Florentine Cultural Elite', *Early Music History*, 3, 83-99 (1983).
9. Funkenstein, A., *Theology and the Scientific Imagination: From the Middle Ages to the Seventeenth Century* (Princeton University Press, 2018).
10. Matsen, H., 'Alessandro Achillini (1463-1512) and "Ockhamism" at Bologna (1490-1500)', *Journal of the History of Philosophy*, 13, 437-51 (1975).
11. Dutton, B. D., 'Nicholas of Autrecourt and William of Ockham on Atomism, Nominalism, and the Ontology of Motion', *Medieval Philosophy & Theology*, 5, 63-85 (1996).
12. Reti, 'The Two Unpublished Manuscripts of Leonardo da Vinci'.
13. Gillespie, M. A., *Nihilism Before Nietzsche* (University of Chicago Press, 1995).
14. 同上。
15. Boysen, B., 'The Triumph of Exile: The Ruptures and Transformations of Exile in Petrarch', *Comparative Literature Studies*, 55, 483-511 (2018).
16. Petrarca, F., 'On His Own Ignorance and That of Many Others' (trans. Hans Nicod), in Cassirer, E., Kristeller, P. O., and Randall, J. H. (eds), in *The Renaissance Philosophy of Man: Petrarca, Valla, Ficino, Pico, Pomponazzi, Vives*, 47-133 (University of Chicago Press, 2011).
17. Medieval Sourcebook: Petrarch, *The Ascent of Mount Ventoux*; https://sourcebooks.fordham.edu/source/petrarch-ventoux.asp.
18. Rawski, C. H., *Petrarch's Remedies for Fortune Fair and Foul: A Modern English Translation of De Remediis Utriusque Fortune, With A Commentary. References: Bibliography, Indexes,*

Philosophy and Phenomenological Research, 6, 212-24 (1945).

第５章　科学の一瞬の輝き

1. Etzkorn, G. J., 'Codex Merton 284: Evidence of Ockham's Early Influence in Oxford', *Studies in Church History Subsidia*, 5, 31-42 (1987).
2. Aleksander, J., 'The Significance of the Erosion of the Prohibition against Metabasis to the Success and Legacy of the Copernican Revolution', *Annales Philosophici*, 9-22 (2011).
3. McGinnis, J., 'A Medieval Arabic Analysis of Motion at an Instant: The Avicennan Sources to the forma fluens/fluxus formae Debate', *British Journal for the History of Science*, 39 (2), 189-205 (2006).
4. Copleston, F., *A History of Philosophy*, vol. 3: *Ockham to Suarez* (Paulist Press, 1954).
5. Goddu, A., 'The Impact of Ockham's Reading of the Physics on the Mertonians and Parisian Terminists', *Early Science and Medicine*, 6, 204-36 (2001).
6. Sylla, E. D., 'Medieval Dynamics', *Physics Today*, 61, 51 (2008).
7. Courtenay, W. J., 'The Reception of Ockham's Thought in Fourteenth-Century England', *From Ockham to Wyclif*, 89-107 (Boydell and Brewer, 1987).
8. Goddu, 'The Impact of Ockham's Reading of the Physics'.
9. Heytesbury, W., *On Maxima and Minima: Chapter 5 of Rules for Solving Sophismata: With an Anonymous Fourteenth-Century Discussion*, vol. 26 (Springer Science & Business Media, 2012).
10. Wikipedia definition of speed, https://en.wikipedia.org/wiki/Speed#Historical_definition.
11. Barnett, L., and Einstein, A., *The Universe and Dr Einstein* (Courier Corporation, 2005).
12. Klima, G., *John Buridan* (Oxford University Press, 2008).
13. Goddu, A., *The Physics of William of Ockham*, vol. 16 (Brill Archive, 1984).
14. Tachau, K., *Vision and Certitude in the Age of Ockham: Optics, Epistemology and the Foundation of Semantics 1250-1345* (Brill, 2000).
15. Hannam, J., *God's Philosophers: How the Medieval World Laid the Foundations of Modern Science* (Icon Books, 2009).
16. 同上。
17. Shapiro, H., *Medieval Philosophy: Selected Readings from Augustine to Buridan* (Modern Library, 1964).

Ockham (Wipf and Stock Publishers, 2009).

第4章　権利はいかに単純か

1. Van Duffel, S., and Robertson, S., *Ockham's Theory of Natural Rights* (available at SSRN 1632452, 2010).
2. Deane, J. K., *A History of Medieval Heresy and Inquisition* (Rowman & Littlefield Publishers, 2011).
3. Mariotti, L., *A Historical Memoir of Frà Dolcino and his Times; Being an Account of a general Struggle for Ecclesiastical Reform and of an anti-heretical crusade in Italy, in the early part of the fourteenth century* (Longman, Brown, Green, 1853).
4. Burr, D., *The Spiritual Franciscans: From Protest to Persecution in the Century After Saint Francis* (Penn State Press, 2001).
5. Haft, A. J., White, J. G., and White, R. J., *The Key to 'The Name of the Rose': Including Translations of All Non-English Passages* (University of Michigan Press, 1999).
6. de Ockham, G., and Ockham, W., *William of Ockham: 'A Letter to the Friars Minor' and Other Writings* (Cambridge University Press, 1995).
7. Knysh, G., 'Biographical Rectifications Concerning Ockham's Avignon Period', *Franciscan Studies*, 46, 61-91 (1986).
8. Leff, G., *William of Ockham: The Metamorphosis of Scholastic Discourse* (Manchester University Press, 1975).
9. Tierney, B., *The Idea of Natural Rights: Studies on Natural Rights, Natural Law, and Church Law, 1150-1625*, vol. 5 (Wm. B. Eerdmans Publishing, 2001).
10. Tierney, B., 'The Idea of Natural Rights-Origins and Persistence', *Northwestern Journal of International Human Rights*, 2, 2 (2004).
11. 同上。
12. Witte Jr, J., and Van der Vyver, J. D., *Religious Human Rights in Global Perspective: Religious Perspectives*, vol. 2 (Wm. B. Eerdmans Publishing, 1996).
13. Tierney, B., 'Villey, Ockham and the Origin of Individual Rights', in Witte, J. (ed.), *The Weightier Matters of the Law: Essays on Law and Religion*, 1-31 (Scholars Press, 1988).
14. Chroust, A.-H., 'Hugo Grotius and the Scholastic Natural Law Tradition', *New Scholasticism*, 17, 101-33 (1943).
15. Trachtenberg, O., 'William of Occam and the Prehistory of English Materialism',

2. 同上。
3. Little, A. G., *Franciscan History and Legend in English Mediaeval Art*, vol. 19 (Manchester University Press, 1937).
4. Lambertini, R., 'Francis of Marchia and William of Ockham: Fragments From a Dialogue', *Vivarium*, 44, 184-204 (2006).
5. Leff, G., *William of Ockham: The Metamorphosis of Scholastic Discourse* (Manchester University Press, 1975).
6. Tornay, S. C., 'William of Ockham's Nominalism', *Philosophical Review*, 45, 245-67 (1936).
7. 同上。
8. Loux, M. J., *Ockham's Theory of Terms: Part I of the Summa Logicae* (St Augustine's Press, 2011).
9. Goddu, A., *The Physics of William of Ockham*, vol. 16 (Brill Archive, 1984).
10. Freddoso, A. J., *Quodlibetal Questions* (Yale University Press, 1991).
11. Kaye, S. M., and Martin, R. M., *On Ockham* (Wadsworth/Thompson Learning Inc., 2001).
12. Sylla, E. D., in *The Cultural Context of Medieval Learning*, 349-96 (Springer, 1975).
13. Shea, W. R., 'Causality and Scientific Explanation, Vol. I: Medieval and Early Classical Science by William A. Wallace', *Thomist: A Speculative Quarterly Review*, 37, 393-6 (1973).
14. Leff, *William of Ockham*.
15. Spade, P. V., *The Cambridge Companion to Ockham* (Cambridge University Press, 1999).
16. 同上。
17. Kaye and Martin, *On Ockham*.
18. Keele, R., *Ockham Explained: From Razor to Rebellion, vol.* 7 (Open Court Publishing, 2010).
19. de Ockham, G., and Ockham, W., *William of Ockham: 'A Letter to the Friars Minor' and Other Writings* (Cambridge University Press, 1995).
20. Mollat, G., *The Popes at Avignon: 1305-1378* (trans. J. Love), 38-9 (Thomas Nelson & Sons, 1963).
21. Brampton, C. K., 'Personalities at the Process Against Ockham at Avignon, 1324-26', *Franciscan Studies*, 26, 4-25 (1966). Birch, T. B., *The De Sacramento Altaris of William of*

8. Smith, A. M., 'Saving the Appearances of the Appearances: The Foundations of Classical Geometrical Optics', *Archive for History of Exact Sciences*, 73-99 (1981).
9. Deakin, M. A., 'Hypatia and Her Mathematics', *American Mathematical Monthly*, 101, 234-43 (1994).
10. Charles, R. H., *The Chronicle of John, Bishop of Nikiu: Translated from Zotenberg's Ethiopic Text*, vol. 4 (Arx Publishing, 2007).
11. Munitz, M. K., *Theories of the Universe* (Simon and Schuster, 2008).

第２章　神の摂理

1. Laistner, M., 'The Revival of Greek in Western Europe in the Carolingian Age', *History*, 9, 177-87 (1924).
2. Clark, G., 'Growth or Stagnation? Farming in England, 1200-1800', *Economic History Review*, 71, 55-81 (2018).
3. Nordlund, T., 'The Physics of Augustine: The Matter of Time, Change and an Unchanging God', *Religions*, 6, 221-44 (2015).
4. Gill, T., *Confessions* (Bridge Logos Foundation, 2003).
5. Al-Khalili, J., *Pathfinders: The Golden Age of Arabic Science* (Penguin, 2010).
6. Dinkova-Bruun, G., et al., *The Dimensions of Colour: Robert Grosseteste's De Colore* (Institute of Medieval and Renaissance Studies, 2013).
7. Hannam, J., *The Genesis of Science: How the Christian Middle Ages Launched the Scientific Revolution* (Regnery Publishing, 2011).
8. Zajonc, A., *Catching the Light: The Entwined History of Light and Mind* (Oxford University Press, USA, 1995).
9. Meri, J. W., *Medieval Islamic Civilization: An Encyclopedia* (Routledge, 2005).
10. Lombard, P., *The First Book of Sentences on the Trinity and Unity of God*; https://franciscan-archive.org/lombardus/I-Sent.html.
11. Sylla, E. D., in *The Cultural Context of Medieval Learning*, 349-96 (Springer, 1975).
12. Riddell, J., *The Apology of Plato* (Clarendon Press, 1867).

第３章　剃刀

1. Hammer, C. I., 'Patterns of Homicide in a Medieval University Town: Fourteenth-Century Oxford', *Past & Present*, 3-23 (1978).

原注

はしがき

1. Wilkinson, D. T., and Peebles, P., in *Particle Physics and the Universe*, 136-41 (World Scientific, 2001).
2. Turok, N., 'The Astonishing Simplicity of Everything', public lecture at the Perimeter Institute for Theoretical Physics, Ontario, Canada, 7 October 2015, https://www.youtube.com/watch?v=f1x-9lgX8GaE.
3. Sober, E., *Ockham's Razors* (Cambridge University Press, 2015).
4. Doyle, A. C., *The Sign of Four* (Broadview Press, 2010).
5. Barnett, L., and Einstein, A., *The Universe and Dr Einstein* (Courier Corporation, 2005).
6. Wootton, D., *The Invention of Science: A New History of the Scientific Revolution* (Penguin, 2015). Gribbin, J., *Science: A History* (Penguin, 2003). Ignotofsky, R., *Women in Science: 50 Fearless Pioneers Who Changed the World* (Ten Speed Press, 2016). Kuhn, T. S., *The Structure of Scientific Revolutions* (University of Chicago Press, 2012).

第1章　学者と異端者

1. de Ockham, G., and Ockham, W., *William of Ockham: 'A Letter to the Friars Minor' and Other Writings* (Cambridge University Press, 1995).
2. Knysh, G., 'Biographical Rectifications Concerning Ockham's Avignon Period', *Franciscan Studies*, 46, 61-91 (1986).
3. Villehardouin, G., and De Joinville, J., *Chronicles of the Crusades* (Courier Corporation, 2012).
4. Evans, J., *Life in Medieval France* (Phaidon Paperback, 1957).
5. Sparavigna, A. C., 'The Light Linking Dante Alighieri to Robert Grosseteste', PHILICA, Article no. 572 (2016).
6. Gill, M. J., *Angels and the Order of Heaven in Medieval and Renaissance Italy* (Cambridge University Press, 2014).
7. Jowett, B., and Campbell, L., *Plato's Republic*, vol. 3, 518c (Clarendon Press, 1894).

クレジット

図1: Gado Images/Alamy Stock Photo. 図2: NASA/WMAP Science Team WMAP # 121238. 図4: Mars motion 2018.png/Tomruen/Creative Commons Attribution-ShareAlike 4.0 International (CC BY-SA 4.0). 図6, 11, 21: Granger Historical Picture Archive/Alamy Stock Photo. 図10: Classic Image/Alamy Stock Photo. 図13下, 26: Interfoto/Alamy Stock Image. 図22: Louis Fibuler, *Ocean World: Being a Descriptive History of the Sea and its Living Inhabitants*, 1868, Plate XXVII. Image courtesy of Freshwater and Marine Image Bank/University of Washington Libraries. 図23: Paulo Oliveira/Alamy Stock Photo. 図24: Jacob van Maerlant, *Der Naturen Bloeme*, c.1350, photo Darling Archive/Alamy Stock Photo. 図27: The Natural History Museum/Alamy Stock Photo. 図28: Various ammonite fossils illustrating Hooke's discourse on Earthquakes. Wellcome Collection/Q5QW2R83. Creative Commons Attribution licence 4.0 International (CC BY 4.0). 図29: Henry Walter Bates, *The Naturalist on the River Amazon*, vol. 1, 1863, Frontispiece. 図30: Andrew Wood/Alamy Stock Photos. 図32: Naked mole rat-National Museum of Nature and Science.jpg Momotarou2012/Creative Commons Attribution-ShareAlike 3.0 Unported (CC BY-SA 3.0). 図34: courtesy Dr G. Breitenbach. 図35: Ian Dagnall Computing/Alamy Stock Photo. 図36 and 42: Author's collection. 図38: Shutterstock.com (six-sided dice); D60 60men-saikoro.jpg/Saharasav/Creative Commons Attribution-ShareAlike 4.0 International (CC BY-SA 4.0) (sixty-sided dice).

図3, 5, 7, 8, 9, 12, 13上, 14, 15, 16, 17, 18, 19, 20, 25, 31, 33, 37, 39, 40, 41はPenny Amerenaによる。

世界はシンプルなほど正しい
「オッカムの剃刀」はいかに今日の科学をつくったか

2023年3月30日　初版1刷発行
2023年6月5日　2刷発行

著者 ――― ジョンジョー・マクファデン
訳者 ――― 水谷淳
カバーデザイン ――― 華本達哉（aozora）
発行者 ――― 三宅貴久
組版 ――― 新藤慶昌堂
印刷所 ――― 新藤慶昌堂
製本所 ――― 国宝社
発行所 ――― 株式会社光文社
〒112-8011　東京都文京区音羽1-16-6
電話 ――― 翻訳編集部 03-5395-8162
書籍販売部 03-5395-8116
業務部 03-5395-8125

落丁本・乱丁本は業務部へご連絡くだされば、お取り替えいたします。

ISBN978-4-334-96263-0 Printed in Japan

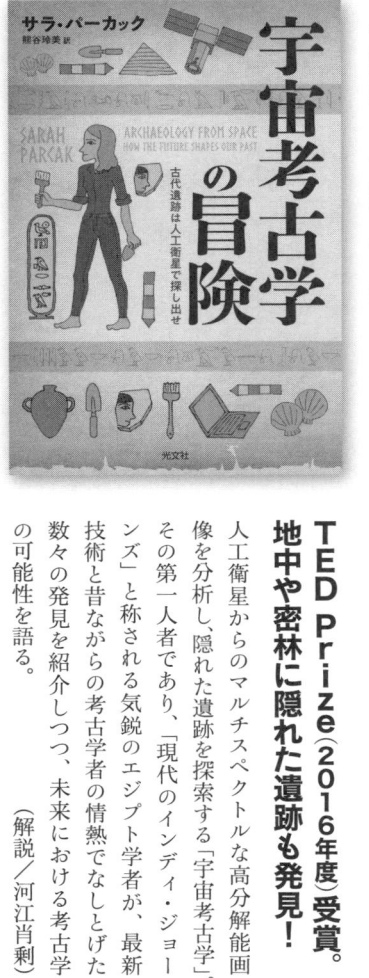